Le Gazon

...plus VERT de l'autre côté de la clôture?

**Catalogage avant publication de Bibliothèque et
Archives nationales du Québec et Bibliothèque et Archives Canada**

Dubois, Amélie, auteur

Le gazon… plus vert de l'autre côté de la clôture ? / Amélie Dubois

ISBN 978-2-89783-035-9

I. Titre.

PS8607.U219G392 2018   C843'.6   C2017-942433-5

PS9607.U219G392 2018

Illustration de la couverture : Yvon Roy

Les Éditeurs réunis bénéficient du soutien financier de la SODEC et du
Programme de crédit d'impôt du gouvernement du Québec.

Nous remercions le Conseil des Arts du Canada
de l'aide accordée à notre programme de publication.

Financé par le gouvernement du Canada |  Canadä

Édition
LES ÉDITEURS RÉUNIS
lesediteursreunis.com

Distribution nationale
PROLOGUE
prologue.ca

 Suivez Les Éditeurs réunis et Amélie Dubois sur Facebook.

Imprimé au Québec (Canada)

Dépôt légal : 2018
Bibliothèque et Archives nationales du Québec
Bibliothèque nationale du Canada

AMÉLIE DUBOIS

Le Gazon

...plus VERT de l'autre côté de la clôture?

LES ÉDITEURS RÉUNIS

À la mémoire de Jean-Pierre Dubois
(1951-2017)

Cette dédicace, tu l'attendais depuis longtemps.
Te gardant la surprise, j'avais si hâte
de te voir ouvrir le roman.
Hélas, tu t'es envolé beaucoup trop tôt…
Mon 13ᵉ roman est pour toi, papa.

– Ton *écrivine* qui t'aime pour toujours

Prologue

Les hommes sont si différents des femmes... Ô saint curry d'Espelette, deux mondes, deux univers. Faisant moi-même partie intégrante de l'équipe des mâles, je sais pertinemment que le fossé qui nous sépare des femmes est infini et formé de parois à la matière ambiguë. Un gouffre sans fond où s'entrechoquent des réactions diverses, telles des météorites contraintes à effectuer leur trajectoire dans une boîte de chaussures. Cependant, cela ne veut pas dire que les femmes détiennent le monopole de l'émotivité. Pas du tout. Les hommes en ce bas monde sont aussi sensibles que les femmes, mais ils expriment et vivent différemment leurs sentiments. Maman disait toujours : « Sois fort, garde ton sang-froid en ne montrant jamais tes émotions... jusqu'à ce que tu rentres chez toi pour pleurer dans les bras de ta femme. » Ayant été mariée au même homme pendant soixante ans, elle savait très bien de quoi elle parlait.

Ceci dit, comme la plupart des hommes se réfèrent davantage au concret et au rationnel, ils ont parfois de la difficulté à croire en quelque chose de plus grand qu'eux ou à se donner le droit de le faire. Comme c'est le cas pour Alexandre. Ne pas croire restreint le potentiel de la conscience. Ces limites la confinent à ce qu'elle voit. Je vois, donc je crois. Je ne vois pas, donc je ne crois pas. Dans ces conditions, le monde des possibles reste limité et l'abandon confiant s'avère difficile, amenant l'âme à ressentir un sentiment de vacuité, de non-sens détaché de toute créativité. Voyons si cette expérimentation pourra lui faire ouvrir les yeux du cœur pour tout d'abord croire, afin d'en arriver à créer.

Les membres
de la famille nucléaire

Alexandre Trudeau,
44 ans, journaliste,
père et mari

Phrase fétiche:
« On va trouver une
solution! »

Claire Aubry, 41 38 ans,
infirmière, mère et
femme

Phrase fétiche:
« Misère, on s'en sortira
pas! »

Mathis Trudeau, 12 ans,
préadolescent

Phrase fétiche:
« J'ai faim! Qu'est-ce
qu'on mange? »

Laurie Trudeau, 14 ans,
adolescente

Phrase fétiche:
« C'est injuste! Je veux
aller vivre en famille
d'accueil! »

Ma vie, le matin du 10 juin

6 ꞉ 30

L'alarme du cadran de Claire sonne. C'est un amalgame de tambours rythmés dont la cadence s'accentue jusqu'à atteindre le tempo d'une fanfare d'enfants de huit ans inscrite à la discipline du sprint aux Olympiques de la musique. Mon cerveau reconnaît le son – depuis le temps –, mais un déni fort efficace fait toujours en sorte que je l'entende pour ensuite immédiatement en faire abstraction. Chaque matin, Claire se lève avant que l'amplitude sonore me perce les tympans. Je me tourne sur le côté, presque déjà rendormi. Ma femme soupire. Elle soupire fort. Ah. Mon cerveau n'a pas de blindage contre ça. Or, je n'ai jamais compris pourquoi elle se lève si tôt. Trop tôt. Je sais, elle doit se doucher, se maquiller, se peigner, parfois même s'épiler, tandis que, dans mon cas, je n'ai qu'à me raser un jour sur trois, m'envoyer trois petits coups d'eau fraîche dans le visage pour finir de me réveiller, puis me voilà prêt pour ma journée.

Malgré tout, je ne sais vraiment pas pourquoi elle se lève si tôt.

Bien sûr, il y a les lunchs à faire, mais à mon avis, elle se donne trop de mal à ce propos. Je pourrais sans problème me contenter d'un sandwich de la machine distributrice au journal et nous pourrions payer le dîner aux enfants, ce qu'elle refuse en prétextant que nous payons déjà l'épicerie, donc à quoi bon dépenser en surplus pour les repas du midi. Je sais, mais elle se donne trop de mal. Toujours. Les enfants sont grands, le service de cafétéria de leur école est convenable et peu coûteux. Il me semble qu'elle soufflerait un peu si nous coupions dans l'épicerie et qu'elle oubliait les lunchs. Parfois, on dirait qu'elle aime bien se compliquer la vie pour justifier ses soupirs. Comme feu mon grand-père Alphonse Jr, qui était toujours ravi d'aller à l'hôpital juste pour pouvoir se plaindre ensuite. Étant donné sa santé béton, plutôt rares étaient les raisons réelles de s'apitoyer. Les médecins ne lui trouvaient jamais rien. «À mon âge, je dois ben être malade, ils trouveront!», clamait-il chaque fois en revenant bredouille de ses rendez-vous. Il est mort à quatre-vingt-trois ans, en pleine santé, fauché par une ambulance. «Tu veux pas attendre ton tour, eh bien voilà, tant pis!», avait semblé lui dire la vie de façon ironique. Alphonse père avait, quant à lui, été happé à l'âge de soixante ans par la carriole du magasin général. Mort sur le coup. Tragique destin familial d'écrasés. Reste à voir ce que la vie me réserve.

En me réveillant à nouveau au son de ma propre alarme, j'agrippe mon téléphone. Je m'étais bien rendormi. Je rêvais que je jouais au paquet voleur avec Edgar Fruitier devant la statue de la Liberté.

Eh bien.

Voyons voir du coup ce que j'ai au programme dans mon agenda électronique : entrevue avec un cultivateur maraîcher de Cookshire-Eaton qui a vu sa plantation bio se faire massacrer par les insectes, rédaction de mon article pour demain à propos des accusations portées contre un éleveur de beagles forcé de fermer son élevage pour cause de maltraitance animale, rencontre de production au journal, lunch avec Pierre.

Ce dernier point me rendant fort heureux, je me lève en sifflotant. Pierre, c'est mon collègue et bon ami. Un vieux frère. Au moment où je pénètre dans la salle de bain, le tsunami qui y règne – comme chaque matin – m'étourdit, aussi comme chaque matin. Un truc auquel je ne m'habitue pas. Des pots de crèmes de toutes les formes inimaginables se dressent en une imposante muraille de Chine derrière l'évier. Une barrière hors de prix contre les ravages du temps, à base d'extraits condensés de n'importe quoi et promettant la jeunesse éternelle. À côté d'elle, des étuis de cosmétiques débordent un peu partout comme s'ils se remplissaient toujours davantage chaque nuit. Des commandes faites en ligne doivent sûrement être livrées à même les trousses. Prêtes à bondir, quelques barrettes à cheveux qui ressemblent à des sauterelles géantes de l'Afrique occidentale me fixent.

Je relève la lunette de la toilette pour pisser. Avant de tirer la chasse, je la rebaisse. Je le jure. Voilà entre autres un des crimes pour lesquels je suis accusé à tort dans cette maison, et ce, depuis des lustres : le siège de toilette levé faisant tomber les filles dans le trou. Infraction pénale punissable de pendaison par les couilles sur la place publique. Je rebaisse toujours la lunette de la toilette et, pourtant, je me fais accuser du contraire au minimum une fois par jour. Ce n'est pas moi. Malgré mon innocence, les testicules me remontent chaque fois dans le gorgoton.

En sortant, je croise justement celui que je sais coupable depuis le jour de sa naissance. Mon fils. On a dû tout d'abord lui apprendre à remonter la lunette pour éviter les petites gouttes disgracieuses sur celle-ci. Plusieurs mois d'acharnement. Il a finalement compris, mais il ne rebaisse pas le truc depuis. Ça n'entre pas dans sa tête, on dirait. Les cheveux ébouriffés comme les poils d'un dessous de bras, il fonce entre le cadrage et moi, en m'accrochant au passage tel un bloqueur offensif un soir de *Super Bowl*. Un grognement caverneux d'ordre préhistorique égaie sa lancée de la victoire vers les toilettes. Il soulève la lunette et il commence à pisser sans même attendre que je sorte. Je sais depuis toujours que c'est lui, mais un mâle ne va quand même pas livrer un confrère à la potence. Surtout lorsqu'il s'agit du fruit de sa propre chair. Lorsqu'il ira vivre en appartement avec une fille, il comprendra tout. Pour l'instant, je ne choisis pas ce combat. Il y en a bien d'autres à mener dans cette vie.

En approchant de ma tendre épouse, qui besogne à la cuisine, je lui plaque un doux baiser sur la joue :

— Bon matin, ma chérie !

— Il faut que tu paies le gars du gazon aujourd'hui...

«Bon matin toi aussi, mon chéri !» aurait bien commencé la matinée à mon sens.

— Oh, je n'aurai pas le temps de passer à la banque avant d'aller au journal... Toi ?

— On appelle ça le partage des tâches, Alexandre. Ce n'est pas comme si nous n'en avions jamais parlé. Tu t'occupes du type du gazon, je gère la femme de ménage. Je fais le lavage, tu sors les poubelles. D'autres exemples, ou ça va comme ça?

— Chérie… On va trouver une solution!

Dans la vie, il y a toujours une solution. Toujours. Même pour la guerre en Syrie, il existe des pistes de solutions, donc je crois bien que c'est aussi le cas pour notre important litige de guichet automatique. Dans la mesure du possible, je me fais une mission de trouver une solution. C'est mon rôle. De toute façon, le vieux sénile de jardinier qui s'occupe de notre terrain peut bien attendre quelques jours. Claire ne semble pas de très bonne humeur ce matin. Elle travaille beaucoup, elle est fatiguée, je le sais, d'où mon idée d'alléger ses matinées en oubliant les lunchs, question de lui permettre de dormir, mais bon, ma proposition est chaque fois refusée au conseil.

Le coupable de la cuvette entre dans la cuisine. Je me tais, ça vaut mieux pour lui. Mes couilles se serrent tout de même un peu.

— J'ai faim! Qu'est-ce qu'on mange?

— Des toasts et des céréales, ce matin. Je suis pressée.

— Baaah… J'aurais préféré des crêpes.

Mmm. C'est vrai que ce serait bon, des crêpes.

— Des crêpes ? Oui, j'ai juste ça à faire, me lever trois heures avant tout le monde pour faire des crêpes alors que j'ai travaillé jusqu'à minuit à l'hôpital, hier. Ce sera des toasts, c'est tout !

Ouin, ce ne serait pas bon, des crêpes, finalement. Ma femme devient très ironique lorsqu'elle est irritée. Ma charmante fille fait à son tour son entrée en scène. Si elle demande aussi des crêpes, nous serons tous cuits à la vapeur. Ou pire encore, dans la mijoteuse pendant huit heures. Longue agonie menant à une mort fondante.

— Je suis la seule de ma classe à pas avoir de iPad. Vous me marginalisez auprès de mes pairs et j'en souffrirai grandement dans ma future vie d'adulte, élabore Laurie, les yeux bien accrochés à son téléphone portable.

Pas de mention à propos des crêpes. Bien.

Ma femme respire par le nez de façon audible, comme si elle désirait tous nous inhaler. Elle réplique à notre fille :

— Bon, qu'est-ce qu'il faut pas entendre ce matin.

— Je veux un iPad, bon !

— Laurie ! Ça suffit ! s'impatiente finalement Claire en faisant face au frigo.

— C'est injuste ! Je veux aller vivre en famille d'accueil !

Ma fille aime le drame. Elle carbure à tous ces films de filles débiles où une tragédie de vêtements-pareils-à-ceux-de-la-plus-belle-fille-de-la-classe n'attend pas l'autre. L'histoire de la famille d'accueil revient si souvent que ça m'amuse. Je me déplace vers la fenêtre pour aller y lire mon journal sur la tablette, bien installé dans mon fauteuil. «Mon» journal, c'est le cas de le dire ici, car c'est celui pour lequel je travaille.

— Alex, dis quelque chose, s'il te plaît?

À propos de quoi? Du iPad ou des crêpes? J'ai perdu le fil. Je tente la première option en y allant par logique d'ordre décroissant des événements litigieux.

— Ma grande fille, on va reparler de tout ça une autre fois..., déclaré-je d'un ton désintéressé, mon attention étant attirée par l'horrible photo que le chef de pupitre a jointe à mon article d'hier.

— Ça aurait été bon, des crêpes...

Les plaintes de mon fils ne me parviennent qu'en sourdine. La première photo que j'ai soumise était vraiment meilleure que celle-là et elle dépeignait davantage ce que j'essaie d'expliquer en dénonçant le dysfonctionnement du nouveau carrefour giratoire du secteur Saint-Élie. Pourquoi personne ne m'écoute dans ce journal?

Bienvenue dans ma vie, où personne ne m'écoute jamais. Mon opinion est comme de la merde en boîte dont même les bénévoles de la guignolée ne veulent pas.

Mon patron m'exaspère. Il ne sait même pas écrire, le pauvre. Comment peut-on diriger un journal quand on ne sait pas écrire?

Il me semble que le minimum, en tant que chef de pupitre, serait d'avoir été journaliste avant, non? Lui, il était avocat avant d'obtenir le poste. Avocat? Quel est le lien entre le journalisme et le droit? S'il était reporter judiciaire, OK, mais là, il fait de la gestion de contenu.

Ceci dit, j'aime bien mon boulot, mais parfois je trouve ça ennuyant même si je m'occupe des faits divers et que c'est une rubrique toujours en mouvement. Certains jours, il n'y a juste pas de nouvelles. Dans ce temps-là, on cherche des embryons de problèmes là où il n'y en a pas. Ou on en crée, c'est selon. Je me souviens d'une semaine tranquille en hiver où absolument rien ne se passait. J'avais fini par hériter d'un article sur un téléférique tombé en panne à la station de ski du mont Orford – avec témoignages d'usagers la morve au nez et mécontents. Puis d'un second article sur le destin enlevant d'un husky qui avait avalé une figurine de schtroumpf – le grognon, si ma mémoire est bonne. La radiographie abdominale du chien en haut de page donnait un certain tonus médical à mon article futile. Les skieurs s'étaient mouchés. Le chien avait expulsé la figurine le soir même, honorant probablement à cet instant et plus que jamais le tempérament grognon du petit homme bleu. Quelles nouvelles cruciales et essentielles! Je me sentais dans le très bas-fond de mes qualifications journalistiques. Autant je trouve à certains moments mon emploi utile et intéressant, autant à d'autres, je me demande si je sers réellement à quelque chose. J'aimerais connaître un destin plus percutant. Comme dans « faire une différence ». Mais je ne sais pas comment, donc je ne fais rien.

Suis-je inutile?

Ce n'était pas mon rêve ultime de carrière, mais j'apprécie la stabilité que mon emploi me procure, malgré les imprévus qui règnent parfois au sein de mes journées. Je visais haut quand j'étais aux études : la télé, les reportages-chocs, le journalisme international. Mais quand j'ai fondé ma famille avec Claire, l'idée de s'éloigner de l'Estrie a rapidement été remisée aux oubliettes. Question de priorités. D'impossibilité, plutôt. Les grandes aspirations s'estompent quand on a une famille. La vie est faite comme ça. L'équipe au journal est correcte. Je suis un des vieux routards de la boîte, avec Gaston Bouthiller, alias Gass, qui s'occupe des sports. La coupe à Montréal, hein, mon Gass ! ? Il la déteste pour mourir, la Sainte-Flanelle. Si au moins il était passé du côté d'Ottawa à la place… Eh bien non. Pas un soleil ne brille sans qu'il nous reparle du but d'Alain Côté, des frères Stastny ou de Michel Bergeron. Notre Gass est un petit gars de Québec au cœur toujours tatoué des ruines du grand « N » des Fleurdelisés.

J'en ai vu du monde passer au journal depuis le temps. Des gens qui grimpent les échelons vers de nouveaux défis excitants ou ceux qui virent tout simplement leur capot de bord, blasés des crottes de husky schtroumpfantes et des coulées de morve du mont Orford. Souvent, ce sont de jeunes trentenaires de la génération Y, que j'appelle les oiseaux qui changent tout le temps de branche. Entre les séparations et les horaires de garde partagée, ils courent tous après le bonheur absolu. Quelque chose de mieux. J'ai toujours été un homme qui apprécie ce qu'il a et qui s'en contente. Je me demande même parfois si je ne manque pas d'ambition. Si je n'ai pas perdu, au fil des années qui passent, la fougue qui m'animait durant mes études universitaires.

Suis-je un indifférent blasé ?

Le Gazon

À l'époque où j'ai rencontré Claire, au cégep, le monde m'appartenait. Mes aspirations professionnelles n'avaient pas de plafond. Je serais parti en stage en Irak pieds nus dans un champ de mines si on me l'avait demandé. J'étais un citoyen du monde engagé, et ce monde, je voulais le parcourir, en entier, et le changer à ma façon. Je voulais faire une différence. Aujourd'hui, je suis un citoyen de Fleurimont qui paie ses taxes foncières deux jours pile-poil avant l'échéance par virement préenregistré à la coopérative financière Desjardins et je rêve à mon tout inclus à Cuba pendant trois ans, parce que l'on ne peut pas se permettre de voyager chaque année. Je me suis perdu quelque part entre le vouloir et le pouvoir. Je me sens comme une lavette de quartier résidentiel pour qui allumer le barbecue en bedaine le samedi midi se classe dans la catégorie « prise de risque ». C'est très dangereux, le propane…

Or, j'aime bien ma vie de famille. Je pense. Bien que mes enfants soient ce que je possède de plus précieux, comme on dit, je les trouve empotés. C'est vrai. Il me semble qu'à leur âge j'étais débrouillard, curieux, aventurier. Aujourd'hui, leur curiosité aventurière se limite à se balader sur la rue d'en face pour chasser des Pokémons invisibles. Mon fils paraît dépourvu de toute ambition, hormis celle de se faire pousser les cheveux pour exaspérer sa mère. Ma fille, quant à elle, raccourcit ses vêtements de deux pouces chaque été pour les mêmes raisons, je crois. Sauf que, dans ce cas, c'est moi que ça exaspère. Bientôt, il ne restera plus rien. Un simple fil lui passant entre les fesses. Un fil à trous et effiloché, bien sûr. Son bas de maillot de bain est plus généreux en tissu pour couvrir les fesses que ses shorts de cette année. Les tailles sont hautes, certes, mais le bas a été raccourci en échange. C'est comme un bandeau de taille, sans manches de jambes. Je ne veux même pas imaginer ce que ce sera l'été prochain.

La valeur de l'argent est une donnée inconnue pour eux. Une tablette est rendue un besoin essentiel se situant au même niveau que la brosse à dents. Un cadeau de Noël en dessous du cinéma maison ou de la croisière de deux semaines en Grèce n'en est plus vraiment un. On leur donne depuis des années des cartes-cadeaux qu'ils accumulent en pile près de leur chaise le soir de Noël. Bientôt, ils nous diront : « Écoutez, Noël n'a rien de bien spécial au fond, pouvez-vous glisser mes cartes-cadeaux sous la porte de ma chambre ? Je vais retourner jouer à FarmVille. »

Au moins, il faut se dire qu'à Noël nous réussissons à leur faire enlever leurs écouteurs pour le réveillon. C'est qu'ils respirent par ce truc. La race humaine s'adapte aux changements de l'environnement. On connaît tous le fameux exemple des dents de sagesse. Nous faisons maintenant face à une génération de mutants ayant des branchies dans le canal auditif. Sûrement un effet secondaire des gaz de schiste dans l'eau potable.

Le pire désespoir lucide de tout parent en ce bas monde reste, par contre, lié à la tentative de transmission des passions, qui se résume toujours en fin de compte à une déconfiture totale. C'est comme tirer des cartouches à blanc en direction de la lune ; même en y mettant beaucoup d'efforts, impossible d'atteindre la cible. Ce qui nous faisait plaisir à nous, enfant, ne fait plus ni chaud ni froid à nos héritiers : hocher la tête au rythme d'un bon vieux rock, aller aux pommes, laver la voiture avec son père le dimanche, écouter un ruisseau en forêt ou son grand-père nous raconter sa vie pendant des heures, regarder des photos imprimées avec la date et le lieu inscrits derrière. « Han ? Des photos, ça peut s'imprimer, genre ? Rapport ? » Écouter mon grand-père paternel était une religion. Un moment d'anthologie à saveur politique, historique, sociale, voire psychologique. Il y avait lui, sur une chaise berçante, et nous, ses disciples en cercle tout autour, semi-asphyxiés par la fumée sucrée de sa pipe qui nous encrassait les poumons de bonheur. Puis, il y avait aussi ses fameuses histoires de la Première et de la Deuxième Guerre mondiale. Mon grand-père avait été chauffeur pour l'armée canadienne durant ces deux guerres. Pour la première, à titre de cadet de l'armée, et pour la deuxième, comme chauffeur aguerri. Il ne conduisait pas de char d'assaut. Il opérait au civil en transportant à bon port les hauts gradés ou les têtes dirigeantes. Quelle fierté pour lui et pour nous. La seule « guerre » à laquelle mes enfants accordent de l'importance se résume au Printemps érable de 2012. Parce que, oui, de gauche sans trop savoir pourquoi, ils se découvrent un malin plaisir à se rallier à tout ce qui semble à leurs yeux un peu anarchique, donc forcément juste et bon. Les policiers qui maltraitent des populations de pauvres étudiants innocents, l'industrie agroalimentaire qui étiquette « bio » avec des autocollants faits de papier non recyclé, les micro-ondes qui causent le TDAH, l'interdiction des mariages de trans homosexuels polygames à l'église, les poules pas élevées en liberté auprès de leur famille immédiate, alouette. C'est bien. Je ne dis pas que c'est mal. Mais je trouve parfois que leurs opinions manquent de nuances. Qu'ils s'approprient des idées sans chercher à voir plus loin que le bout du bouton sur le bout de leur nez. Et lorsque je leur fais part de mon avis, ils répliquent que je suis un vieux dépassé, bon pour le CHSLD et/ou le compost. Je n'avais pas vu venir le moment où, à quarante-quatre ans, je serais un vieux sénile fini. Ce truc est vraiment arrivé par surprise et, faut-il le dire, trop vite. Le fameux jour où mon fils m'a dit, avec l'accent de Provence qu'il utilise lors des discussions sérieuses : « Tu vois, ton âge avancé fait que tu manques de rigueur, genre. » Comment voulez-vous qu'un père de famille se prépare à un tel crochet ? Tout de suite après, il m'avait annoncé qu'il avait aimé la page Facebook d'une compagnie de Granby qui enterrait les cendres des défunts dans des urnes biodégradables ensemencées dans le but de faire un grand cimetière d'arbres, puis il m'avait demandé si j'étais intéressé.

Taboire.

J'avais un modèle de relation père-fils en tête quand Mathis est né. Ça impliquait deux gants de baseball, une balle, un grand champ vert sous un soleil agréable, permettant l'éclosion de conversations amicales et profondes à propos des filles, de l'avenir, de la vie. À la place, mon charmant fils me traite de fossile rétrograde quand je lui exprime mon opinion sur le conflit syrien. Malgré mon titre de journaliste, je n'ai même pas droit à une mince considération de la part de ma progéniture. Avec ma fille, je n'en parle même pas. Si, aux yeux de mon fils, je suis un vieux croulant, aux yeux de ma fille, je ne suis un bipède bon qu'à faire le taxi et à payer les comptes. Je le sens. Et dans sa vie féminine complexe et remplie de règles douloureuses, d'épilation du bikini et de drames à propos de son bal des finissants qui n'aura pourtant lieu que dans deux ans, je peine à trouver une brèche pour enrichir nos liens. Elle reste un grand mystère explosif à mes yeux.

Suis-je un bon père ?

Claire soupire. Elle bourrasse un peu en rangeant des trucs dans le frigo.

Elle semble à bout de nerfs, ma Claire. Je le sais, mais, en même temps, je ne sais pas quoi faire. Puis, quand je tente quelque chose, dans une proportion de huit fois sur dix, c'est la mauvaise chose. Je lui tape sur le système, on dirait. C'est dans l'air du temps, la fatigue, l'épuisement, les gens à bout de souffle, mais on fait quoi pour remédier à ça ? On balance tout en l'air pour aller traverser l'Atlantique sur un voilier ? Une famille par année fait la une à ce sujet dans les journaux, mais on n'a jamais de nouvelles d'eux après. Je pense qu'ils crèvent tous en mer et que les médias préfèrent ne pas revenir sur leur triste sort. De toute façon, Claire n'a pas le pied marin. Son appréciation de l'eau se résume à la laisser couler du robinet jusqu'à la limite de la chaleur supportable chaque fois qu'elle se lave les mains ; je la vois faire ça depuis que je la connais. Du *soft* masochisme propre.

Forcément, après seize ans de mariage et encore plus d'années de vie commune, je la connais, ma Claire. Mais une grande partie d'elle reste pour moi un mystère. Ma femme a plusieurs personnalités. Cinq en tout.

1. Il y a la Claire préoccupée. Je le vois tout de suite quand c'est elle qui se trouve devant moi. Elle ne m'écoute que d'une oreille. Elle attend quelque chose, le nez au

vent. Elle réfléchit à tue-tête. Elle se pose des questions. Une grande bulle impénétrable l'enveloppe, tel un ballon. Elle n'est pas en colère, juste préoccupée. La plupart du temps, lorsque je lui demande ce qui ne va pas, elle me répond : « Rien, rien », puis elle se remet en attente de plus belle. Les rares fois où je découvre enfin la source de son inquiétude, je peux la rassurer, mais la plupart du temps elle redevient normale sans que j'aie aucun détail à propos de ce qui la préoccupait. Attendait-elle un appel important ? Un texto ? Une confirmation du Saint-Esprit par télépathie ? Aucune idée.

2. Il y a aussi la Claire hyperactive. Lorsque ma femme se lève un samedi matin de congé, c'est souvent à elle que j'ai affaire. Elle court à la cuisine, entreprend une brassée de lavage, cuisine une sauce à spaghetti et fait le ménage du frigo, et ce, en même temps qu'elle répare une couture sur le manteau de printemps de Laurie, par exemple. Son frère avait supposément tiré dessus en sortant de l'autobus pour lui éviter un trou d'eau. Par gentillesse. Dans sa version à elle, il l'a poussée devant une voiture pour la tuer, mais il a changé d'idée à la dernière minute par peur de ne pas avoir de cadeau à sa fête.

Ceci dit, Claire est joviale dans ce mode de fonctionnement hyperactif ; elle se sent en contrôle de la situation, à condition que je ne sois pas dans ses pattes. Je tente toujours de déduire quels seront ses déplacements dans la maison pour ne pas me trouver sur sa route et risquer de nuire à sa course folle avec le panier à linge. Elle me reproche souvent de ne pas voir les choses à faire dans la maison. La vérité : elle a raison. Outre la chaîne de toilette à rattacher deux fois par année et les ampoules à changer à la même fréquence, le reste m'apparaît comme un peu flou. Mais, pour ma défense, j'ai fait le lavage une fois à nos débuts de cohabitation et elle m'a illico retiré ce privilège. Une histoire de chemisier qui n'allait pas à la sécheuse, si ma mémoire est bonne. Comme je ne cuisine pas très bien non plus, nous divisons les tâches de façon tout à fait sexiste et genrée. Mon terrain de jeu pour opérer se limite au sous-sol, au garage et à l'extérieur de la maison. Là, je vois les «choses à faire». Le reste, c'est son territoire, et à mon avis, c'est ce qu'elle veut. La première fois qu'elle a accepté d'engager une femme de ménage pour souffler un peu, elle a paniqué la semaine précédente pour tout ranger, puis la suivante, car elle ne retrouvait plus rien dans la maison. Cette pauvre femme n'est jamais revenue. Mais pourquoi donc engager une femme de ménage si c'est pour s'empresser de nettoyer avant qu'elle arrive? Claire me répondrait: «Ben là, de quoi on va avoir l'air si elle arrive et que c'est sale!?» Actuellement, la femme de ménage, qui vient toutes les deux semaines, ne déplace rien de ce que Claire a rangé avant sa venue; tellement que je ne sais même pas en quoi consiste sa contribution.

3. Sinon, la troisième Claire est l'anxieuse, aussi appelée la «Claire-et-si». Dans ce cas, je connais habituellement la nature de l'inquiétude. «Et s'il était arrivé quelque chose à Mathis?» «Et si Laurie avait été kidnappée par un maniaque?» «Et s'il arrivait quelque chose à mes parents durant nos vacances?» Cette Claire-ci est mignonne. Avec elle, je me sens utile. Je la rassure, la prends dans mes bras, lui dis que tout va bien aller. Je me sens protecteur et réconfortant. Je suis bon là-dedans. Je me trouve bon. Ça ne change souvent rien aux inquiétudes en question,

mais le temps que j'exerce mon rôle d'homme rassurant, je me sens à ma place. Sur mon « X », comme on dit. Un « X » menu et pâle, j'en conviens, mais qui fait du bien. Ici, je ne parle pas de la lettre imaginaire que mon fils ajoute tout le temps pour faire des points au Scrabble. « Ça existe, MOUZ, me semble ? »

4. Il y a ensuite la Claire bienveillante. La Claire-maman. En rencontrant ma femme, je savais qu'elle serait une excellente mère et j'avais raison. Elle pense aux enfants en premier depuis leur naissance. Lorsqu'ils étaient petits, elle faisait tout pour eux. Les petits pots de purée maison, gérer les crises nocturnes, trouver des trucs pour soulager la douleur durant la pousse des dents ; disons que je n'étais pas le meilleur pour ces volets. Que ce soit lorsque Laurie mangeait du sable à la pelle ou encore lorsque Mathis suçait son pouce à s'en défoncer le palais devant la télé, Claire semblait d'emblée avoir la bonne façon d'intervenir et les bons mots, comme si c'était inné chez elle et inscrit dans le noyau de son ADN. De mon côté, les interventions éducatives se résumaient à : « Eh ! Eh ! Mange pas de terre. Eh ! Eh ! Suce pas ton pouce. » Rien de très convaincant. Il paraît qu'avec les enfants de deux et de quatre ans, les « ne fais pas ça » simples et mal enrobés sont comme des coups d'épée dans l'eau. Ça pourrait même créer l'effet inverse. J'ai cru le remarquer une fois, d'ailleurs, en trouvant un ver de terre dans la couche pleine de merde de ma fille. Mais bon, depuis que les enfants vieillissent – en nous traitant de demeurés –, Claire est parfois moins patiente, comme ce matin.

Ma femme est aussi la meilleure infirmière qui soit. C'est une chance dans sa malchance que d'atterrir dans son hôpital et d'être soigné par Claire. Sa douceur et son sourire sincère en ont assurément apaisé plus d'un dans cet endroit dénué de chaleur.

5. La dernière, c'est la mienne. Celle qui m'a fait craquer au premier regard. Claire « ma blonde ». La femme enjouée, tellement drôle, intelligente, douce, *sexy*… Celle que j'ai connue et dont je suis tombé amoureux. Celle qui rit de n'importe quoi en balançant juste un peu la tête vers l'arrière. Celle qui improvise, qui se lance, qui semble prête à tout juste pour avoir du plaisir. Celle qui a un humour vif, rapide, car elle a de la suite dans les idées. Celle avec qui je discutais pendant des heures à propos du beau temps, de la vie, de l'actualité, des ours polaires, de notre future vie à nous. Celle qui a le don de raconter une anecdote en gardant son auditoire pendu à ses lèvres. Celle que j'aurais écoutée pendant des siècles durant mon épopée scolaire, alors que nous étions assis au café tout près de la librairie. Celle qui devenait rouge comme une tomate lorsque je lui faisais une surprise, aussi insignifiante soit-elle. Celle qui riait à s'en fendre l'âme quand j'appelais mon pénis Rico. Pour moi, ça sonnait comme un viril étalon hispanophone. Pour elle, ça sonnait comme « haricot ». Rien de très flatteur pour la circonférence de mon engin, mais l'entendre rire à ce point valait amplement la perte d'une dose de dignité.

Cette Claire-là me manque terriblement aujourd'hui.

Aujourd'hui, les surprises sont, comment dire, différentes. Les surprises doivent être calculées et planifiées. Je ne sais même pas si l'on peut encore se permettre d'appeler ça une surprise rendu là. L'horaire de notre vie est si précis et ordonné qu'il n'y a plus de plages horaires libres. Les dernières fois où j'ai tenté de surprendre ma femme n'ont pas connu un vif succès. Je me souviens très bien d'une fois où, un soir que les enfants n'étaient pas là, j'avais acheté tout le nécessaire pour un souper de sushis romantique. Je m'étais même procuré une moustache chinoise caricaturale qui me descendait jusqu'au menton, comme celle de Fu Manchu. Juste avec ce nom, on sait d'emblée qu'on aura l'air très cave. Ma mère disait toujours : « Faites rire un chameau, il vous donnera du lait. » Puis, elle pouvait ajouter du même élan : « J'aimerais ça, un jour, me balader en chameau, mais, en même temps, c'est haut et ça pue, faque je suis pas certaine que ça me tente finalement. En plus, je me sens dépaysée quand je vais à Saint-Hyacinthe, imagine dans un autre pays ! Non, ton père pis moi, on préfère aller aux pommes à Rougemont pour faire des tartes après. Gaétan Barrette a encore engraissé, on dirait ! Ça me dépasse, ça. Non mais, pour un médecin, c'est assez ordinaire merci. »

Ma mère est verbomotrice. Elle est l'inspiration originelle de l'expression « passer du coq à l'âne ». Rien de moins.

Dans ma tête, c'était plutôt « femme qui rit, à moitié dans ton lit ».

J'adore faire rire ma femme.

Pour revenir au souper de sushis, au moment où Claire avait mis un pied dans la maison, elle m'avait annoncé qu'elle devait faire le grand ménage des garde-robes des enfants pour donner les vêtements qui ne leur faisaient plus à la collecte du dimanche. J'avais tenté de la convaincre de se charger de cette tâche une autre fois, mais en vain. Elle avait pris un verre de vin à la hâte et elle avait commencé sa besogne un sushi aux crevettes tempura dans la bouche. Je l'avais finalement aidée. Comme c'était prévu, elle devait le faire sur-le-champ. Je n'ai jamais mis ma moustache. Elle est dans un petit sac, dans le tiroir de ma table de chevet. Depuis cinq ans, je pense. Comme ils disent : « Fu Manchu un jour, Fu Manchu toujours. »

Que dire aussi du week-end dans les Laurentides que je lui avais organisé pour ses trente-cinq ans… Comme les enfants étaient plus jeunes à l'époque, j'avais tout planifié de connivence avec ses parents, qui devaient prendre soin des petits. Claire m'avait appelé un peu à la hâte le vendredi pour me dire qu'elle avait accepté de faire des heures supplémentaires et qu'elle travaillerait aussi le samedi, de jour. J'avais annulé le plan, sauf pour les enfants qui étaient tout de même allés se faire garder chez leurs grands-parents. Ce n'est que le dimanche soir que j'avais enfin avoué à Claire ce que j'avais prévu pour nous. Elle était si désolée. Elle m'avait alors fait comprendre que les décisions de ce genre devaient se prendre à deux, car avec la vie de fous que l'on menait, c'était impossible d'organiser quoi que ce soit dans son dos. Je ne l'ai plus jamais fait.

Comme l'aurait dit un certain *surfer*, Brice : « Elle t'a CASSÉ ! »

Elle a donc elle-même organisé la fête que je désirais faire pour ses quarante ans. Ma femme ment sur son âge à son entourage, donc elle devait gérer certaines balises de la fête en ce sens, dont les fameuses bougies sur le gâteau. Les mêmes que les deux années précédentes. Une rouge et une bleue. Me semble que les gens ne sont pas dupes à ce point ? Ceci dit, je la soutiens comme un valet dans son complot. Si ça peut la rendre heureuse d'avoir trente-huit ans pour toujours, ça m'est égal. Cette histoire d'âge reste une lubie toute féminine, après tout. Elle a donc ressorti les bougies en forme de 3 et de 8, qu'elle a soufflées dans la plus grande fébrilité. Les enfants et moi sommes restés muets comme des tombes, unis à jamais et contre tous, regards complices échangés à l'appui.

Cependant, parmi toutes les charmantes personnalités de ma femme, il y a aussi une entité bien distincte qui vient de temps à autre faire son tour. Un être que l'on redoute tous. Une ombre que l'on sent approcher en serrant les fesses. Si un litige de siège de toilette éclate à ce moment, ce sont donc mes couilles ET mes fesses qui se serrent en même temps. La manœuvre requiert un certain talent d'équilibriste : un tour sur moi-même dans cette posture et il y aurait de quoi compétitionner avec Joannie Rochette. Difficile de se défendre dans cette position, par contre.

Cette entité monstrueuse ne vient pas de notre monde. Il s'agit d'une créature dont la nature se situe à mi-chemin entre l'altruisme de Jaws un soir de banquet de jarrets dodus et la candeur d'un ogre tueur de bébés surgissant dans une pouponnière pleine à craquer, neuf mois après une panne de courant généralisée. Une *chose* ouverte et sympathique comme une porte de prison à sécurité maximale, et douce comme un cactus en érection. Je ne la considère pas comme la sixième personnalité de ma femme en soi, car ce serait une profonde insulte à lui faire que d'affirmer que cela fait partie intégrante de sa psyché. Ça lui vient de l'extérieur ; une situation relevant probablement d'une sorte de magie noire. Une force maléfique qui prend le contrôle de son esprit de deux à quatre jours consécutifs par mois et dont on ne doit pas prononcer le nom. Généralement, c'est vers la fin du mois. À ce moment-là, marcher sur des œufs, aller jouer au tennis pendant quatre heures en plein soir de semaine et faire de gros yeux aux enfants pour n'importe quoi restent mes seules armes afin d'assurer ma survie et celle de ma progéniture. Ne dites rien, ne faites rien et respirez le moins fort possible, car «pas-votre-mère» rôde dans la maison. Et pour l'amour, ne soulignez jamais la présence de cet être diabolique au grand jour, il n'en deviendrait que plus terrifiant. S'il se retourne malgré tout contre vous et qu'il vous montre les dents, courez vite aux abris! Oui, mes enfants, courez!

Ce matin, je ne crois pas avoir affaire à ça, par contre. Dans le cas contraire, elle aurait probablement assommé Mathis en plein front avec une poêle T-Fal à la demande des crêpes. En douce commémoration du Printemps érable, bien sûr.

Claire ressurgit en coup de vent dans la cuisine, elle est déjà prête à partir. Elle embrasse rapidement les enfants sur la tête, puis elle cherche ses clés en s'impatientant un peu. Elle me sourit à demi en tournant la poignée de la porte. Son cellulaire sonne :

— Oui, allo!

Elle sort. La chaleur humaine distribuée à la famille avant son départ était peu généreuse, mais à voir Claire, elle semble en avoir par-dessus la tête.

Encore une fois.

Toujours au salon entouré de mon iPad et mon portable, je passe en revue l'article à remettre aujourd'hui. Les enfants se préparent. Voilà bien un avantage non négligeable dans la vie de parents que cette autonomie matinale. La vie est si bien faite. L'amour que nous vouent nos enfants est proportionnel aux moments que nous devons leur accorder dans notre quotidien. Petits, ils accaparent presque tout notre temps, même la nuit, mais lorsque l'un d'eux s'accroche à notre jambe en nous faisant le câlin le plus baveux du monde, notre cœur fond et nous en ferions le double si c'était possible. Ensuite, peu à peu, ils se débrouillent davantage seuls, puis ils commencent à se ficher de nous jusqu'à envisager de nous enterrer sous un arbre à Granby dès notre dernier souffle expiré. Tout ça s'installe en corrélation parfaite avec la courbe d'acquisition de leur autonomie. Fascinant. Je m'attends à ce que d'ici quelques années ils nous laissent crever dans un asile pour vieux ayant le mot « lumière » sur l'enseigne, et ce, sans ressentir aucune forme de culpabilité que ce soit. Ou encore qu'ils enclenchent une démarche d'assistance à la mort dès la toute première fois que nous oublierons nos clés quelque part ou que nous aurons une fuite urinaire. Une forme d'assassinat en clinique privée, si on se fie à la tangente actuelle de nos politiques envers les aînés. « Profitez de notre promotion du mois de mars : faites crever vos vieux dans la dignité pour seulement douze versements mensuels de mille dollars prélevés à même l'assurance vie de ceux-ci.

Achetez la paix avec votre propre héritage! En prime, pour un temps limité: cinq cents dollars de crédit-voyage pour aller vivre votre deuil sous les tropiques!»

Brillants, les petits maudits.

Ma douce fille, qui attend son tour pour la salle de bain, crie à son frangin un sympathique:

— Sors, gros ortho! C'est mon tour!

Ma fille se fait aussi attraper par le méchant esprit quelques jours par mois depuis un an. Au cas où ce serait ça ce matin, je ne m'en mêle pas et je poursuis ma lecture.

Par surprise, une demande d'invitation surgit dans le coin droit de mon Mac. Via Skype, Shandy, une blonde pulpeuse, m'invite à bavarder avec elle. Misère. Je lève un œil vers le couloir afin de m'assurer qu'aucun des enfants n'avance dans ma direction. Je clique sur le lien et je bloque illico ce contact, enveloppé d'une honte d'ordre juvénile. Je me suis connecté à un site porno que je ne connaissais pas la semaine dernière et, depuis ce temps, je reçois des invitations fortuites de ce genre. La dernière fois, c'était en pleine rencontre de production au journal. Pierre, assis à côté de moi, avait bien vu l'apparition sur mon écran. Il a rigolé en m'expliquant de faire attention de ne pas aller sur n'importe quel site pour éviter ce genre de notifications peu élégantes. La porno sur Internet, Pierre connaît. Un vrai mordu des foufounes virtuelles, un adepte des totons qui branlent dans une vidéo à répétition, un disciple de Safari *porn*. C'est religieux, son affaire, tel le pain quotidien. Pour ma part, non. Pas autant que lui. J'y vais de temps en temps. Comme je ne connais pas tous les rouages de la machine, je reste un peu amateur; j'en ai la preuve ce matin avec la belle et fausse Shandy. Au début, je me garrochais partout sans trop savoir sur quoi je cliquais: «*Miss I take ALL*», clic! «*Pussy cat wet bitch*», clic! Dorénavant, je me limite aux sites que je connais, sauf la semaine dernière, disons. La dernière chose que je souhaite, c'est qu'en montrant quelque chose d'important à Claire sur mon ordi «*Pussy cat wet bitch*» m'envoie sa chatte en gros plan dans le coin droit de l'écran. Je me vois déjà essayer de convaincre ma femme que, dans le fin fond, j'aide seulement une jeune blonde d'Europe de l'Est à travailler pour payer ses études. À ce compte-là, les universités déborderaient de jeunes filles candides et studieuses. Claire se doute bien que je visionne ce genre de trucs de temps à autre, mais nous n'en parlons pas. Mon jardin secret virtuel.

Le sexe avec Claire reste tout de même bon. On fait moins l'amour, c'est normal. Quelques fois par mois, surtout la fin de semaine lorsque Claire ne travaille pas. J'aimerais le faire un peu plus souvent, mais bon. Notre formule est simple et efficace. On s'installe, elle jouit, je jouis, nous nous serrons, «Je t'aime», «Moi aussi», puis nous dormons. Après seize ans de vie commune, je ne suis pas en reste. Pierre a déjà eu des problèmes dans son couple, dont une panne qui a duré près de deux ans si ma mémoire est bonne. Il est avec Nathalie, la meilleure amie de Claire. Lorsque j'ai commencé à travailler au journal, nous les avions présentés l'un à l'autre et depuis ce temps, ils sont ensemble. Lors de cette dite panne, il y a deux ans, c'était étrange, car Pierre m'en parlait et Nat en parlait à

Claire, puis, parfois, nous en parlions ensemble elle et moi. Bizarre que tout le monde ait abordé la question, sauf les deux concernés entre eux.

Claire n'a pas de pression côté sexe; je l'aime, je la connais, c'est donc facile de cerner le bon moment. Il faut dire que je ne suis plus en proie à la libido explosive de mes vingt ans.

Elle me demande souvent si je suis satisfait et je réponds oui, chaque fois. Je le suis en général. D'accord, j'aimerais que notre vie intime soit plus spontanée, mais surtout qu'on prenne le temps de faire l'amour longtemps, comme avant. De se caresser, de rire, d'être plus complices au lit. Parfois, on dirait qu'on se dépêche pour que ce soit fait. C'est difficile de parler de ça en couple. Je crains toujours que Claire le prenne comme un reproche, ce qui n'est pas du tout le cas. On manque juste de temps ou d'occasions. Alors, je me masturbe et comble le reste de mes envies en solitaire, en camouflant mes *kleenex* au fond des corbeilles ou dans la toilette. Comme je travaille souvent seul à la maison, c'est facile. Le jardinier m'a surpris une fois par la fenêtre. Je me sentais niaiseux. Comme s'il m'avait jugé. Mais bon, il n'avait qu'à ne pas écornifler. C'est sa faute. De toute façon, même s'ils vénèrent Shiva le front au sol, les Indiens doivent bien se passer un poignet hindou de temps à autre.

Je ne regarde jamais longtemps les vidéos en question. Quelque dix minutes me suffisent pour jouir. Souvent grâce à des scènes impliquant deux femmes, mais rien de trop extrême. Deux femmes qui se caressent dans la douceur, ça reste le comble de l'érotisme pour moi. Je me fais accroire que la plupart des femmes portent ça en elles, mais qu'elles refusent simplement de l'admettre. Ça m'excite de penser ça. Je me souviens d'une vidéo que j'avais regardée à plusieurs reprises. Scène de Noël. Une femme nue déballait un énorme cadeau de la part de son mari : une jolie femme tout aussi nue en sortait, un air de jeune ingénue au visage. La destinataire du cadeau consommait son contenu doucement, sous les yeux attentifs de son mari, qui n'a pas participé à la scène avant un long moment. J'ai souvent fantasmé d'offrir ce genre de « cadeau » à Claire. Hish. Disons que, chaque année, j'opte plutôt pour le dernier livre de recettes de Ricardo ou encore des chèques-cadeaux pour des vêtements. C'est mieux pour ma vie. Elle adore magasiner, mais ne prend jamais le temps ni l'argent pour le faire. Chaque fois, l'exercice est thérapeutique pour elle et je suis toujours ravi de la voir me présenter ses trouvailles, tout excitée, en me faisant une parade dans le salon. La plupart du temps, ce genre de parade se termine plutôt bien d'ailleurs. L'investissement me revient donc, tout compte fait.

En fait de porno, je me passe de toutes les vidéos dans lesquelles les femmes portent de super longs faux ongles ou de celles où elles ont la chatte rasée au complet. Ça fait petite fille et je trouve ça débandant. Je ne prône pas la culture de la forêt amazonienne au pubis non plus, mais un beau petit mohawk bien soigné, c'est si excitant. Je préfère les femmes aux cheveux foncés aux blondes, les femmes plutôt minces aux rondelettes, même si, de nos jours, avouer ça est devenu un crime condamnable sans procédure sommaire. Il faut aimer tous les corps, tout le temps.

Le Gazon

Claire est belle. Même après toutes ces années, je la trouve si jolie. J'ai pigé le *jackpot*, comme on dit. Un homme ne sait jamais comment sa femme deviendra avec l'âge et la maternité. Les femmes sont plus atteintes physiquement par le temps qui passe que les hommes. La mienne a été bénie des dieux. J'adore son corps, mais pas elle. Ses petites rondeurs, sa peau plus molle sur le ventre et sa soi-disant culotte de cheval – que je mêle constamment avec sa tout aussi soi-disant peau d'orange que je ne vois même pas – l'horripilent. Moi, Claire me plaît. Ses seins sont beaux. Doux, parfaitement fermes et agréablement empoignables. Je me permets même de les serrer un peu plus fort parfois, certains samedis soir lorsqu'elle a bu du vin et qu'elle se sent plus cochonne. Je la trouve parfaite, donc, à mon sens, le fait qu'elle déteste certaines parties de son corps reste un phénomène inexplicable. Je lui dis sans arrêt : « Claire ! Pour moi t'es parfaite ! Et la perfection n'existe pas, donc t'es chanceuse ! » Mais lui faire comprendre ça relève du défi inhumain.

Je ne reste pas en couple avec Claire à cause de son apparence physique, mais c'est un point dans la balance, je ne suis pas con. Pas question qu'un jeune divorcé assoiffé de nouveauté et qui vient de recommencer à s'entraîner au gym mette la patte sur ma femme. Non.

Je ne suis pas insatisfait de ma relation de couple, mais je m'ennuie souvent de la Claire numéro 5. De ma blonde. C'est avec elle que je batifolais longtemps à nos débuts. On prenait du temps pour nous. Pour s'aimer. Je me suis déjà demandé si j'avais couché avec assez de femmes avant de rencontrer Claire. Peut-être que non. On était si jeunes. On ne l'est plus. Je n'ai jamais été infidèle. Jamais sauté par-dessus la clôture, comme on dit, même si une fois j'ai dû résister à une torture atroce; le supplice de la stagiaire. Un beau classique qui ne se démode pas. Chloé. Une jeune brunette sportive, les fesses bien rebondies et portant encore la marque des bancs universitaires, qui, du haut de ses vingt-trois ans, arrivait au bureau enveloppée d'une sublime odeur de parfum de rose, avec ses bouclettes juste un peu humides qui rebondissaient en même temps que ses hanches toquaient de gauche à droite comme le pendule d'une horloge grand-père. Je salivais comme un lama du Parc Safari. Je déglutissais en la saluant à peine, faisant mine de ne pas l'avoir vue entrer. J'étais son superviseur et j'avais encore mes preuves à faire au journal à cette époque, donc je ne pouvais pas me permettre qu'elle se rende compte que j'avais un titillement au bas-ventre chaque fois qu'elle passait près de mon bureau. À ce moment-là, les enfants étaient très jeunes. Mon quotidien et ses courtes nuits n'étaient pas toujours faciles. Claire était épuisée, le sexe n'était pas du tout au cœur de ses priorités et... la vie me faisait ça à moi. Le coup de la stagiaire délectable. Injuste. J'en étais même frustré quand je me masturbais en pensant à elle. Des scènes un peu torrides que je m'imaginais parfois, malgré le fait qu'elle portait en elle l'innocence de la fille qui est naturellement séduisante, donc qui ne s'en rend même pas compte. Pas une aguicheuse, pas une séductrice, juste une fille sympa, pleine d'ambitions et de grands rêves. Une vraie fanatique des pyramides d'Égypte, entre autres. Elle proclamait que ces structures ancestrales renfermaient un grand secret planétaire, bien qu'elle ne sache pas lequel. Ayant toute la vie devant elle, elle rêvait de le découvrir.

Le Gazon

Les réunions étaient lumineuses avec elle à la longue table de conférence du journal. Les dîners entre collègues au centre-ville étaient légers comme le vent en sa compagnie. La faire éclater de rire me faisait secrètement plaisir. Je l'admirais en catimini telle une des merveilles du monde, tout comme elle vénérait ses chères pyramides. Elle me donnait le goût de me raser les côtés de la tête, de m'inscrire au CrossFit et d'échanger notre familiale contre une moto sport, question de faire dorer au soleil ma nouvelle manche de tatouages. Son âme m'avait paru pure et fraîche jusqu'au soir du fameux *party* de bureau soulignant le temps des fêtes et, du coup, la fin de son stage. Les verres de vin qu'elle séchait à la vitesse de l'éclair l'ont transformée en une bête étrange aux dents mauves. En une séductrice qui parlait fort et qui me pourchassait du regard. Au départ, j'étais curieux, je l'observais. Je me complaisais dans le rôle de la proie qu'elle semblait convoiter avec tant d'ardeur. Elle cherchait sans cesse ma présence, puis elle surgissait près de moi en surprise pour me serrer le bras à la hauteur du biceps. « Yé, *boss* ! T'es genre même pu mon *boss*, asteure… » J'ai vite compris qu'il valait mieux longer les murs. J'étais celui qui avait résisté à la tentation jusqu'à présent et je ne voulais pas en arriver au point de non-retour avec elle dans un coin sombre de l'immeuble. Cependant, comme elle s'était retrouvée complètement soûle en moins de deux heures, ses yeux fixant de manière floue le vide devant, ma vision féérique d'elle s'était un peu transformée. Au moment où elle a atterri près de moi en me chuchotant pour la millième fois à l'oreille : « Yé, *boss* ! T'es genre même pu mon *boss*, asteure… » tout en m'incitant à avaler un *shooter* de tequila qu'elle avait pris soin d'insérer entre ses seins, je l'ai embrassée sur les joues, puis j'ai quitté le plateau en la laissant en plan avec sa tranche de citron à l'envers dans sa bouche. Je ne l'ai jamais revue. J'ai par contre revécu la fin de cette soirée dans ma tête à maintes reprises. Dans les toilettes du bureau. Sur mon bureau. Sur le photocopieur de la salle de rédaction. Que d'espaces propices, au journal, pour m'aider à imaginer la conclusion délectable de cette petite fête. J'y pense encore. Un peu. Parfois. C'est normal. Quand on choisit la fidélité, il faut bien s'évader de temps à autre.

— Bonne journée, mon grand ! Toi aussi, ma grande ! que je dis aux enfants, qui se dirigent vers la porte.

— S'lut ! me baragouine mon fils.

— ..., ne répond pas ma fille.

De retour du bureau, je m'installe dans mon fauteuil habituel, près de la fenêtre donnant sur la rue. Je dois écrire mon article. Je repense plutôt à Pierre. Quelle chance il a. Il me racontait ce midi que Nathalie et lui passeront une partie des vacances d'été seuls, en amoureux. Leurs deux enfants, Mégane et Nathaniel, chialaient contre tous les projets de vacances qu'ils soumettaient, donc ils iront finalement chez leurs grands-parents à la campagne pendant une semaine. Durant ce temps, Nat et Pierre iront à l'Île d'Orléans, où ils ont loué une maison au bord de l'eau. Wow. J'en bave sur mon clavier d'ordinateur juste d'y penser. Une semaine. Sans les enfants. Seulement ma blonde, l'Île d'Orléans et moi. Une vraie chanson de Michel Rivard.

Le **Gazon**

Claire ne voudrait jamais.

Je m'essuie le coin de la bouche et je reviens à mon boulot. Cette histoire de cultivateur de Cookshire-Eaton m'a bouleversé. Il a trois enfants et sa famille vit uniquement des revenus de la ferme. Les normes environnementales pour la culture bio sont très strictes, de sorte que le pauvre homme n'a presque pas eu d'autre choix que de regarder sa plantation se faire ronger par les insectes sans pouvoir recourir à aucun produit chimique pour enrayer le fléau. Les produits naturels étaient trop peu combatifs par rapport à la virulence de l'ennemi. Son histoire m'a beaucoup attristé, donc je veux rendre un papier percutant à propos du drame qu'ils vivent. Comme leurs champs de courges n'ont pas été touchés, je vais tenter de leur faire un peu de publicité gratuite pour encourager la population estrienne à se rendre directement chez eux pour s'en procurer dès la fin juillet. Est-ce qu'une famille de cinq personnes peut vraiment mettre du beurre sur la table en vendant des courges butternut ? Laurie s'approche de moi à pas de loup, son petit air de rien collé au visage. Elle tentera une approche en duel pour obtenir quelque chose. Je la connais, ma petite rusée.

— *Daddy* d'amouuur ?

— Oui, ma chérie ?

— Tu devrais demander au journal de t'acheter un nouveau iPad et me donner le tien ! Le journal paie ton ordi et ton forfait de cellulaire, faque pour eux, un iPad de plus ou de moins, ça change comme rien.

— Laurie... j'ai déjà une tablette, je peux pas en demander une autre au journal juste de même.

— Oui, mais dis que tu veux genre le iPad mini, parce que c'est plus pratique à apporter avec toi!

— Laurie, tu sais ce que je dois rédiger comme article ce soir[1]?

— Non.

— C'est à propos d'un homme et de sa famille qui sont sur le point de tout perdre. Pas des gens qui habitent en Afrique ou en Chine, là, des gens de chez nous, ici, en Estrie, qui ont vu la presque totalité de leur plantation de légumes être détruite par des insectes. Ils vivent juste de ça, donc ils ont plus de revenus, tu comprends?

— Ils avaient juste à *shooter* des pesticides ou des OGM ou je sais pas quoi!

— Non, ils ont une certification bio et ça leur tient à cœur. Toi aussi, d'ailleurs, t'en parles souvent.

Laurie réfléchit. Je la regarde. Verrai-je poindre à l'horizon un semblant d'altruisme, la faisant dévier un tantinet de son nombrilisme chronique? Oui. Je pense que ma fille ressent pour la toute première fois de sa vie une forme de sentiment de compassion autre que pour les pauvres étudiants oppressés du Printemps érable. C'est beau. Cette histoire la touche et elle réalise que de toujours

---

1. Admirez ici l'habile diversion d'Alexandre pour éviter de dire un «non» radical à sa fille chérie.

vouloir tout dans la vie n'est pas possible. Il faut apprécier ce que l'on a et être heureux. Du haut de ses quatorze ans, elle vient enfin de voir naître en son for intérieur une conscience de l'autre et de sa situation. Je guette sa réaction. Nous partageons quelque chose d'unique en ce moment même ; le fait d'être touchés par une situation ainsi qu'une envie viscérale d'aider cette pauvre famille. Je lui souris. Ma grande fille me sourit à son tour. Elle se lève.

— Je m'en fous de leurs légumes, genre. Rendu là, si t'es pour toute perdre, mets-en, des *fucking* pesticides, conclut-elle.

Non. Nous ne partageons strictement rien en fin de compte. Quand je vous disais que leurs opinions sur diverses situations manquent un tant soit peu de nuances… La détresse de l'Afrique, oui, celle des agriculteurs d'ici, non.

Elle se sauve. Je fixe un instant l'entrée d'asphalte par la fenêtre. Le vélo de mon fils trône au milieu de la place. J'irai le ramasser plus tard. Il a dû voir passer un Pokémon près du cabanon et il a tout laissé en plan. Mes enfants vont-ils développer un jour une conscience sociale autre que pour ces revendications étudiantes qu'ils ne comprennent même pas encore tout à fait ? Est-ce la génération d'aujourd'hui ? Est-ce notre faute en tant que parents ?

Suis-je un bon modèle ?

Mathis, qui entre en trombe, dérange un peu mon questionnement du moment. Il nargue sa sœur :

— Je viens de pogner un Pokémon que t'as pas ! Na na naaa !

— Lequel?

— Je te le dis pas!

Elle fait un mouvement rapide pour lui voler le téléphone des mains. Une course folle dans le salon s'ensuit. Je ne m'en mêle pas.

Est-ce ma faute? En tant que journaliste, socialiste et père, c'était mon rôle de leur inculquer de bonnes valeurs sociales. J'ai bien essayé. Ai-je échoué?

— Montre-moi-le, gros con d'ortho!

Oui. J'ai échoué.

Le véhicule de Claire tourne dans l'entrée de la maison. Elle arrive plus tard qu'à son habitude, car elle passait une mammographie ce soir. J'espère que ça a bien été. Elle était un peu nerveuse pour ça ce matin. Les cancers du sein sont ravageurs chez les femmes, mais en fait d'examen, même s'il paraît que ça compresse un peu la poitrine, rien ne se compare à notre fameux test de la prostate. Un viol, ce truc. Les doigts du médecin dans ton anus, c'est carrément du viol, mais avec consentement. Le mien trouve toujours le moyen de dissiper le malaise avec une blague de golf floue, du genre: «Sais-tu c'est quoi la différence entre une balle de golf et le point G?» Un accro du sport qui ne peut même pas attendre sa foutue retraite pour jouer tous les jours à six heures du matin. Durant la belle saison en juillet, il termine toujours plus tôt pour faire un double parcours dans sa journée. Il considère ses blagues poches comme un lubrifiant social le déculpabilisant de faire ainsi intrusion dans le cul des gens. Il se déresponsabilise de l'agression sexuelle en l'enduisant de son humour-Vaseline.

Le Gazon

C'est du même niveau que les justifications des types qui abusent d'une femme soûle en disant qu'elle portait une jupe courte. Nul. Mon médecin ajoute aussi chaque fois un commentaire déplacé du genre : « Oh, on serre un peu ? Pourtant, c'est toi qui es venu me voir pour ça ! » Malaise. Exactement comme le type qui parlera de la fille soûle en ajoutant : « En plus, elle a accepté de venir chez moi prendre un dernier verre, la salope. » Gros épais.

Mon médecin est un violeur en série qui agit en toute impunité. Les mammographies, c'est de la petite bière si on les compare à ça[2].

J'espère tout de même que ça s'est bien passé pour ma Claire.

Je la vois immobiliser son véhicule à mi-chemin de sa place de stationnement habituelle. Elle sort, puis lance le vélo de Mathis à bout de bras sur le gazon. Je voulais aller le ramasser… J'interviens tout de même à retardement pour me racheter[3] :

— Mathis ! ? Ton vélo traînait en plein milieu du stationnement ! ENCORE !

Les enfants en pleine lutte gréco-romaine sur le divan ne m'écoutent pas le moins du monde.

---

2. Et la différence entre la balle de golf et le poing G, elle ? La taille, je dirais…
3. Est-ce ce qu'on appelle l'éducation de bout de chaise ?

— Tu l'as pas! Tu l'as pas! Tu l'as pas! chantonne mon charmant fils en brandissant au ciel son téléphone sous le poids de sa sœur maintenant assise sur lui à califourchon.

Claire entre dans la maison.

— T'es con! gueule affectueusement ma fille chérie à son frère dans le salon.

Je souris à ma femme, qui me répond d'un demi-sourire en tournant la tête vers la cuisine. Je n'ai pas commencé le souper; il n'y a rien dans le frigo. Nous devons faire le marché demain. Je me disais que Claire allait probablement arrêter en chemin pour prendre quelque chose, donc je ne voulais pas risquer de gâcher son plan et me le faire reprocher ensuite. Une idée me frappe alors de plein fouet, comme par magie. Une idée pour mon roman. Voici ce que je rêve de faire dans la vie depuis toujours: être écrivain. J'ai justement un plan de roman en chantier depuis… toujours. Un truc policier. C'est vraiment ce que je veux le plus écrire. J'aimerais prendre du temps pour y arriver, mais je n'en trouve pas. Avec la rédaction des articles pour le journal, je perds toujours un peu de souffle pour écrire en fin de journée, donc j'écoute plutôt la télé. De toute façon, c'est juste un grand rêve, je pense. On ne fait pas ce que l'on veut dans la vie, mais bien ce que l'on peut. Est-ce que les gens en général réalisent vraiment leurs rêves? J'en doute. Un beau paquet de chance pour ceux qui le font, à mon avis. Je crains d'arriver à écrire ce roman seulement au moment de ma retraite. Triste. D'ici là, je travaille tout de même à fignoler mon plan. Quand je trouverai enfin le temps, tout sera plus clair.

Donc, voyons voir.

Le Gazon

L'inspecteur Muller doit avoir un indice pour identifier John Spider, le tueur qui fait rage en assassinant des danseuses de flamenco. L'ADN laissé sur le corps, c'est trop facile. Une signature? Liée à quoi? Je veux quelque chose de subtil, de sophistiqué. Je crois que je l'ai. Une signature sur les lieux du crime liée aux notes de musique de la chanson sur laquelle la danseuse faisait claquer ses talons hauts. Ah oui, c'est bon.

— MAMAAAAN! beugle ma fille.

Même si je les entends à peine, je leur envoie un «Voyons?», opérant plutôt à titre de réflexe parental inné que d'une réelle intervention autoritaire à propos du litige.

J'ai même levé des yeux vagues et absents en leur direction pour appuyer la crédibilité de ce réflexe. Je n'ai aperçu qu'un chaos pêle-mêle de jambes et de bras trop longs.

Oui, un code référant à la musique. Bonne idée.

— T'es un malade mental! crache ma fille.

— Câlice! largue mon fils, qui n'a pas le droit de sacrer.

Je passe sous silence ce blasphème inopportun. Rien entendu, moi. Je veux juste coucher mon idée sur papier avant le souper.

— ÇA SUFFIT! gueule ma femme de toutes ses forces.

Sans trop savoir pourquoi, je sens mes testicules se serrer comme s'il s'agissait d'un reproche de cuvette proféré à mon intention. Je lève des yeux ahuris vers ma femme, qui n'a pas l'habitude de crier de la sorte. Est-ce que son examen s'est mal passé? Je ne veux pas aborder ce sujet devant les enfants. Elle se tourne vers le frigo, l'air déjà plus calme. Voilà une petite bulle d'impatience que je ferais mieux de passer sous silence également. Pour changer de sujet, j'y vais d'un:

— J'ai eu une nouvelle idée gé-ni-ale pour mon roman!

— Ah oui? T'écris? commente-t-elle, l'air complètement désintéressé, en plissant des yeux, importunée par le cafouillage toujours bruyant de nos héritiers.

— Non, non, je fignole mon plan…

Ma femme ne croit pas vraiment à mon projet et sa réaction me le prouve une fois de plus. Elle semble même en avoir marre d'en entendre parler.

Las du combat, Mathis avance vers sa mère en lui demandant:

— Qu'est-ce qu'on mange?

— Une omelette avec des pommes de terre bouillies…

Il lui balance un «Aaaah!» chargé de désillusion, puis il se tourne vers moi. Comme je lui fais de gros yeux chargés de reproches qu'il comprend très bien, il s'enfuit dans sa chambre pour aller ruminer sa deuxième déception culinaire de la journée en solitaire.

Laurie avance vers Claire.

— *Mom*, je veux vraiment un iPad!

— Laurie, c'est NON!

Le **Gazon**

Claire commence à éplucher les pommes de terre. Je vais aller lui donner un coup de main, mais avant, je vais juste terminer d'écrire cette idée de signature liée aux notes de musique.

Je ne suis pas satisfait de mon article. Il me semble que je ne rends pas justice à la cause. Demain, j'ajouterai un bandeau en bas incitant les gens à se rendre directement chez nos agriculteurs locaux pour se procurer leurs fruits et légumes cet été ou au marché de la Gare, où plusieurs d'entre eux se donnent rendez-vous. Ça ne servira techniquement en rien à cette famille, mais peut-être que ce sera utile pour d'autres. Je ne sais pas pourquoi cette histoire m'a autant touché. Cet homme vivant son rêve, difficile rêve, oui, mais il le fait. J'admire ça. Pas l'aspect « agriculture » en tant que tel, mais sa détermination à emprunter un chemin différent. Un chemin ardu. Peu de gens font ça.

Suis-je un grand rêveur, petit faiseur ?

Claire étant à la salle de bain, je m'installe près de la fenêtre de notre chambre. Je fixe la cour. Notre cour. Ensuite, celle de notre voisin de l'autre côté de la clôture, alias le maniaque du gazon. C'est si vert de son côté. Même à la nuit tombée.

En entrant dans la chambre, Claire pousse un long soupir. Oh. Je suis en compagnie de la Claire numéro 1 ce soir, je crois. La préoccupée. Comme elle passe près de moi, je lui flatte un peu l'avant-bras. Elle s'éloigne, puis s'installe dans le lit, bien droite. Elle m'a parlé de son examen médical tout à l'heure et tout semblait OK, pourtant. Parfois, je crains qu'elle en ait juste marre de moi. Qu'elle me trouve *loser*. Bien à l'aise dans ma petite vie. Un homme trop normal. Un petit journaliste plate.

Suis-je un bon mari ?

Je m'ennuie de la Claire numéro 5, ma Claire. Si je la vois de moins en moins souvent, celle-là, je dois bien avoir quelque chose à y voir. Mais quoi ? Parfois, j'aimerais ça pouvoir faire un bilan avec elle. Concrètement. « Chérie, nous sommes mariés depuis seize ans, es-tu heureuse ? Qu'aimerais-tu améliorer dans notre vie ? Ça et ça, parfait ! Qu'est-ce qu'on fait pour y arriver ? » Elle me nomme de temps à autre des choses dont elle est tannée : être toujours fatiguée, ses heures supplémentaires, la vie qui va vite ou des trucs plus flous qui me témoignent qu'elle est blasée de la routine, qu'elle trouve notre petite vie ennuyante. Mais c'est surtout dans des périodes où elle est surchargée, donc ce n'est pas toujours le bon moment pour avoir ce type de conversation. Comme ce soir, par exemple. Elle est déjà préoccupée et il est tard. Pas le temps d'enclencher une discussion sérieuse de ce genre. De toute façon, dans son état d'esprit actuel, elle pourrait percevoir que je tente de lui passer un message en douce. Elle présume souvent ça. Parfois, je lui parle d'un truc anodin le matin et, le soir, elle me revient avec un scénario catastrophe digne d'une émission au canal Z, et je fais : « Euh, je te disais seulement blanc parce que c'est blanc. » À son tour, elle réplique : « Ah, t'es certain ? Toute la journée, je me suis imaginé que tu me disais que c'était blanc pour me passer un message subtil, alors qu'en fait c'était bleu et possiblement rouge aussi, et que tu tentais de me dire qu'il y avait du jaune et du mauve en plus, parce que le ton que tu as pris pour prononcer «blanc» était ambivalent et hésitant, donc j'ai cru que...» Ma très chère femme semble passer des heures à «se dire que peut-être», en analysant tout de long en large. Quand elle fait ça, elle est dans le champ dans une proportion de 99,99 % du temps. Elle se crée une histoire dans sa tête, toute seule. «Non, chérie, j'ai dit «blanc» parce que c'est blanc, c'est tout. Ne cherche pas plus loin.» Les chemins sinueux dans la topographie des sous-entendus féminins sont parfois durs à suivre pour les hommes. Aucun GPS n'arriverait à s'y orienter. Et ça commence jeune, cette histoire. J'ai entendu une conversation de Laurie l'autre jour avec sa copine dans sa chambre :

— Il t'a genre envoyé un émoji de sourire sans clin d'œil et sans grimace, donc il est ouvert à sortir avec toi de façon sérieuse, me semble que c'est évident !

— Oui, mais il y a un point après et non un point d'exclamation.

— Il est décidé, justement. Pas de détour, il veut, point ! Sinon, il aurait mis genre trois points pour «je suis pas encore sûr».

— Oui, mais si y avait juste pas mis de point, ce serait plus comme «ouvert à l'idée» et là, non, il a mis un point final.

— Ouin, c'est vrai ça.

— Il est encore ambivalent, il a peut-être le *kick* sur Marilou ?

— AH NON!!!

Ting!

— HEIN? Il vient de m'envoyer une trompette pis un cactus? Qu'est-ce que ça veut dire?

— Ah, *my God!* C'est comme clair qu'il veut partager sa vie avec toi, ses loisirs, la musique...

— Et le cactus?

— Il a soif de toi, il se sent genre comme dans le désert quand t'es pas là. WOW... C'est si romantique, chanceeeuse!

Ce petit gars-là était sûrement à des années-lumière de se douter que ses émojis feraient l'objet d'une rigoureuse analyse digne des services du FBI et que toutes les infimes facettes de sa ponctuation, de l'endroit où il l'avait inscrite, ainsi que l'éventail de ses intentions sous-jacentes volaient désormais dans les hautes sphères de la déduction féminine. Il était fort probable que ma fille arrive le lundi matin à la polyvalente en lui disant: «Écoute, je veux plus sortir avec toi, j'ai bien compris ton message et je veux pas me faire du mal.» Et que le pauvre petit gars fasse: «Hein? Quoi?»

Voilà ce que je fais quand ma femme arrive avec une histoire mijotant dans sa tête depuis des heures concernant mes sentiments ou mes intentions: «Hein? De quoi tu parles, chérie?»

Ceci dit, je ne parlerai pas à Claire ce soir. Je ne vais pas surcalibrer la trame de ses angoisses internes en lui partageant les miennes. Je dois la soutenir, lui montrer que je suis là, que je suis fort et que tout roule. Je ne veux pas qu'elle sache que je me pose mille et une questions ces temps-ci. Elle n'a pas besoin de ça en ce moment. Je dois rendre sa vie plus légère et non l'alourdir. Honnêtement, le meilleur moment pour discuter de choses plus sérieuses avec elle, c'est après l'amour. Ce que ma femme est adorable après l'amour. Belle comme jamais, douce, relaxée, gentiment ébouriffée. J'ai toujours pensé qu'il y avait là quelque chose de contre nature. Techniquement, dans l'évolution de l'espèce, la femme devrait être plus attirante aux yeux du mâle avant l'amour pour que le coït ait lieu afin de perpétuer la race. Mais non, pour moi, rien n'égale la beauté de ma femme après l'orgasme. Un état divin. D'un point de vue scientifique, ça ne sert plus à rien d'être si séduisante à cet instant, mais sur le plan conjugal, c'est un moment propice à la communication. Comme je suis presque certain que nous ne ferons pas l'amour ce soir, je préfère attendre pour lui exprimer mes interrogations.

Claire, dis-moi, trouves-tu que je suis un *loser* qui manque d'ambition ?

Toujours focalisé sur la maison du voisin, je murmure sans trop m'en rendre compte :

— Hum…

Comme si elle avait entendu mon questionnement interne, elle me demande :

— Quoi ?

— Je sais pas…, que j'hésite, sur le point de lui révéler mes pensées.

Elle m'encourage en réitérant sa question :

— Quoi? Chéri, dis-moi, je t'écoute.

Je secoue la tête de gauche à droite et regarde le plancher. Je me parle un peu : «Alexandre, ce n'est pas le bon moment. Souviens-toi de la dernière fois que vous avez eu une discussion à cette heure. Rappelle-toi à quel point Claire avait mal saisi ton propos et la discussion salée qui en avait résulté dans les jours suivants.» Je trouve donc une porte de sortie à la va-comme-je-te-pousse.

— Je sais pas ce que le voisin fait de si magique, mais son gazon est vraiment plus vert que le nôtre, hein! On dirait que je suis comme jaloux.

Bruit de criquets.

Je délaisse la fenêtre pour venir m'installer à mon tour dans le lit en arborant un sourire tout aussi innocent que le propos que je viens de lui balancer. Elle fixe le couvre-lit, les mains bien à plat sur ses cuisses. Elle ne répond rien, trop préoccupée par ce qui la tracasse et qui m'est inconnu. Elle ferme la lumière posée sur sa table de chevet et s'allonge sous les couvertures. Une bonne nuit de sommeil lui fera du bien.

— En tout cas, je vais en parler au gars qui s'occupe du gazon. On va trouver une solution!

L'autre qui en rajoute... En éteignant ma lampe de chevet, je songe : «Ma belle Claire, j'aimerais tant te dire que, ces temps-ci, je trouve justement que le gazon est plus vert de l'autre côté de la clôture. Même chez cet homme qui a suivi son rêve en devenant agriculteur, malgré le drame récent qui l'a frappé, et chez tout le monde, en fait. On ne pourrait pas rendre notre gazon plus vert, nous aussi? Ensemble? J'aimerais tellement connaître la suite de notre histoire, de notre vie…»

Au petit matin

Je cherche à tâtons la couverture. À cause de l'air conditionné de la maison, j'ai froid. Mes mains ne la trouvent pas. La douceur du cuir sur lequel frotte l'intérieur de mes paumes me ramène peu à peu à la réalité. Je me suis endormi sur le divan. Classique situation de ma vie. Ne trouvant pas le sommeil et ne voulant pas réveiller Claire, j'ai dû me rendre au salon et je m'y suis endormi. En ouvrant les yeux, une blancheur inhabituelle m'aveugle. À l'éblouissement se juxtapose la confusion. Comment est-ce possible qu'il fasse déjà jour? Habituellement, je me réveille en plein milieu de la nuit et je regagne le lit sans faire de bruit. Mon œil le plus brave s'ouvre au complet pour affronter cette blancheur. Impossible qu'il fasse si clair dans le salon. Claire aurait-elle oublié de fermer les rideaux hier soir? Tirer les rideaux en soirée est une grande préoccupation de ma femme. Comme si les voisins allaient se regrouper par dizaines autour de la maison avec leurs chaises de parterre pour épier chez nous.

L'impression de ne pas être dans un lieu clos me fait ouvrir l'autre œil; le plus paresseux des deux. Un épais brouillard me happe de plein fouet, telle une vapeur tangible. Mes poumons s'emplissent de cette brume qui me donne l'impression de me trouver dans un nuage de buée fraîche. Je me redresse sur le divan pour évaluer cet environnement étrange. Une voix haut perchée dans ce ciel m'interpelle :

— Bonjour, Alexandre ! En fait, bonne nuit ! Ha ! ha ! ha !

Quelques éclaircies de lucidité supplémentaires me permettent de réaliser que la causeuse de mon salon flotte présentement à travers les cumulus. Ceci, conjugué au fait que quelqu'un me parle de l'au-delà, me permet d'affirmer avec candeur :

— Aaaah, je rêve. Fantastique !

— Bon, pas moyen de garder un minimum de suspense ici. Avec la clientèle masculine, c'est souvent comme ça, se déçoit la voix.

— Bon ! que je fais en m'allongeant de tout mon long afin d'apprécier la parade de nuées qui défile tout autour.

En croisant les bras derrière la nuque, j'apprécie ce rêve curieux que je semble vivre en toute conscience.

— Vous ne vous demandez pas qui je suis ?

— Non, je m'en fiche. Le paysage est incroyable, han ! ?

— ...

Un nuage étiré en longs filaments frôle le divan. J'étire une jambe pour que mon pied passe dedans.

— Ha ! ha ! ha ! C'est frais pour les orteils.

— Vous savez qu'habituellement les gens font l'expérimentation dans un lit et non sur un sofa ?

— Les gens, les gens. Qui ça, les gens ?

— Mais comme vous vivez de grands pans de votre vie sur ce divan, à quoi bon s'attendre à un autre dénouement ! Ha ! ha ! ha !

— Pfft, je passe même pas ma vie sur le divan… Mais t'es qui, au juste ? Je te connais, on dirait.

— Je connais beaucoup de choses sur vous, Alexandre.

— Aaah, ton petit accent et tout… T'es le jardinier qui vient chez moi ou quoi ? ! que j'envoie, fier d'avoir possiblement découvert le personnage secondaire faisant partie de mon rêve.

— Mais…

Le jardinier, ainsi démasqué, fait quelques pas dans le ciel pour ensuite surgir près de moi tel le messie apparaissant à ses fidèles. Il flotte comme le génie de la lampe, son turban vert et bleu rehaussant cette image. C'est la première fois que je le vois vêtu de son habit indien traditionnel. Se tenant près du divan, l'homme se désole une fois de plus :

— Habituellement, les gens ne me reconnaissent pas.

— Encore les gens, les gens…

— Décidément, je perds du galon. Ma méthode est à revoir. Je devrais peut-être prendre un accent breton ?

Le jardinier, l'air débiné comme jamais, prend place au bout du sofa, m'obligeant ainsi à plier un peu les jambes pour lui laisser de l'espace.

— C'était ça le but de mon rêve ? Te démasquer ?

— Non, non, c'est seulement que je préfère rester incognito pour maximiser la réussite de l'expérimentation.

— Je te parle presque toutes les semaines depuis environ quinze ans. De toute façon, c'est MON rêve, donc techniquement, c'est moi qui décide. J'ai déjà rédigé un article sur le sommeil avec un spécialiste qui m'expliquait que les rêves proviennent d'une activité cérébrale de l'inconscient, donc de notre propre tête, de notre vécu. J'aurais franchement souhaité que tu sois Jennifer Aniston, mais bon. D'ailleurs, je comprends pas pourquoi tu te retrouves ici.

— Vous ne rêvez pas, Alexandre, du moins pas comme vous le faites chaque nuit.

— Ha ! ha ! Euh… oui ! Mon divan vole et je discute avec mon jardinier déguisé en Indien, donc, excuse-moi, mais oui, je te confirme que je rêve.

— Pfft ! Les femmes posent beaucoup de questions, mais vous, vous n'écoutez pas ! Moi, déguisé. Franchement.

— Mais on s'en fout. J'ai assez de négocier ma vie au quart de tour le jour, alors quand je dors, je dors, point final. Est-ce que je peux me promener un peu pour explorer ? J'ai une télécommande pour avancer ?

— Non, non. Nous avons du travail. Nous allons même débuter sans plus attendre et nous nous reparlerons plus tard. Vous comprendrez alors l'essence de l'expérimentation. Bon voyage, Alexandre.

Puis, le type se lève du canapé avant de s'envoler dans les nuages.

— Bon voyage ? Tu vas où ? Et...

Je n'ai même pas le temps de terminer ma phrase que le divan se met à tourbillonner sur lui-même. Un manège de La Ronde. La vue des nuages qui défilent me fait fermer les yeux. Sentant cette force g qui me colle de plus en plus au sofa, je respire. J'ai déjà vécu cette étrange sensation avant ; l'impression de chuter dans le vide. Je rêve souvent que je tombe du World Trade Center depuis que j'ai rédigé environ quarante articles sur le sujet, en septembre 2001. Cette fois, je dégringole du ciel. C'est quand même un peu plus haut, quoique tout dépend de l'altitude à laquelle je me trouvais. Percevant que ma chute ralentit, j'ouvre un œil. Au même moment, tout devient noir.

Mon réveil

Ça sent le bacon.

L'éventualité de consommer un pareil péché capital me fait frémir dans les couvertures sous lesquelles je semble enfoui comme sous une tonne de briques. Je ne suis plus sur le canapé, mais je ne suis visiblement pas sous ma couette habituelle non plus. Pourquoi Claire a-t-elle décidé de faire du bacon en pleine semaine? Et pourquoi a-t-elle ajouté autant d'épaisseurs dans le lit? Face première dans mon oreiller, je tourne un peu la tête. En fait, on dirait que c'est la literie qui sent le bacon. Quelque chose chatouille mon oreille droite. Ça pique. Je relève un peu la tête. Une bandelette de dentelle suit le contour de mon oreiller, qui semble directement sorti d'une boutique d'artisanat des années soixante-dix. Mais ce n'est pas à nous, ça. En levant la tête au complet, je constate que je me trouve dans une chambre que je ne connais pas. Je ne suis donc pas à la maison. C'est vieillot et laid. Des meubles de bois usés aux poignées de plastique orangé se dressent dans deux des coins de la pièce. Sur l'un d'eux, un napperon de dentelle crochetée sert de faire-valoir à un pot de terre cuite antique. Quant à la chaise berçante face à la fenêtre, elle est ornée d'un coussin d'étoffe fleurie et un châle de grosse laine bleu royal et orangé repose sur son dossier, en attente d'être reporté. J'ai l'impression de me trouver chez ma grand-mère maternelle, qui n'a d'ailleurs jamais changé la décoration de sa demeure durant toute sa vie. Elle est maintenant en résidence, et ce, depuis l'enterrement de mon grand-père fauché par l'ambulance.

Ceci dit, je ne suis pas chez elle. Puisque la chambre m'est toujours inconnue même après un tour visuel complet, je décide d'en avoir le cœur net et j'enfile le peignoir de ratine noir qui reposait sur le plancher près du lit. Il me va comme un gant.

Le **Gazon**

En tournant la poignée de la porte, qui grince comme les dents d'une sorcière, une impression de déjà-vu s'infiltre en même temps que l'air frais sous mon peignoir. La cuisine, le salon, les divans bourgogne, les murs jaunis, l'odeur de bacon…

Je sais très bien où je me trouve.

Je suis excité. Nous sommes mardi. Ma journée préférée. Maman m'a expliqué l'autre jour en me donnant mon bain qu'Huguette était ma gardienne et non mon amoureuse, mais je sais que c'est faux. Nous sommes mardi. Le mardi, Huguette m'embrasse. Toujours. Elle pince un peu mes joues et elle m'embrasse. Elle m'embrasse les autres jours aussi parfois, mais jamais avec la bonne humeur du mardi. Je préférerais qu'elle ne pince pas mes joues, mais elle aime ça, donc je ne dis rien.

Enroulée dans son tablier à feuilles d'automne devant la cuisinière, Huguette me jette un regard par-dessus son épaule. Je joue avec bébé Alice à genoux sur le plancher. C'est vraiment un bébé, Alice. Elle n'a même pas deux ans. Parfois, elle me parle et je ne comprends pas. Il y a un autre bébé ici, mais il dort tout le temps. Il ne marche même pas encore et il a une grosse tête avec une bouche toujours trempe. Parfois, quand il pleure, je mets la suce dans sa bouche trempe. La suce magique qui console les bébés. L'autre fois, je l'ai mise dans ma bouche pour voir ce que ça faisait. Ça ne faisait rien.

*Huguette fait cuire les carottes pour le dîner en chantant :
«Comme j'ai toujours envie d'aimer...» Je mange
toujours ici juste avant qu'elle me reconduise à la préma-
ternelle à pied. J'y vais seulement l'après-midi.*

*J'ai hâte qu'elle m'embrasse. Bébé Alice me lance sa
poupée Bout'chou par la tête. Je déteste cette poupée qui
a une tête dure. Elle est faite en roche peinturée, sa tête,
je pense. L'autre jour, j'ai dessiné une crotte de nez dans
son visage avec un stylo. Ça m'a fait rire. Pas Huguette.
La poupée ressemble au bébé qui dort toujours, mais avec
les yeux ouverts.*

*Comme Alice m'a un peu fait mal, je lui lance la poupée
à mon tour, la roche la première, et elle se met à pleurer.
Elle pleure toujours.*

*— Sois gentil, mon beau Alexandre, c'est toi l'homme de
la maison ici.*

*— Je m'excuse, que je fais en regardant Huguette, mais
pas Alice.*

*Je dois être gentil si je veux qu'elle m'embrasse. Huguette
met le couvercle sur le gros chaudron de son rôti de vache
en même temps que quelqu'un cogne à la porte. Enfin!
Je suis content!*

*Le facteur entre dans la maison, puis il enlève les godasses
de caoutchouc noir qui recouvrent ses souliers. Il s'appelle
M. Desmarais. C'est l'ami d'Huguette. Il vient toujours
jouer avec elle aux poupées. Comme chaque mardi, il
nous salue et nous parle comme si on était des attardés :*

— Bonjouuur, les ti-namis!

Le **Gazon**

Je lui réponds pour être poli, tandis qu'Alice lui fait une baboune.

Il tape ensuite sur une fesse d'Huguette tandis qu'elle est penchée pour mettre son rôti de vache dans le four. Huguette rit. Je ris aussi. J'aime l'entendre rire. Elle rit fort et son rire semble rouler dans sa gorge, comme si c'était très trempe. Maman dit que c'est parce qu'elle fume trop. M. Desmarais s'en va dans la chambre d'Huguette pour aller jouer. Celle-ci enlève son tablier.

Elle va m'embrasser.

Elle avance alors vers nous. Ses gros seins ballottent dans tous les sens. J'aime voir ses seins bouger sous ses vêtements. On dirait des ballons d'eau. Ils sont plus gros que ceux de maman. Plus gros que la tête de pierre de la poupée. Huguette flatte les cheveux d'Alice en disant:

— Soyez sages! Je vais jouer à la poupée dans la chambre et je reviens très bientôt!

Je me lève d'un bond. Elle me prend alors les joues avec ses doigts et elle m'embrasse. Ses lèvres sont mouillées. Elle sent la cigarette et le bacon. Ça me dérange pas. J'adore le bacon.

Fantasme no 1 : Huguette Perron

Âge au moment du fantasme : 4 ans et demi

Chez Mme Perron

Je n'ai pas reconnu la chambre parce que je n'ai jamais eu le droit d'y entrer à l'époque. Il s'agissait d'une pièce secrète où ma gardienne se tapait le facteur en cachette. De mon point de vue actuel, je comprends mieux les règles de ce fameux jeu où c'était elle, la poupée. Une sacrée cochonne, cette Mme Perron. Mais qu'est-ce que je fous chez elle, au juste? Je ne sais même pas si elle est encore vivante. J'aperçois alors sur la table des papiers en dessous d'un pilulier hebdomadaire vide, ainsi que cinq flacons de pilules de diverses couleurs et formes. Des bonbons de vieux. Une note manuscrite à côté m'informe des doses prescrites: « Bleue 2x par jour, blanche ronde 1x par jour, blanche ovale 1x par jour, gélule 3x par jour, beige 1x par jour. » Les reçus de paiements des médicaments sont tous à mon nom avec l'adresse d'ici, mais pour la patiente Huguette Perron. Je ne me souviens de rien de ça. Elle est encore en vie et je m'occupe d'elle? Quelle âme charitable je suis. Mais pourquoi mon adresse est celle d'ici et non celle de la maison? Je peux bien croire que j'ai la main sur le cœur et que je m'occupe des courses de la vieille, mais pas de là à faire un changement d'adresse résidentielle quand même. Je dois encore rêver. Ou bien je suis rendu gravement amnésique. Une vague odeur de bacon envahit une fois de plus mes narines. Non mais, il faut en avoir fait cuire dans sa vie, du bacon, pour que l'odeur s'imprègne dans les entrailles d'une maison à ce point. Au fait, habite-t-elle encore ici? Je reprends le reçu et je vois une adresse différente sous son nom. Ce doit être son logis actuel, mais ça ne justifie en rien le fait que je me réveille ici. Un téléphone sur le comptoir de l'entrée se met alors à sonner. Il y en a deux. J'agrippe le premier avant de réaliser que ce n'est pas le bon. En répondant au deuxième, je lance en hésitant :

— Oui ?

— C'est *Big* Corbeil premier. On a un gagnant du 6/49 en Estrie. Deux cent cinquante mille dollars. As-tu un papier et un crayon ?

— Quoi ?

— J'ai pas le temps de niaiser, Poker, grouille !

Collaboratif, je retourne une des factures de médicaments, j'attrape un crayon sur le comptoir, puis je confirme :

— OK ? Oui ?

— Claude Bellefeuille, 356, 1ʳᵉ avenue Sud, Fleurimont, cinquante-quatre ans, divorcé, deux enfants en garde partagée qui sont pas avec lui cette semaine. Il a gagné hier, chèque pas encore réclamé. Il a pris congé aujourd'hui et demain. Il devrait être chez lui. D'ici une heure, je t'envoie par courriel sa photo ainsi que le formulaire. Ça nous le prend, celui-là.

Puis, mon interlocuteur raccroche. Il a bien dit « Yves Corbeil » ? Je ne suis pas certain. Les yeux ronds comme des soucoupes, je repose le téléphone sur la table. Dans la vie, je suis un homme vif d'esprit, intelligent, voire très brillant – contrairement à ce que croient mes enfants –, mais là, je dois avouer que je ne comprends absolument rien à ce qui se passe. Je fixe le pot de pilules bleues en ayant tout à coup le goût d'en avaler quelques-unes au cas où cela m'éclaircirait les idées.

Le deuxième téléphone sur le comptoir près de la porte se met à son tour à sonner. Résigné à l'idée de me laisser porter par ce rêve, je réponds :

— Oui ?

— Bonjour, est-ce que vous nous avez oubliées ? OINK ! OINK ! OINK !

J'éloigne un peu le téléphone en entendant ce couinement de cochon qui semble, sans l'ombre d'un doute, être le rire de mon interlocutrice. Horrible.

— Euh, oublié qui ?

La sérénade porcine repart de plus belle et encore plus fort :

— OINK ! OINK ! OINK

Elle est à l'abattoir et quelqu'un l'égorge pour en faire de la saucisse.

— J'en connais une qui veut ses pilules, moi ! OINNNK !

Déduisant que ce doit être une femme s'occupant de Mme Perron, je raccroche illico après avoir livré un vague «J'arrive», craignant de devoir entendre ce rire désastreux une fois de plus.

Le Gazon

Je me rends à la chambre pour m'habiller. Je constate alors que des vêtements de ma taille et de bon goût se trouvent dans la penderie. Des marques assez dispendieuses, à dire vrai. Je déniche un jeans Notify et une chemise Dolce & Gabbana sportive-chic de couleur kaki. Je remarque aussi près du lit une paire de souliers-bottillons en cuir noir verni également de marque Dolce & Gabbana. Ces godasses doivent bien valoir cinq cents tomates. Est-ce que je vole carrément les gens qui gagnent au loto ou quoi ? Du genre introduction par effraction, séquestration, vol et homicide si nécessaire ? Non, je serais alors riche et je n'habiterais pas ici. Bref, je ne comprends rien à rien à tout ce cirque. Yves Corbeil, Loto-Québec et tout… peut-être que j'anime simplement *La poule aux œufs d'or*. Terminant d'enfiler mes vêtements, je me rends à la salle de bain. En m'apercevant dans la glace, je me trouve séduisant. J'ai l'air plus jeune, on dirait. Je suis plus mince aussi. Je me demande quel jour on est. Je relève mon chandail pour taper sur mon abdomen :

— T'es en forme, le jeune ! C'est pas gênant.

```
9 H 15
```

Dénichant des clés de voiture sur un crochet près de l'entrée, je sors afin de découvrir la nature du carrosse qui pendra au bout. Le vieux Cavalier quatre portes de couleur vert kaki que je découvre détonne clairement avec mes vêtements griffés malgré la ressemblance de teinte. Je me ravise, comme quoi je ne vole finalement pas les gens qui gagnent à la loterie. Pas de *Poule aux œufs d'or* non plus. Plutôt déçu qu'heureux de ces irréfutables constatations, j'inscris l'adresse de Mme Perron dans le GPS d'un des cellulaires. Je remarque alors que nous sommes le 10 juin. Donc, hier? Bizarre. À la rotation de la clé, le moteur du tacot toussote comme un vieux grand-père.

Pas très loin de là, l'adresse se révèle être celle de la résidence *À la croisée des chemins.* Quel nom lugubre et fataliste. Au-soleil-quelque-chose reste un beau classique bien plus positif pour une maison de vieux, il me semble. Le genre d'endroit où mes chers enfants enverront ma carcasse inutile pourrir, très bientôt. Ah non, pour moi, ce sera le cimetière d'arbres, c'est vrai.

Alors que je pénètre dans le portique, ma cargaison de bonbons se ballottant dans un sac de plastique, une femme en uniforme bleu poudre se rue sur moi.

— Bonjouuur, Alexandre!

Ses yeux roulant dans le lubrifiant du bonheur me confirment sans l'ombre d'un doute que nous avons un lien particulier. Je la détaille un peu. Pas mal. Elle est jolie et semble gentille. Environ quarante ans, un sourire charmant et une belle taille fine. Les aréoles de ses seins qui pointent vers le haut dans son chemisier me saluent. De crainte qu'elle remarque mon regard trop bas, je relève la tête d'un coup. Ses beaux grands cheveux blonds noués en couette lâche derrière sa tête sentent bon, et ce, même à cette distance.

Ai-je une relation intime avec elle? Je lui souris comme chez le photographe en songeant que je pourrais bien appro-fondir la question avec elle à l'abri des regards, étant donné que je rêve toujours. Elle change tout à coup d'attitude.

Son sourire se contorsionne alors de façon spectaculaire en visage de haine. Les fines rides autour de sa bouche se durcissent comme du plastique. Ses iris semblent vouloir sortir de ses yeux pour venir me pincer le nez.

— J'te niaisais, qu'est-ce tu penses! Va chier! crache-t-elle en tournant les talons pour retourner vers son poste de travail à l'accueil.

Une autre femme à ses côtés rit de bon cœur. De trop bon cœur à mon goût. Je maintiens tout de même mon hypothèse que j'ai un lien avec elle, mais quelque chose me porte à croire que ce n'est peut-être pas de la nature que j'imaginais. Planquée derrière le comptoir, la deuxième infirmière me dévisage avec un mépris élastique qui s'étire dans toute l'entrée. À vrai dire, elle semble encore plus en maudit que celle qui m'a berné avec son faux accueil.

À cet instant, une autre préposée, plus âgée cette fois, surgit à mes côtés. Bien que son sourire semble franc, je reste sur mes gardes.

— Vous êtes en retard!

— Aaah, que je fais, peu loquace.

— Elle va bien aujourd'hui, la forme olympique, je vous dirais! OINK! OINK!

Ah, c'est elle. Le cochonnet à l'abattoir de tantôt.

Je la suis comme une ombre vers le fond du corridor. Elle s'immobilise devant la dernière chambre, puis elle passe sa tête dans l'embrasure de la porte ouverte.

— Après avoir pris vos pilules, je vais venir vous porter votre déjeuner, annonce-t-elle à l'occupante, puis elle sort pour retourner vers un chariot abandonné dans le corridor.

Je pénètre dans la chambre de Mme Perron, qui est étendue sur un lit sous une épaisse couverture de laine. Étrangement, l'endroit sent un peu le bacon, mais moins que dans sa propre maison. Ce doit être imprégné dans sa peau.

— Bonjour !

— Bonjouuur ! fait-elle en me voyant, tout sourire.

Forcément, elle a changé. Selon mes calculs, elle doit avoir autour de quatre-vingt-cinq ans, voire peut-être plus. Toujours rondelette du tronc, ses joues dodues fuient maintenant vers le bas, comme deux gourdes amérindiennes de peau tannée. Son regard est intact. Ses cheveux sont tout blancs, bien que peu abondants. Je lui souris. Les gens vieillissants me touchent. On passera tous par là un jour. Couchée dans le lit, elle m'observe me diriger vers une table près de la fenêtre pour y déposer le sac de bonbons que je n'ai pas encore insérés dans le pilulier aide-mémoire.

Porcinette revient dans le cadre de porte pour dire :

— Je vais fermer la porte pour vous laisser un peu d'intimité… OINK ! OINK !

Je fige sur place. Elle ne veut tout de même pas que je m'occupe du pipi sur la bassine ? Je n'ai même pas le temps de réfléchir plus longuement à cette question que Mme Perron enlève la couverture qui la recouvrait d'un seul coup.

— Viens ici, mon prince ! me crie-t-elle avant d'enlever ses deux rangées de dentiers pour les balancer sur la table de chevet sans précaution.

L'horreur bien étampée dans le visage, je répète :

— Mon prince ?

Sa bouche, qui ressemble maintenant à un anus de chat, à cause de cette extraction dentaire radicale, rugit maintenant :

— Ouiii, mon fffrince.

Tentant de réfléchir du mieux que je le peux à ce comble de l'absurde, je l'observe se tortiller dans le lit comme un serpent possédé du démon.

— Mon fffrince, répète-t-elle avec fougue avant de soulever d'un seul coup sa chemise de nuit, me dévoilant ainsi deux immenses nourrices balourdes à larges aréoles brunes tombant à la renverse de chaque côté de son corps aux allures de pyjama couleur peau mal repassé.

— NON ! NON ! NON ! Madame Perron ? fais-je en me cachant la scène du revers de la main.

Au secours. Disons que j'aurais préféré une scène de ce genre à l'accueil tout à l'heure. J'avoue avoir souvent rêvé d'apercevoir les gros seins de ma gardienne lorsque j'avais quatre ou cinq ans, mais elle avait quarante ans, à cette époque, pas quatre-vingts.

— Z'aime ça quand tu me rézzzistes...

— Non, non, non, rhabillez-vous, là, madame Perron, je suis juste venu vous porter vos pilules. Rhabillez-vous, pour l'amour du Bon Dieu! Regardez, je vais diviser vos pilules pour chaque jour.

Espérant que la pauvre femme – que je m'attriste de retrouver dans un état de sénilité si avancé – se rhabillera sur ces entrefaites, j'effectue minutieusement ma tâche. Les mains tremblotantes de nervosité, je sépare à la hâte les bonbons dans le pilulier en tentant de suivre les posologies.

La vieille femme, qui ne l'entend pas ainsi, bondit de son lit pour se ruer dans mon dos. Elle m'empoigne la fourche par-derrière avec vigueur.

— Mon ffffrince...

— EILLE!? Non, non, non, retournez dans votre lit, vous!

Je pivote, telle une toupie, pour déloger cette main ridée de mon sexe qui a, pour ma plus grande indignité, fait foi d'un début d'érection. Songeant tout à coup à ouvrir la fenêtre pour me projeter dans le vide en réaction à cette humiliante constatation, je fuis plutôt de quelques mètres afin de remettre l'entièreté de ma vie en question. Pourquoi diable ai-je une semi-érection devant une femme de quatre-vingt-cinq ans?

Le drapeau de la honte en berne, j'épie cette dame, fort tenace, qui bondit à nouveau sur moi.

— Feux-tu une gâterie comme afant-hier? Hannn...

— Pardon ? Avant-hier quoi ?

Au bout du rouleau, je me dégage de cet étau matriarcal de peau flasque pour sprinter vers la porte. Je la referme derrière moi en m'appuyant le dos dessus pour souffler. Mme Perron gueule de l'intérieur :

— Refffiens, mon frince !

Égaré dans une zone grise saupoudrée de honte, de dégoût et de peur, je m'éloigne dans le corridor, le dos rond. Les gens âgés me touchent, mais là, il y a toujours bien des limites. Pas matière à jouer avec les mots ici. L'employée qui couine sort d'une chambre et semble surprise de me retrouver là si tôt.

— Déjà eu votre gâterie ? OINK ! OINK ! M'en voulez pas d'être indiscrète, votre épouse se confie beaucoup à moi. Vous savez, entre femmes...

Au désespoir, je la regarde :

— Non, non, non, c'est non.

— Tandis que vous êtes là, je voulais vous demander : c'est pas très *feng shui* de mettre une table devant une fenêtre, han ? J'ai lu ça quelque part, mais je sais pas où la mettre sinon, vu que la pièce en question est trop petite. Avez-vous une suggestion ?

Ne saisissant rien à ce dont elle cause, je cours vers la porte de sortie sans me retourner.

— Monsieur Trudeau ? crie-t-elle au loin.

En passant devant le poste de garde, les deux femmes m'injurient à nouveau. Mais cette fois, je ne peux qu'abonder dans le même sens.

Assis dans le véhicule, je me casse la tête en deux afin de démêler ce qui se passe. « Votre épouse… », a dit la préposée. Ce n'est pas sérieux. Et toute cette histoire de gâterie… Je me suis fait sucer la queue par ma vieille gardienne devenue sénile ? Ce serait extrêmement pervers et pas du tout dans le registre de mes fantasmes habituels. Disons qu'ils mettraient plutôt en scène l'employée à la réception qui m'a traité de « trou de cul » quand je suis sorti tantôt. L'infirmière m'insultait-elle parce que j'ai couché avec elle et que je ne l'ai pas rappelée pour un deuxième rendez-vous ou parce que ma femme a le double de mon âge et qu'elle me fait des fellations pas de dents entre deux cabarets de manger mou ? Les deux, peut-être. Est-ce vraiment possible que j'aie couché avec une aînée ? Du moins, elle m'a sucé, c'est assez clair, merci. Je ne crois vraiment pas qu'elle enlevait ses dents pour que nous partagions un petit encas de patates pilées. À la limite, je me pardonnerais peut-être de m'être tapé le flanc de porc dans le noir, la nuit de la fin du monde, mais Mme Perron… Pitié.

La chanson *J'aime ta grand-mère* des Trois Accords débute à la radio. Je la ferme d'un coup d'index, mon désespoir débordant en vague du vase de l'indignation. Non, mais ça fera. Quel rêve de marde.

Un des téléphones cellulaires sonne à nouveau. Malgré ma commotion, je réponds :

— Oui ?

— T'en es où, Poker ? Faut se dépêcher avant qu'il réclame le chèque à Loto-Québec.

— J'étais avec Mme Perron, je suis dans l'auto maintenant.

— Ta vieille folle ? Pas encore morte, elle ? C'est long. Peu importe, je t'ai envoyé les documents. Dans les Bahamas, cette fois. Dix mille dollars. Fais-lui du chantage avec ses enfants. Il va dire oui, il est jeune. Les jeunes, c'est plus facile que les vieux séniles qui veulent garder leur *cash* dans des bas de laine jusqu'à ce qu'ils crèvent. Rappelle-moi quand t'as sa réponse.

— Sa réponse à quoi ?

— Poker ? C'tu un moyen de me dire que tu penses que le téléphone est *tapé* par la police ? Ça se peut, ça. Utilisons les codes. Prends ton lapin à quatre roues et rends-toi dans la maison du schtroumpf gagnant, offre-lui une tartelette caribéenne et rapporte ça au banquier.

— C'est ben poche, ce langage secret là. On devine vraiment tout sans même être dans le coup.

— Mais non, les autres comprennent pas.

— Non, je te jure, un enfant de quatre ans comprendrait.

— Je raccroche. 9-3.

9-3? Je secoue la tête, découragé par mon pseudo gangster de patron totalement non crédible. En ouvrant le courriel reçu, j'y trouve plusieurs fichiers joints. Le premier, une photo, me présente Claude Bellefeuille, le gagnant de Fleurimont. Il ne semble pas très en forme, rondelet et cerné de surcroît. Une autre me le montre avec ses enfants. Deux beaux enfants à peine plus vieux que Mathis et Laurie.

Le troisième fichier me fournit les détails d'un compte de banque enregistré aux Bahamas, au solde de deux cent soixante mille dollars disponibles en date d'aujourd'hui. Je commence à comprendre. Ils blanchissent de l'argent avec les billets de loterie. Ils échangent aux gens de l'argent gagné illégalement contre de l'argent nickel-propre de Loto-Québec[4]. Mais qui ça? Un groupe de motards? Un gang de rue? Aucune foutue idée. Donc, ils proposent l'échange, prennent le billet, le réclament et ne paient pas l'impôt donc ils blanchissent l'argent et peuvent ainsi vivre et dépenser à leur guise sans être dans la mire du fisc. J'avais déjà eu vent que ça se faisait, mais je ne me doutais pas qu'ils opéraient sous forme de réseau de la sorte. C'est très intéressant. Je poursuis ma lecture. Une feuille explique les règles: la personne a vingt-quatre heures pour faire vérifier par un notaire ou un banquier que le montant est bel et bien accessible aux Bahamas, ensuite, elle donne son billet à qui de droit et signe le contrat maison, qui doit probablement stipuler que, si elle parle du marchandage à

---

4. Grattez trois sapins et vous gagnez un chèque d'ironie à vie.

quiconque, nous zigouillerons ses enfants en pleine cour d'école. Comment ont-ils su que ce type a gagné, au juste ? Ma fibre journalistique frétille.

Je me dirige de ce pas chez ce M. Bellefeuille, on ne peut plus emballé par la suite des choses. Sifflotant au volant, je suis bien heureux de ma mission ; cette diversion de brigandage focalise ma culpabilité ailleurs que sur le fait que je promène de temps à autre ma queue sur les gencives fripées d'une femme ayant plus du double de mon âge. Tout ça n'existe pas.

Sur la route, suivant le GPS jusqu'à mon premier client, je tente de me créer un scénario. Devrais-je dégager l'air du bon *jack* complice ou celui du bandit potentiellement violent ? Je ne sais pas trop. Les deux me paraissent des avenues envisageables. Le bon gars pour la confiance du type ou le *bad boy* pour la rapidité de la démarche ?

J'improviserai.

En tournant dans sa cour, je remarque sa voiture modeste ainsi que sa maison qui manque quelque peu d'amour. Rien de majeur, mais j'espère tout de même qu'il investira un peu de la coquette somme dans sa toiture, où la toundra polaire semble faire son nid.

Je me sens comme un banquier. Vais-je annoncer une bonne ou une mauvaise nouvelle ? Me semble que si je gagnais à loterie et que, par magie, on m'offrait d'avoir dix mille dollars de plus par-dessus le marché, je dirais oui sans hésitation. Ou peut-être pas. Je ne sais pas ce que les gens risquent en acceptant une entente de ce genre. Sûrement rien de grave. Est-ce que c'est plus de l'ordre du crime économique ou de la complicité de fraude? Des accusations sommaires ou criminelles? Tu te transfères ensuite de l'argent bahaméen par petites tranches dans un compte de banque virtuel et tu retires juste ce qu'il faut pour payer les dépenses de la vie quotidienne sans laisser de traces. Ou encore, tu vas le dépenser en personne sous les palmiers des Bahamas. Question de remercier le pays qui te rend prospère, tu lui remets ton gain en capital directement dans les poches; belle suite dans les idées. On peut appeler ça «frauder de façon honorable en ayant le souci de redonner à l'État».

Bien décidé à me lancer tête première dans ce nouveau défi professionnel, j'ouvre la portière et je fonce vers la maison de M. Bellefeuille. Je m'immobilise tout à coup. Je pense que j'aurais dû imprimer les documents au préalable pour faire plus sérieux. Je regrette d'emblée ce manque de professionnalisme. J'arrive là sans document ni papier; je lui parle du vent, en réalité. Non, je dois imprimer les documents. Comme j'étais presque rendu sur le perron, je rebrousse chemin pour me diriger vers la voiture. Je dois trouver un centre d'impression.

Avant même que je referme la portière, quelqu'un m'interpelle. M. Bellefeuille se tient dans le cadrage de la porte.

— Qu'est-ce tu veux, toé?

— Euh...

— T'es chez nous, qu'est-ce tu veux? Tu viens de la part de mon ex, je gage?

— Écoutez, je vais revenir, j'ai oublié un truc pour vous.

— Pour moé?

Je démarre le véhicule et je déguerpis en souriant.

11 н 16

— Me revoilà! Prise deux! dis-je une fois que l'homme m'ouvre la porte.

Sans même me dire bonjour, il me fixe un long moment en ne m'invitant pas le moins du monde à entrer. Je crois qu'il n'a pas aimé que je le laisse ainsi dans le doute en partant tout à l'heure. Je manque manifestement d'expérience quant aux tâches liées à mon emploi, mais je reste un gars méthodique.

Je souris en le voyant m'analyser de tout mon long, inquiet.

— Je suis ici aujourd'hui pour vous faire part d'une opportunité incroyable.

— Je donne pas d'argent pour les enfants malades ou rien de ces patentes-là.

— Non, non, c'est pas vous qui allez faire un don, mais bien moi. Et à vous, à part ça!

— ...

Je décide de ne pas y aller par quatre chemins :

— Je suis ici pour racheter votre billet gagnant en vous donnant dix mille dollars de plus.

— Quoi? fait l'homme, qui ne semble pas du tout prendre ma proposition au sérieux.

— Je vous offre deux cent soixante mille dollars pour votre billet de deux cent cinquante mille.

— Ah ouin? T'es-tu un motard? J'aurais pas besoin d'aller à Loto-Québec si je fais ça? OK.

— OK, quoi?

— Ouais, OK.

— Ben là…

— Quoi? Je dis oui, c'est pas ça que tu veux?

— Vous ne voulez pas de détails, d'informations, d'explications?

— Ben non, c'est qui le cave?! Tu me donnes dix mille piastres de plus, je vas-tu dire non?

— Bon, il y a les papiers ici, vous avez vingt-quatre heures pour faire vérifier que les fonds sont bien dans le compte des Bahamas par un notaire ou un banquier. Ensuite, vous devez prendre connaissance du contrat et signer en bas ici.

— Aux Bahamas. OK, je comprends. Pas besoin des vingt-quatre heures, je vas faire vérifier ça tout suite pis je vas signer après.

— Ben voyons?

— Ben voyons quoi? Dix mille piastres de plus!

Et c'est ainsi que le monde fonctionne. De l'argent et toujours plus d'argent, sans plus de détails.

— Informez-vous un minimum avant, monsieur!

— Qu'est-ce t'en as à crisser, toé, que je m'informe? Avec ton *deal*, personne va savoir que j'ai gagné! Tu tombes direct du ciel, mon gars.

— Il faut s'informer dans la vie. C'est une transaction importante, monsieur Bellefeuille.

— Je m'en sacre. Ma vie, c'est de la marde. Ma femme m'a crissé là pour un moron, peux-tu croire? Je veux pas qu'elle sache que j'ai gagné, elle va trouver le moyen de venir me prendre jusqu'à dernière cenne, je te jure. Bon, je donne juste le numéro de compte à mon notaire, c'est ça?

Il a vraiment l'air abattu, le pauvre. Si Claire me faisait un truc pareil, je le serais aussi.

— Attendez, je vais vous expliquer les papiers, avant.

Le type m'invite enfin à venir m'asseoir à sa table.

Quelle histoire. Il ne me connaît même pas. Comment peut-il me faire aveuglément confiance de la sorte pour une demande aussi saugrenue que frauduleuse?

— Je te le dis, j'étais quasiment même pas content d'avoir gagné. Je me disais: «Faut pas qu'elle sache ça, elle va toute me prendre, la criss de folle.» Est partie avec mon ancien beau-frère. L'ex de sa sœur. Chaque souper de famille, ils partaient toujours au dépanneur ensemble s'acheter des cigarettes… Eille, on la comprend-tu en tabarnak la *joke*, asteure, tu penses !

— Ouin, pas évident, hein.

— Je vais te raconter comment je l'ai su. Aaah, le rat.

Je pose mon crayon.

— Puis ?

— C'est fait. Il a accepté.

— Si vite que ça ? Poker, je te l'ai dit, la dernière fois, de pas menacer de tuer ses enfants tout de suite, de laisser un peu de temps aux gens pour réfléchir.

— Je l'ai pas menacé, il a juste dit oui. Ça faisait son affaire.

— Ben voyons ? C'est louche, tu penses ?

— C'est plutôt limite décourageant. Sa femme est partie avec son ex-beau-frère, ils faisaient tout le temps semblant d'aller acheter des cigarettes, *anyway*, une histoire assez plate, je te jure.

— Ah, les cas d'ex-femmes folles, c'est toujours parfait. Mais es-tu sûr que t'as pas été suivi ? Juste au cas où.

Le **Gazon**

Au moment où il émet cette supposition, je balaie les alentours du regard. Je suis stationné en bordure de la rue, près d'un parc. Une voiture noire aux vitres teintées se tient justement à environ trente mètres de distance derrière moi.

— Hon… Je pense que oui.

— Bon, efface l'historique pis débarrasse-toi du téléphone. Remise les papiers dans un endroit sûr, pis ce soir, à onze heures pile, je vais t'envoyer quelqu'un pour te donner un nouveau téléphone.

— OK.

— D'ici là, fais ta journée de travail comme d'habitude, ça brouillera les pistes. Je vais t'envoyer ta belle préférée à soir.

— Ah bon. Parfait !

En raccrochant, je songe à tout ça en effaçant l'historique du téléphone. J'enlève finalement la pile et la carte SIM. J'avance le véhicule en constatant dans mon rétroviseur que la voiture noire n'est plus là.

```
12 H 25
```

Après avoir balancé la carte SIM dans une bouche d'égout ainsi que la batterie et le téléphone dans une autre, je suis de retour à la résidence de Mme Perron. En passant devant le poste de garde, je souris tout de même aux deux femmes toujours derrière le comptoir même si elles me pilonnent une fois de plus du regard.

Je recroise aussi l'infirmière qui couine dans le corridor.

— Ah bon, vous êtes revenu ! Écoutez, pour ma question de tout à l'heure, je peux vous montrer une photo de la pièce si vous voulez.

Interprétant mon allure de pigeon perplexe comme un « Oui, avec plaisir », elle me présente une photo de ladite table reposant devant la fenêtre. Étant donné qu'elle semble attendre mon avis, je dis :

— Ça va. Je crois que ça va.

— Devant la fenêtre ? Il paraît que ça empêche le Chi d'entrer en rotation avec les métabolismes énergétiques des forces dynamisant la vitalité de la pièce.

— Euh... ouin.

C'est tout ce que je trouve à marmonner en m'éloignant pour me diriger vers la chambre.

— Ouin pour « c'est correct de même » ou ouin pour « il faut la changer de place » ? me demande la préposée à qui je ne réponds pas.

La tête dans l'embrasure de la porte, je constate à ma grande joie que Mme Perron dort. Elle ronfle. Trop parfait. J'entre à pas de loup dans la chambre et je soulève un peu le matelas à la hauteur de ses pieds pour y glisser les papiers. La police ne viendra certainement pas perquisitionner le matelas d'une pauvre femme sénile en plein retour d'âge sexuel. Fier de mon astuce, je quitte la pièce à pas de loup tel que j'y étais entré.

J'entends alors :

— Ou c'était-tu ouin pour « laisse-moi y penser » ?

— Chuuut ! que je souffle à cette fatigante qui parle fort.

Trop tard.

— Mon fffrince ?

Je me tourne vers mon ancienne gardienne maintenant réveillée pour lui crier avant de déguerpir :

— Je vais revenir, rendormez-vous.

— NON ! Refffiens, mon fffrince !

Une fois dans le corridor, le téléphone qui me reste sonne.

— Oui ?

— Bonjour, maître Alexandre, êtes-vous en retard par hasard ?

— Pardon ?

— Pas de souci, je suis à la maison. Vers quelle heure pensez-vous être ici ?

— Je sais pas.

— De toute façon, je vous attends ! Au revoir ! dit la femme avant de raccrocher.

Ne sachant même pas à qui je parlais, ni même le sujet de l'appel, je me rends à la voiture.

Je fouille un peu dans ce téléphone. Une application de la Banque Laurentienne attire mon attention. Je tente d'ouvrir

le compte, qui est au nom de Trudeau Feng Shui inc.
À tout hasard, j'entre le même mot de passe que j'utilise
pour l'ensemble de ma vie. Claire me le reproche souvent,
d'ailleurs, en m'expliquant que ce n'est pas très sécuritaire.

Ça fonctionne.

Le compte de cette compagnie a un solde de trois cent
trente-quatre mille dollars. Taboire ! Je suis riche. Trudeau
Feng Shui inc. ? On dirait le nom d'un magasin de meubles.

Sur une piste, j'ouvre le coffre à gants de la voiture
à la recherche d'indices. J'y trouve une liasse de cartes
professionnelles insérée dans un petit boîtier de plastique :
Alexandre Trudeau, maître feng shui. Un slogan est inscrit
à côté de trois pierres rondes et lisses surplombées d'une
branche de bambou aux feuilles d'un vert chlorophylle.
« Harmonisateur du Chi de votre intérieur. »

J'éclate de rire. C'est ridicule. Je ne crois tellement en
rien à ces conneries.

Je reprends le cellulaire pour consulter les courriels
qu'il contient. J'en trouve un datant de la semaine dernière
qui renferme un contrat de service. La facture d'une
coquette somme de deux mille dollars est au nom d'une
certaine Sylvie Gingras. Je ris de nouveau de bon cœur.
C'est absurde.

En farfouillant dans le calendrier, je constate que j'avais
rendez-vous avec elle à midi. Son adresse s'y trouve. Je
repense à chose Corbeil premier, qui m'a dit de faire ma
journée comme si de rien n'était.

J'obéis. Et je ris.

Le **Gazon**

En arrivant devant la splendide propriété plus que luxueuse de North Hatley, je me fais la réflexion que j'aurais bien dû leur facturer le double du prix finalement. Non mais, quelle baraque. Victorienne et pas tout à fait mon genre, c'est de surcroît le monstre du quartier veillant sur la rue. Un truc à plus d'un million de dollars, il n'y a pas de doute.

Je me concentre pour ne pas rire lorsque Sylvie Gingras m'ouvre la porte avec l'aplomb de la femme désespérée qui attendait ma visite depuis la fin des années quatre-vingt-dix.

— Bon!

— Bonjour.

Elle scrute un instant mes mains vides, l'air déçu que je n'aie pas plus de matériel en ma possession.

Est-ce qu'un maître feng shui se doit de trimbaler une mallette quelconque?

La femme d'une cinquantaine d'années se retourne de manière étudiée, présentant avec fierté un popotin bien galbé que mes yeux ne peuvent s'empêcher de détailler. Impossible d'y échapper, car l'ensemble de sport gris foncé qui le moule ramènerait à l'ordre n'importe qui. Une ligne gris pâle descend le long de ses jambes longiformes jusqu'à des Crocs vert lime dans lesquelles elle fait quelques pas chassés vers le salon, m'invitant ainsi à y pénétrer.

— Mon mari est pas là. Vous savez, les hommes et ce genre de choses…

— Et moi, je suis quoi? prononcé-je à la blague en zieutant cette femme au visage un peu étiré, mais somme toute de belle apparence.

— Vous? Vous êtes le maître, déclare-t-elle en ronronnant de jubilation tout en avançant ses doigts sur ma poitrine, la tête reculée à l'oblique. Vous êtes aussi beau que sur les photos de votre site Internet.

Ma cliente est comme sa maison; pas tout à fait mon genre, mais les phéromones qu'elle dégage font que je flaire chez elle une certaine ouverture, comme si elle me recevait pour autre chose que cette soi-disant consultation. Le gars de la piscine, le plombier, le maître feng shui, est-ce du pareil au même pour une femme dont la vie manque un peu de piquant?

Elle retire finalement sa patte de sur moi pour me présenter la table de la salle à manger.

— Regardez, j'ai acheté tout ce que vous m'avez dit!

— Ah oui, je vois.

En approchant, je découvre des touffes végétales ressemblant à du lichen, de l'encens, des chandelles, de petits bâtons de bois et un miroir. Pour se montrer bonne élève, elle nomme les articles sur un ton enfantin:

— De la sauge, du bois de Palo Santo, de l'encens, des bougies et un miroir!

— Très bien, très bien, que j'approuve complètement dans le néant face à ce que je dois orchestrer avec toutes ces offrandes.

Le Gazon

La femme, à la coupe parfaitement carrée, me dévisage un instant, en attente d'un rituel mythique qui la soulèvera de terre. Elle ferme même les yeux pour une immersion maximale dans mon univers chamanique. Si elle savait. En l'observant, je remarque que son menton semble tendre un peu vers l'avant et que ses lèvres ressortent de plus en plus. Elle veut que je fasse un cérémonial feng shui ou que je l'embrasse à pleine bouche ? Dans le doute, je décide à tout le moins d'allumer les bougies et l'encens ; les deux seuls éléments avec lesquels je sais réellement quoi faire. Nous pourrons toujours mettre le grand miroir sur la commode tout à l'heure si nous faisons l'amour en levrette sur la table. Bon, je m'égare un peu.

— Allez-y, Alexandre ! Allez-y ! me crie-t-elle, les yeux toujours fermés, en se déhanchant maintenant comme si elle tanguait au grand vent.

Elle cesse soudainement son manège, puis elle tend l'oreille avant de dire :

— Je sens l'esprit, maître. Oui. Le même que je sens tout le temps.

— Ah oui, oui, je le sens bien aussi.

— La sauge, ça doit être pour purifier ? J'ai déjà lu ça quelque part, fait la femme.

— Oui, exactement. Commençons le rite de purification.

— Ouf, il fait chaud, remarque ma charmante cliente en enlevant son survêtement gris pour dévoiler une camisole blanche au décolleté très échancré.

Son soutien-gorge noir explosant à travers le pauvre tissu de *spandex* étiré à son maximum me donne une idée assez nette de ce qui se cache dessous. Décidément.

Un brin déconcentré, je me tourne vers la table en tentant de me souvenir de quoi nous parlions. L'esprit… la purification… la sauge. Oui.

J'allume avec un briquet le bouquet d'herbes séchées qui s'embrase sans se faire prier. De peur de mettre le feu au logis, je souffle dessus, laissant ainsi une épaisse fumée s'élever vers le plafond. Un nuage moelleux aussi odorant que piquant nous enveloppe en un clin d'œil. L'effet énigmatique émoustille un peu Sylvie, qui se colle sur moi.

— C'est mystérieux, même épeurant un peu.

— C'est la magie, Sylvie, la magie.

Elle m'envoie alors un regard ardent de désir. Je le sais, je le sens. Des yeux comme ça ne mentent pas. Il ne me reste plus qu'à attendre le bon moment pour que ce rêve se transforme en rêve érotique, je pense. Je décide d'y mettre le paquet.

— Prends ma main et répète après moi, Sylvie: ÔMMM… ÔMMM… ÔMMM…

Elle obéit à la consigne, les yeux à nouveau fermés. Je me retiens de ne pas rire. Dans le plus grand des ridicules, je secoue la sauge qui fume dans tous les sens.

— Esprit, ô esprit, quitte ces lieux où tu n'es pas le bienvenu. Je te conjure de procéder à ton évacuation dans l'immédiat.

Le Gazon

— Oui, ouiii, pro-cède, pro-cède…

Elle le prononce avec une telle langueur que mon esprit tordu capte qu'elle me demande de procéder à, disons, autre chose.

Comme ma cliente tangue toujours comme une quenouille en plein ouragan, je me déplace en un saut de crapaud derrière elle, puis je la prends par les hanches pour la faire valser avec plus d'amplitude. Ravie, elle se laisse ainsi promener de gauche à droite sans opposer de résistance. Elle appuie même sa tête à la renverse sur ma clavicule.

Après à peine deux minutes d'incantations anti-maléfiques que je puise dans un registre inconnu de ma mémoire, je me colle de plus en plus sur Sylvie, qui remue maintenant les fesses en les frottant sur ma fourche. Elle doit assurément ressentir l'érection naissante qui y sévit. Quoiqu'elle pourrait toujours confondre le tout avec ma baguette magique de chaman-décorateur.

Un bruit de porte se fait alors entendre. En moins de deux, un homme d'une soixantaine d'années surgit dans le portique. De son angle, il a une vue enviable sur le rite de purification en cours et surtout, grâce à ma position de côté, sur mon érection collée telle une ventouse entre les deux fesses de je-me-doute-bien-sa-femme.

Taboire.

— Qu'est… qu'est-ce que vous faites là ?

— Un rituel, mon amour, pour évacuer le mauvais esprit que je te parlais, fait Sylvie en s'éloignant de moi d'un pas latéral, tout aussi surprise que moi de sa venue.

— Ah ben ouais, han !

L'homme, peu sûr de lui, mais pas dupe, avance vers nous en fixant sans aucune gêne mon entrejambe, qui a à peine eu le temps de diminuer d'un degré d'amplitude. Je me sens si con. Il se plante à nos côtés en nous examinant à tour de rôle sans rien dire. Un intellectuel, un peu mal dans sa peau, qui tente de faire preuve d'un minimum d'autorité masculine. Limite triste. Il ressemble à un mathématicien dont le pire acte de délinquance jamais commis fut de photocopier son relevé de compte personnel au bureau, et ce, une seule fois.

— Ça va, mon amour ? demande innocemment Sylvie.

— Ben ouais, on peut continuer, fait-il en me narguant du mieux qu'il en est capable.

Quel portrait minable : je suis là avec ma sauge encore fumante, tout près de Sylvie, qui a déjà refermé les yeux pour se bercer à nouveau aux côtés de son mari. Comme il sait très bien ce qui se passait à son arrivée, il me fixe comme un sociopathe maniaque tout juste sorti de l'asile. Il a le regard du *nerd* à lunettes en train de planifier dans sa tête de me traîner dans sa salle de tortures au sous-sol, afin de me faire regretter d'avoir baladé mon érection sur le cul de sa femme. Le supplice de la coupure à la feuille de papier, jusqu'à ce que mort s'ensuive. Un genre de vengeance contre tous ceux qui ont ri de sa pauvre gueule de hamster durant le secondaire.

Je pense pendant un instant à Claire. Ouin. Ma femme ne serait pas très fière de moi en ce moment.

— On avait fini, de toute façon, l'esprit est parti, fais-je pour conclure en tentant d'éteindre la sauge avec mes doigts mouillés.

— Aaah, il est déjà parti ? C'est bizarre ça, ajoute le mari en donnant de petits coups de museau vers le haut.

On dirait vraiment un rongeur qui renifle.

— Enfin ! se réjouit cette coquine de Sylvie, qui cache bien mal sa déception face à l'avortement de notre séance privée à deux mille dollars.

— Ben oui ! Ça adonne de même, ajouté-je en priant pour que le type cesse pour l'amour de Dieu de faire ça avec son nez.

— Bon ! Pour la suite des choses, je vais revenir. On ne peut jamais faire de purification et de modifications énergétiques dans une pièce la même journée. C'est trop de chamboulements karmiques pour un même espace.

Comme si les mots «chamboulements karmiques» venaient tout à coup de convaincre le hamster que je n'étais pas complètement un charlatan, il me considère un instant avec intérêt. Bien joué. Je ne soupçonnais même pas l'existence d'un tel vocabulaire ésotérique dans mes appartements cognitifs. L'homme redevient un peu froid pour me dire :

— On a eu un gars qui faisait le gazon, on l'a plus, ensuite, un autre gars pour la piscine, on l'a perdu lui avec, comprends-tu?

Tente-t-il de me laisser sous-entendre qu'il a envoyé à la morgue tous les amants de sa femme? Effet raté. Les hamsters ne tuent personne.

— Oui, oui, je comprends.

Sylvie fait l'innocente en sifflotant, le regard vissé à la table de la cuisine.

— Je suis ici pour harmoniser votre maison, votre espace, votre nid d'amour.

Je me caresse intérieurement l'ego d'être si bon comédien; un truc que je devrais sans doute exploiter davantage dans ma vie.

En me dirigeant vers la porte, je l'achève à grands coups de vocabulaire en déclarant:

— Par exemple, la table ici empêche le Chi d'entrer en rotation avec les métabolismes énergétiques des forces dynamisant la vitalité de la pièce, ce qui favorise le cancer de la prostate.

— HEIN? rugit le pauvre homme, son visage de rongeur virant au blanc fantôme.

— Ouais, mais on réglera ça la prochaine fois.

— En attendant, on peut la mettre où? rapplique l'homme hypocondriaque en galopant dans ma direction, le mufle toujours en l'air.

— Au centre, dis-je, l'air sérieux comme un prêtre à la confesse.

— Allez, Sylvie, on la change de place tout de suite !

Je mire une dernière fois les hanches de la femme qui se penche pour soulever la table avec son mari, puis je les salue poliment en tournant la poignée de la porte.

— Bonne soirée !

— Merci et à la semaine prochaine, même heure ?

— Oui, parfait !

Elle me fait un clin d'œil.

En revenant dans la maison de Mme Perron, je me demande bien quoi faire. Est-ce que ce rêve dément se terminera un jour ? Le fait que tout semble si réel brouille un peu mon raisonnement concernant le phénomène. Est-ce que mes rêves semblent toujours aussi vrais ? Comme dans la vraie vie, disons ? Il me semble que non.

Je m'installe dans le vieux divan d'Huguette. Tant de souvenirs m'accompagnent en ces lieux. Je me suis fait garder ici un bon moment. Quand j'ai commencé la première année du primaire à temps plein, je venais après les classes. Il me semble que je me suis fait garder ici durant au moins trois ans. En fixant le coin du salon, je me rappelle une triste scène. Huguette avait l'habitude de laisser sa perruche libre de temps à autre. Cui-cui était le nom de cet oiseau bleuté au toupet jaune. Un certain mardi, lorsque le facteur était venu divertir Mme Perron, l'oiseau, avide de liberté, avait tenté une envolée vers la sortie. Le facteur, qui n'avait pas vu l'embardée stupide du volatile, avait refermé la porte sur son cou. Une fois la porte rouverte, Cui-cui avait glissé le long du mur, le cou tout pendouillant, en laissant sur la peinture une trace de sang rouge foncé. Je me souviens de la tristesse dans les yeux d'Huguette tandis que l'homme ramassait la carcasse de la bête avec un essuie-tout pour la jeter sans plus de cérémonie à la poubelle. Compte tenu du choc dû à l'homicide involontaire, je me demande s'ils avaient « joué à la poupée » ce matin-là… Sûrement pas.

Appuyant la tête sur le coussin qui sent aussi le bacon, je ferme les yeux.

Entre ciel et terre

— Ah, mais non! Ça ne va pas du tout!

— Ah, mais qu'est-ce que… Je suis revenu ici? que je fais en apercevant le jardinier à mes côtés.

Je suis de retour au début de mon rêve, donc sur mon propre divan.

— Vous ne pouvez pas vous endormir en plein jour comme ça!?

— Quand ça ? Je te rappelle que je dors depuis hier soir déjà.

— Non mais, il ne faut pas vous endormir en plein milieu de l'expérimentation. Vous ne pouvez pas vous endormir dans votre rêve ! Ça commence à faire un peu trop d'étages au gâteau.

Je suis confus. Je dors donc en double en ce moment ? Comme deux fois superposées ? Mon conscient s'est endormi et, ensuite, mon inconscient aussi ? Donc, je suis quoi en ce moment ? Dans le coma ? Mort peut-être ?

— Vous avez vraiment un problème avec les divans. Saint curry d'Espelette, ça n'arrive pas avec les femmes, ce genre de choses, se désole le jardinier.

— Je comprends même pas de quoi tu parles.

— Vous êtes en pleine expérimentation, monsieur Alexandre, et c'est loin d'être terminé, mon ami, croyez-moi !

— Expérimentation de quoi ? Non, j'étais juste dans un rêve débile où j'étais marié avec une femme de quatre-vingt-cinq ans qui me faisait des gâteries pas de dents. Dans mon livre à moi, c'est un cauchemar ! Je suis déçu que mon propre cerveau ait pu ne serait-ce qu'IMAGINER ça.

— Ne vous en voulez pas. Vous n'avez pas terminé. Et loin de là. Ha ! ha ! ha ! Bon, je change les règles du jeu juste pour vous. La fin sonnera dorénavant au coup de minuit ou un peu avant, si je juge le tout suffisant. Retournez là-bas, maintenant, Cendrillon.

— Au coup de minuit quoi ? Non, mais attends...

Je n'ai même pas le temps de terminer ma phrase que le divan tombe dans le vide à nouveau.

Confus, je me réveille encore sans trop savoir où je me trouve. L'éternelle odeur de bacon rappelle mon sens de l'orientation à l'ordre.

Le cellulaire qui sonne sur la table à café me force à me redresser.

— Oui, allo ?

— Bonjour, votre femme se demande si vous allez venir la border ce soir.

Mme Perron. Ma femme. Encore. Au secours.

— Non, je peux pas. Dites-lui que j'ai un client ce soir.

— Elle sera déçue.

Une vague de bonté irrationnelle me traverse le cœur.

— Dites-lui que je vais venir sans faute demain matin.

— D'accord. Bonne fin de soirée.

Je déniche dans l'armoire du salon une bouteille de whisky presque pleine. J'en ai bien besoin. Je me rappelle que j'aurai de la visite à onze heures. Je suis tout de même curieux d'en apprendre davantage sur ce réseau de blanchiment d'argent. Je vais tenter de questionner cette personne.

Le Gazon

Qui sait, peut-être que, dans la vraie vie, je pourrais faire un article-choc là-dessus pour le journal ? Il me semble que c'est un sujet jamais vu dans les médias. Peut-être que ce rêve étrange sert de prémonition pour me pousser vers l'élucidation de quelque chose de concret dans ma véritable vie. Ce serait génial.

Je pose mon verre d'alcool sur la table. Qu'est-ce que je peux faire en attendant ? Cherchant un divertissement quelconque, j'agrippe le cellulaire pour m'épier moi-même. Un cellulaire renferme toujours une mine d'informations pour en connaître davantage sur les habitudes de vie de son propriétaire.

Je débute par les photos. Les premières me montrent des « avant-après » de pièces que j'ai modifiées chez des clients de ma secte de feng shui machin. N'importe quoi. Je ris. Ce truc est vraiment douteux. Parfois, il n'y a que deux bibelots d'ajoutés et des meubles changés de place. Les gens paient vraiment deux mille dollars pour ça ? Pauvre société malade.

Je découvre ensuite quelques clichés avec Mme Perron, dont un qui me fait franchement lever le cœur. Je l'embrasse devant sa résidence. Un *selfie*. Voyons donc ? ! Une photo plus bas attire mon attention. Des seins en gros plan, sans visage. Pas ceux de mon ex-gardienne, je confirme. Visiblement pas le genre de cliché que je pourrais retrouver dans le nuage virtuel de ma vraie vie non plus. La photo date d'il y a deux semaines. Récent. Qui est-ce ? Je me dirige vers les textos afin d'identifier la coquine propriétaire. Possiblement ma maîtresse. Je retrouve la même photo dans une conversation à saveur torride avec une certaine Céline. Voyons voir si on peut s'amuser. Je décide de lui écrire.

Bonjour, ma belle Céline! Comment ça va?

Sous mon message, trois points de suspension se mettent à onduler aussitôt. Elle me répond. J'attends.

Sa réponse apparaît.

VA CHIER, ALEXANDRE! EFFACE MON NUMÉRO PIS ÉCRIS-MOI PLUS JAMAIS!

Ouin. Pas si amusant finalement. Voici une troisième femme qui semble me détester, et ce, seulement depuis ce matin. Je réponds tout de même par politesse.

Désolé, porte-toi bien! xxx

Je poursuis ma recherche. Une autre photo me montre une femme d'assez proche, prenant la pose pour moi en me dévoilant son épaule et la bretelle de son soutien-gorge rouge. Une jolie rousse. Décidément. Je retrouve la photo que j'ai enregistrée d'une conversation avec Mélanie. Elle est venue ici, je crois, car le dernier message dit: «J'arrive dans quinze minutes, mon beau!! xxxxxxxxxx» Et ensuite, plus rien. Je tente à nouveau le coup.

Bonsoir Mélanie!

Les points de suspension me signifiant qu'elle répond apparaissent, puis ils disparaissent finalement. Un autre message entre. Encore Céline.

Le **Gazon**

Désolé, porte-toi bien ? Avec trois becs en plus ?! Pour qui tu te prends, Trudeau ? T'es juste un gros côlon ! Comment t'as pu me faire ça ? J'y crois pas encore... Tu m'as humiliée !

Ouf, ç'a vraiment très mal fini avec cette Céline. Mais qu'est-ce que j'ai pu lui faire de si terrible ? Mélanie répond à son tour. Je retourne à cette conversation. Elle m'a envoyé une photo. Je plisse un peu les yeux. Ah. Elle m'a envoyé un cliché de très près d'une crotte de chien. Hum, mon petit doigt me dit que Mélanie ne me porte pas dans son cœur elle non plus.

En furie, Céline m'écrit de plus belle.

Je sais pas pour qui tu te prends, mais mon frère sait où t'habites pis t'auras peut-être de la visite un jour, pauvre con ! T'es chanceux qu'il soit encore en prison, parce que ça ferait longtemps que t'aurais eu de ses nouvelles ! Tu vas me le payer un jour !

Je pose finalement le téléphone, perplexe, pour saper une gorgée de whisky. Toute ma vie, j'ai eu un comportement respectueux envers les femmes qui ont croisé ma route, comment est-ce possible que je sois à présent celui que toutes les femmes détestent ? Je suis un bon gars, pourtant.

En me versant un second généreux verre, je décide de renoncer à mon projet de me divertir. Attendons plutôt sagement la suite.

Ding ! Dong !

Un peu enivré, mais bien heureux d'avoir de la visite – ma préférée, à ce qu'il paraît –, je me dirige vers la porte.

En ouvrant, je suis aussi surpris que ravi de ce que je découvre sur le perron. Une femme grande et menue, avec de grands cheveux bruns et des yeux en amande décorés d'interminables cils me sourit. Elle ressemble à une mannequin professionnelle ou encore à une prostituée de luxe, dont on paie les services trois mille dollars la demi-heure, et ce, juste pour jaser avec elle de la pluie et du beau temps. À moins que ce ne soit l'alcool qui la rende si bien roulée à mes yeux ? Je la scanne une fois de plus sans trop de subtilité. Elle est canon, pas de doute.

Sans plus attendre, elle fait pianoter ses doigts sur mon torse en disant :

— Tu te souviens de moi, mon beau Poker ?

— Je sais pas, je devrais ?

— Abby Plaisir. Est-ce que ça te revient ? demande-t-elle en enfonçant son majeur dans sa bouche pour le ressortir en le léchant jusqu'à l'ongle.

Au moment de la distribution de la subtilité, elle était absente.

— Ah, ah, ah, ça me revient, oui, que je mens, tout simplement heureux d'enfin trouver une femme sur cette terre qui n'a pas quatre-vingt-cinq ans ou qui ne me déteste pas au point de vouloir me tuer.

Elle me tend un téléphone cellulaire encore dans sa boîte.

— Voilà. Le numéro est sur le papier juste ici.

— Ah oui, merci.

J'en avais presque oublié le but de sa visite. Ses grands yeux de biche me fixent un instant, puis elle m'avoue en frottant ses bras :

— J'ai froid.

Rendu à ce stade-ci, je ne sais pas si cette fille fait partie de l'organisation criminelle proprement dite ou si c'est simplement une tierce personne qui fait les commissions.

— Pauvre toi, tu veux entrer pour te réchauffer ?

— Oui, j'aimerais bien, répond-elle en jetant un coup d'œil fugace dans la cour avant de faire un grand pas dans la maison.

Comme je n'ai rien d'autre, je lui serre deux doigts de whisky, qu'elle avale d'un trait sans grimacer avant de me tendre son verre pour un second remplissage. Nous passons au salon. Je fixe avec attention celle qui amerrit sur le divan au bacon de Mᵐᵉ Perron avec la grâce d'un cygne. Son interminable jambe droite vient tout naturellement se positionner sur la gauche dans un lent mouvement que je ne quitte pas des yeux. Ma fibre journalistique prend malgré tout le dessus :

— Ça fait longtemps que tu bosses pour Corbeil ?

— Bah, depuis l'épisode du gars qui avait eu un infarctus au Starbucks, là. T'étais là, tu t'en souviens ?

— Oui, oui, que je mens. Mais ton rôle, c'est quoi au juste ?

```
23 H 36
```

Après quelques verres d'alcool échangés à travers une conversation polie, mais un peu vide de contenu, je réalise qu'elle ne m'en apprendra pas davantage sur la fraude en question. Elle semble avoir autre chose en tête.

— T'es timide, ce soir, me lance Abby Plaisir en se trémoussant un peu sur le divan.

Je souris, puis je me lève pour aller pisser. À mon retour, la plantureuse femme m'attend debout dans l'obscurité de la cuisine. Je revois pendant une fraction de seconde le facteur bedonnant qui entrait voir Mme Perron tous les mardis matin. Chassant de ma conscience cette image peu érotique, je m'approche, puis je m'immobilise à environ un mètre d'elle. Elle termine le travail en avançant vers moi pour m'embrasser. Elle sait ce qu'elle veut. Ses lèvres pulpeuses sont douces, quoiqu'un peu trop badigeonnées de rouge à lèvres à mon goût. Je n'ai jamais aimé le rouge à lèvres. Passant outre mes préférences, je continue. Ça me fait étrange de poser mes lèvres sur celles d'une autre femme que Claire en étant si conscient de le faire. Ma femme embrasse mieux qu'elle. Penser à Claire en ce moment me trouble un peu. Je chasse ma culpabilité du revers de la main en reposant mes yeux sur Abby. Elle prend une pause pour déboutonner son chemisier et me dévoiler sa poitrine. Du 100 % silicone, dont le résultat est fort pornographique. Elle plaque mes mains sur ses seins pour me faire palper son investissement. L'érection qui en résulte élargit mon pantalon d'une taille.

Constatant ce fait indéniable, elle tâte ma fourche avec ferveur avant de se jeter à corps perdu sur les genoux afin de détacher ma fermeture éclair.

Décidément, cette fille va droit au but.

En moins de deux, elle engloutit ma verge d'un seul coup. Dans la lueur du lampadaire extérieur qui perce par la fenêtre, je ne perçois qu'à peine sa bouche autour de mon sexe. Son mouvement de va-et-vient est parfait, son rythme savamment exécuté. Elle tâte de sa main libre mes testicules, en douceur, pas trop fort. Pas de doute, c'est une professionnelle en la matière. De façon théorique tout autant que de façon pratique. Je suis en train de vivre une fellation que je juge parfaite. Sentant que je pourrais jouir presque dans l'immédiat, je tente de me retenir un peu. L'air de savoir ce qui me tiraille dans le bas-ventre, elle cesse un peu pour me dire :

— Mon tour, maintenant ?

La morale ayant quitté toutes les sphères possibles de mon cerveau, je la soulève un peu par les épaules pour la diriger vers la table. Elle baisse alors son collant jusqu'à ses chevilles et elle appuie ses fesses sur la table. Comme je ne vois pas ses sous-vêtements, j'approche pour me délecter d'abord visuellement de la scène de déshabillage. Elle baisse elle-même sa culotte, qui me semble rouge vif. Peut-être est-ce plutôt bourgogne ? J'approche ma main vers son entrejambe et…

— AAAH ! que je m'indigne en touchant à pleine main un énorme pénis en érection.

— Voyons…, fait Abby Plaisir en portant la main à plat en haut de sa poitrine.

— C'EST QUOI ÇA, CIBOIRE?

— Quoi?

— Abby, mon œil! Abby pour bi, comme dans les deux, oui!

Au même moment, un violent coup se fait entendre à la porte.

— POLICE!

Sans plus de préambule, on défonce avec fracas. Deux agents nous font alors face. Par réflexe, j'étire le bras pour ouvrir la lumière, sur le mur tout près de moi. Abby chose, toujours le moineau à l'air, à demi assis sur la table, n'a même pas le réflexe de se cacher.

— PIERRE? m'écrié-je en reconnaissant mon meilleur ami habillé en policier.

— On vous dérange, à ce que je vois. Vous êtes monsieur Alexandre Trudeau? Nous avons un mandat d'arrestation contre vous et un mandat de perquisition pour fouiller votre maison.

— Pierre, qu'est-ce tu fais là?

— Excusez-moi, mais je ne vous connais pas, monsieur.

— Ben oui, voyons, Pierre!? Écoute, c'est pas ce que tu crois. Tu le sais, que je suis pas aux hommes, vieux. Je la… euh… LE connais pas! Je te jure!

— Écoutez, monsieur, ce que vous faites durant vos heures de loisir ne nous intéresse pas, ce qui nous intéresse, c'est ce que vous faites pour gagner votre vie. Vous avez demandé aujourd'hui à un individu d'échanger de l'argent frauduleux contre un billet de loterie. C'était une taupe. Vous avez ensuite caché les papiers sous le lit de votre femme, dans la chambre de sa résidence, que nous avons perquisitionnée plus tôt en soirée. En passant, cette fausse relation amoureuse est le pire *cover* que le service de police tout entier a vu dans toute son histoire. On s'en pisse dessus depuis des mois au quartier général, se moque-t-il en assenant un coup de coude à son collègue, qui rigole en tenant sa ceinture. Vous êtes donc en état d'arrestation. Tout ce que vous direz pourra être retenu contre vous. Je vous prie de nous suivre jusque dans le véhicule de police, le temps que nous fassions notre travail. Vous aurez le droit d'appeler un avocat rendu au poste.

— T'es pas sérieux, Pierre? Tu me reconnais pas?

— Venez avec nous, s'il vous plaît. Et toi, Benoît, on te laisse partir cette fois. Mais on garde un œil sur toi. Tiens-toi tranquille, affirme Pierre, l'air sérieux.

— Benoît? que je fais hors de moi.

Abby-Benoît-pas-de-Plaisir se rhabille à moitié pour ensuite filer par la porte à la vitesse de l'éclair.

Assis à l'arrière de la voiture de police, je convulse presque tellement je suis traumatisé par ce qui vient de se produire.

Pas l'arrestation, mais plutôt ce qui l'a précédée. J'ai des images peu chouettes en tête, me visualisant avec cette immense chose si près de mon visage. Quelques centimètres de plus et je l'avais dans la bouche.

Apercevant par les carreaux de la fenêtre les policiers qui s'efforcent de passer au peigne fin la maison de cette pauvre Mme Perron, je m'accote l'arrière de la tête sur la banquette pour réfléchir. Quand ma main se pose sur mon front, tandis que je tente de désembrouiller tout ça, ma manche frôle mon visage. En respirant cet effluve de bacon imprégné jusque dans les fibres de mes vêtements, je m'évanouis.

Entre ciel et terre

— On s'est bien amusé à ce que j'ai pu voir?

Je reprends peu à peu mes esprits. Le divan. Mon divan. Les nuages dans le ciel. Encore cet Indien jardinier de malheur. Je suis de nouveau revenu au début de ce rêve. Le jour de la marmotte. J'espère que cette histoire n'est pas une boucle sans fin.

— Qu'est-ce que je fais encore ici? C'est ta faute si j'ai rêvé à ça? C'est pas moi qui voulais rêver à ça, certain!

— Ne m'accordez pas trop d'importance, monsieur Alexandre, c'est votre expérimentation, pas la mienne.

— Non, c'est toi qui es derrière tout ça et laisse-moi te dire que t'es un vrai malade mental, rien de moins qu'un psychopathe. Si t'entretiens des fantasmes de ce genre-là, vis-les donc toi-même pis fais pas subir ça aux autres ! Non mais, c'est quoi l'idée ?

— Ha ! ha ! ha ! Ce n'était qu'une de vos vies potentielles, mon cher. Seulement qu'une.

— POTENTIELLE ? Po-ten-ti-elle à qui ? À moi ? Certainement pas.

— Si vous aviez laissé vos fantasmes mener votre vie tout entière, peut-être… Ha ! ha ! ha !

— Pardon ? C'est n'importe quoi ! N'importe quoi !

— Que croyez-vous ?

— Que t'es un fou, ouais, c'est ça que je crois. Et en passant, comment ça se fait que Pierre me reconnaissait pas ?

— Dans l'expérimentation, les destins de toutes les personnes interposées se révèlent aussi sous forme de potentialité. En quelque sorte, tout le monde interfère dans le changement de vie des autres. Les choix n'ont pas influencé que votre réalité, mais aussi celle des gens gravitant autour de vous, et ce, dans le siège même de leurs décisions.

Je le fixe. Il poursuit :

— Ceci dit, quel début foisonnant d'excitation, ne trouvez-vous pas ?

— «Excitation», non. Je t'interdis de mentionner ce mot en ce moment. Tous les mots que tu veux, mais pas celui-là.

— Allons! Ne faites pas le rabat-joie. Bientôt, vous y retournerez et...

Je le coupe sans ménagement:

— Ah, ça non, je retourne pas là, désolé. Plutôt mourir.

— Ne dites pas de sottises.

— Je vais me lancer en bas du divan maintenant. Je sais que je rêve, faque je m'en fous!

— Que vous êtes rigide. Ça ne changera rien, mais si ça vous chante, essayez toujours.

— Pfft!

Tout de même craintif de le faire, j'envisage la possibilité avec sérieux. Je regarde en bas. Je ne vois rien d'autre que le vide. Je ne peux techniquement pas mourir dans un rêve. Ce malade d'hindou veut me ramener dans cette vie de débile. Pas question. Je tente le coup. Je ferme les yeux avec force avant de me balancer sur le côté en grimaçant de peur.

Je tombe. Je tombe. Je tombe. Puis, j'atterris.

En ouvrant les yeux, je découvre que je suis exactement à la même place, près du jardinier, sur mon divan.

— Vous voyez! Bon, peut-on poursuivre maintenant?

— Je suis pris ici!? T'es un genre de sorcier indien, c'est ça?

— Tout dépend de ce en quoi vous croyez.

— Je crois en la science, voilà.

— La science…

Il fait un signe de tête de découragement avant de m'expliquer :

— Vous voulez être ici, monsieur Alexandre. Votre inconscient, donc la source même de votre âme, est venu chercher des réponses, mais, à cette étape, votre conscient et votre ego travaillent fort pour rationaliser la situation. Lâchez prise, vous n'avez pas le choix de parcourir l'expérimentation au complet de toute façon. C'est ce que vous souhaitez.

— J'ai presque couché avec un homme. Plutôt, il m'a…, que je pleurniche, accablé par mon propre inconscient.

— Allons, allons, ce n'est pas arrivé finalement. Du moins, pas complètement! Ha! ha! ha!

Je grimace.

— Bah, allons, il paraît que les hommes sont les meilleurs pour ce genre de choses, en toute connaissance de l'appareil reproducteur masculin.

— Aaah! STOP!

— Si je vous promets que ça ne se reproduira plus, est-ce que ça vous va? fait le jardinier en me parlant maintenant comme à un enfant.

— Ouiii, que je réponds d'une petite voix comme si j'en étais justement un.

— Bon, poursuivons maintenant. Il n'y a pas que vous dont je dois m'occuper, à la fin !

Je souffle par la bouche. Mais qui est-il ? Il me demande en quoi je crois. Il sera déçu, mais je ne crois pas en grand-chose. L'âme, la vie après la mort, le karma et toutes ces conneries sont des inventions dans le simple but de se rassurer. L'humain a besoin de croire qu'il est éternel de quelque façon que ce soit. Nous sommes des animaux et rien de plus. Le corps meurt, il mange des pissenlits par la racine en se décomposant et c'est tout. Claire est plus ésotérique que moi dans ses croyances. Pas de là à faire des séances de méditation en brûlant de l'encens, mais je sais qu'elle croit en Dieu, en une force supérieure. Pas moi. Je n'ai pas besoin de ça pour me rassurer d'être un mortel.

Ceci dit, je n'ai pas envie du tout de retourner là-bas. La suite, ce sera quoi ? Je serai en taule ? Cette situation pourrait être bien pire que ladite scène avortée avec Abby Plaisir, si me fie à ce qu'on raconte à propos des entrailles de nos prisons. Comme cet Indien ne peut être qu'une invention de ma propre cervelle, je décide de négocier une condition avec moi-même :

— Pas de sexe, d'aucune façon que ce soit. Promis ?

— Ne dites pas ça, mon ami, vous pourriez le regretter. Vous parlez sous l'impulsion de la peur, de l'anticipation. Laissez venir à vous ce qui doit être, souriez, fermez les yeux et abandonnez-vous.

M'abandonner? Jamais. Peu confiant, je fixe les iris de cet homme issu de mon imagination, mais qui semble si réel, avant de me résigner à collaborer. Qu'est-ce que je peux faire d'autre de toute façon?

Le divan se met à tournoyer.

De retour chez Huguette?

Tic! Tic!

Je bouge un peu.

Tic! Tic!

Je passe une langue épaisse sur mes dents. Bouche pâteuse. J'ai bu de l'alcool hier. Beaucoup d'alcool, je pense.

Tic!

En ouvrant un œil, la tête posée sur un oreiller, j'aperçois en premier lieu un long tube noir qui se rend jusqu'au centre de mon front.

— EILLE! crié-je en réalisant ce que c'est.

Un gosse asiatique de tout au plus dix ans me vise en plein front avec une arme à feu. À mon cri de mort, il retire son canon de mon troisième œil, puis il hurle un «AAAH!» primitif en déguerpissant vers la porte de sortie.

Tel un piège à ours qui se referme, mon corps se replie sur lui-même. Soufflant avec la bouche, je tente de reprendre un peu mes esprits. Je ne suis plus chez Mme Perron, mais je viens de passer à deux doigts de me faire flinguer par un enfant chinois. Un grand soulagement entaché par un léger désappointement, disons.

Je me trouve dans une chambrette assez luxueuse aux teintes café au lait et à la texture moelleuse à cause d'une surabondance de coussins décoratifs. Il y en a partout. La pièce est plongée dans la pénombre. Des draperies épaisses et faites de velours beige pâle recouvrent deux murs de la pièce jusqu'au plancher, me laissant ainsi croire que de grandes fenêtres panoramiques se cachent derrière. J'entends du bruit dans la maison : une voix de femme. Une voix forte.

La gorge sèche comme si j'avais gobé douze biscuits soda en pleine traversée du désert, j'avale d'un trait le verre d'eau tiède qui reposait sur la table de chevet à ma droite. J'ai mal aux cheveux.

Je repense à cet enfant.

Enfournant un à un mes pieds dans des pantoufles de polar gris ciment, je constate que je suis vêtu d'un simple pantalon de pyjama rayé et d'un t-shirt. À pas prudents, je me dirige vers une salle de bain adjacente à la chambre pour uriner. L'odeur âcre qui me monte au nez me confirme que j'ai en effet bu hier. Un truc fort.

Bien décidé à affronter avec verve le petit Chinois qui a tenté de m'assassiner pendant mon sommeil, je passe la porte pour émerger dans un appartement immense.

Malgré l'éblouissement que je subis à cause de la fenestration impressionnante sur deux murs, je distingue la propriétaire de la voix forte, près de l'îlot de la cuisine. Une femme asiatique aussi.

Comme elle ne semble pas faire de cas du fait que je viens de surgir dans sa cuisine, j'avance vers elle tandis qu'elle gueule toujours au téléphone :

— Faut remplir cette salle-là, M'ENTENDS-TU ? Pas question que je me présente devant juste trente grosses folles ! COMPRENDS-TU ! ?

À la puissance de sa voix, si son interlocuteur n'a pas compris le message, je confirme que pour mon mal de tête et moi, il est bien clair. Une fillette, aux yeux bridés elle aussi, mais plus jeune que mon potentiel meurtrier, mange un bol de riz blanc armée de baguettes à la table de la cuisine. Mes yeux reviennent sur la femme qui beugle toujours, mais maintenant dos à moi. Sa silhouette n'est pas qu'un peu frêle. Elle est très maigre. De longs cheveux brun foncé, attachés en queue de cheval basse et un peu lâche, lui descendent jusque dans le milieu du dos. Vêtue d'un legging noir et d'une camisole échancrée sous les bras, laissant voir un soutien-gorge sport turquoise, cette femme m'apparaît tout de même comme un élément enjolivant cette matinée incompréhensible. Sa taille est fine comme un fil, mais ses fesses se dessinent tout en rondeur.

L'attaque du jeune garçon me revient encore en tête. Mais où est donc passé cet enfant ? Pour espérer survivre à un homicide imminent, la base reste d'être en mesure, à tout le moins, de localiser son assaillant. En avançant vers une porte entrouverte, je la pousse pour y découvrir une chambre d'enfant. Mes pieds se vissent au plancher en apercevant le gosse, à genoux devant un attirail d'armes à feu – que j'espère en plastique *made in China*. Malgré mon inquiétude, je le reluque avec sévérité pour lui faire comprendre qu'il est tout à fait inacceptable de réveiller quelqu'un comme il l'a fait précédemment. Risque d'infarctus inutilement élevé. Il me rugit à nouveau un «AAAH!» en brandissant dans ma direction un autre fusil pigé à bout portant dans sa réserve. Son petit visage crispé de crier avec autant de force me rappelle l'enfant asiatique dans le film d'horreur *The Grudge* qui apparaissait sans cesse la bouche béante, l'air démoniaquement possédé. Un frisson me parcourt l'échine.

Au phonème non segmenté de son interminable cri, je referme la porte, résolu à ne pas comprendre l'origine du comportement de cet étrange gamin. La femme aux longs cheveux fonce alors vers moi. Elle se plante les poings sur les hanches et elle me détaille à peine un instant avant de dire :

— Tu vas à la librairie à quelle heure ? Je peux pas tout faire, comprends-tu ? JE PEUX PAS TOUT FAIRE !

En prononçant ces derniers mots, elle avance la tête vers moi comme une poule prête à me picorer le nez. À présent, même si elle ne parle plus, sa tête poursuit son mouvement de balancier vers mon visage. Elle me fait penser au mari de Sylvie de tout à l'heure, mais en plus persuasive. Je la fixe, en toute ignorance.

— Tu dors, Alexandre ? TU DORS OU QUOI ?

Décidément, cette femme génère un nombre de décibels largement au-delà de mes expectatives générales lorsque je converse avec mes semblables.

— ALEXANDRE ?

Ne cherchant pas à passer par quatre chemins pour savoir à qui j'ai affaire, je lui demande :

— Comment tu t'appelles ?

Elle me catapulte des yeux bridés chargés de haine avant de s'écrier :

— T'ES PAS DRÔLE ! AAAH !

Puis elle s'éloigne, insultée, en galopant à petits pas vers une autre pièce dont elle fait claquer la porte.

Je la trouve mignonne. Surtout lorsqu'elle se trouve plus loin, comme ça.

La petite fille mange toujours son riz à table sans réagir à la scène turbulente s'étant déroulée sous ses yeux. Je m'approche :

— Bonjour !

— *Nǐ hǎo.*

Taboire. Elle parle dans quelle langue ?

J'entends alors le son d'une clé qui vrille dans la serrure. Une femme, aussi asiatique que le reste de la troupe, surgit à la hâte dans la cuisine les bras chargés de sacs d'épicerie réutilisables, qu'elle pose sur la table. Elle salue la fillette, en dialecte étranger, avant de me sourire un peu faussement.

Bon, une autre femme qui me déteste.

Pour faire changement, je ne comprends rien à rien. La femme asiatique m'a fait un café exactement comme je l'aime sans même me regarder. J'habite donc ici? Ou ne suis-je que l'amant de cette criarde aux grands cheveux entre deux transactions de billets de loterie? Visiblement, le père de ces deux enfants doit être asiatique. Je ne vois pas beaucoup de traces de métissage dans leur morphologie faciale. La femme revient vers moi en me tendant un cellulaire.

Je le prends et j'aperçois un texto. Un certain Ricardo m'écrit:

Tu me rejoins à la librairie du centre-ville à 13 h 30?
Voici l'adresse: 1026, rue Peel. À +

Je suis donc à Montréal. Pourquoi? Dans le néant le plus total, je me lève pour me rendre au salon, mon café à la main. La femme qui parle fort ressort de sa chambre au même moment. Son impeccabilité me renverse. Elle est vêtue d'un tailleur-jupe très ajusté gris *charcoal* et ses cheveux sont relevés en un généreux chignon au-dessus de sa tête. Pas une mèche ne dépasse. Ses traits finement maquillés, mais pas trop, étirent encore plus ses yeux en amande les faisant ainsi ressembler à ceux d'une chatte espagnole.

— Wow! laissé-je échapper sans trop réfléchir.

— Pfft…, soupire-t-elle, l'air découragé à souhait par l'entièreté de ma personne.

— Pour te permettre d'écrire, Shu Fang ira reconduire les enfants à l'école. As-tu terminé de manger, mon amour? fait-elle en se dirigeant vers la fillette toujours en poste devant son bol dans lequel il ne reste qu'une agglomération de riz ronde qu'elle promène tout au fond du bout de ses baguettes.

— Pas dé souci, jé terminé dé la faire manger, Li-Ann.

— Merci, Shu Fang, répond celle-ci en consultant son téléphone.

Li-Ann. Une vision me frappe comme la foudre. Ce corps svelte, ces traits fins, ces longs cheveux…

Je sais qui est cette femme. Comment pourrais-je l'oublier.

— *On doit prononcer «sss» parce qu'il y a deux «s» ici, donc c'est pas un «z».*

— *Ah oui, c'est vrai.*

Nous avons collé deux pupitres. Le plus beau moment de la semaine, c'est quand les élèves de troisième année viennent dans notre classe pour la période de lecture.

Je respire discrètement le parfum de cette fille assise si près de moi. Une fleur, comme dans les plates-bandes de Mme Perron. Li-Ann est la plus belle fille de toute l'école, même en incluant toutes celles de sixième année. Même si ça fait deux mois que nous pratiquons la lecture ensemble en classe, chaque semaine, j'ai de la difficulté à me concentrer, car je la regarde toujours du coin de l'œil. Ses cheveux sont si longs et ils semblent si doux. J'aurais le goût de leur toucher. L'autre fois, j'ai failli, mais la grosse tête de poils de carotte à Jimmy Veilleux me regardait. Je ne pensais jamais qu'il était possible de trouver une fille aussi jolie. On dirait une poupée. Elle m'hypnotise, et parfois je n'écoute pas ce qu'elle me dit. Comme maintenant :

— Vas-y, Alexandre, ton tour !

— « La pluie tombe sur le toite. »

— Non, ici, on dit pas le « t » à la fin, il est muet.

Muet comme moi, qui me remets à contempler sa beauté. Comme elle est plus vieille que moi, je ne sais même pas si j'ai le droit de la trouver aussi jolie. Est-ce que c'est mal ?

— T'es toujours dans la lune, Coco !

Coco. Elle m'appelle Coco, j'aime ça. Parfois, elle flatte mes cheveux avec sa main, sa douce main. Ça aussi, j'aime ça.

Le **Gazon**

— Bon, on va se dépêcher, je veux pas être en retard à mon cours de ballet.

J'aimerais tant la voir danser un jour. Je le demande très fort au petit Jésus, chaque soir en me couchant.

Fantasme nô 2 : Li-Ann Duàn

Âge de l'apparition du fantasme : 6 ans

Le petit Jésus avait finalement acquiescé à ma demande, et ce, plusieurs fois. Tout au long de mon primaire, la troupe de danse de Li-Ann faisait un spectacle de fin d'année à mon école. Je m'assoyais toujours en première rangée et je la regardais valser de gauche à droite, ses petites jambes frêles la portant tout en douceur là où elle désirait aller. Li-Ann m'avait été attitrée en début de première année comme aide à la lecture ; un jumelage servant à développer l'entraide d'un côté et le fantasme de l'autre. Cet être humain incarnait pour moi la perfection, détrônant sans difficulté Mme Perron, ses gros seins et son odeur de tabac au bacon. Ce fut la deuxième femme qui hanta mes pensées juvéniles. J'avais basculé comme un sot dans l'onctuosité aux effluves de fleurs de Li-Ann, neuf ans. Je l'avais rencontrée hebdomadairement jusqu'à la fin des classes et, ensuite, je ne l'avais pas croisée une seule fois durant l'été. Torture. À mon passage en deuxième année, le choc fut encore plus violent quand j'appris à mon grand désarroi que notre jumelage n'existait plus. Même qu'elle m'envoyait à peine la main dans la cour de récréation. Je me souviens d'avoir fait : « Quoi ? Me semblait que j'étais ton Coco ? ! » J'avais même songé à feindre de graves problèmes de lecture afin que Li-Ann et ses longs cheveux me reviennent, mais en vain. J'avais au moins la chance de l'espionner tous les jours dans la cour et j'en étais ravi, quoique loin d'être contenté. Ensuite, à son passage au secondaire, je ne l'ai plus jamais revue. De toute ma vie. Triste drame.

Ceci dit, je ne comprends pas pourquoi je me retrouve avec elle, ici. En réfléchissant à ce propos, mes yeux parcourent l'imposante bibliothèque capitonnée. À la hauteur de mon regard, la reliure d'un bouquin me frappe d'une droite en pleine orbite. La suivante aussi, puis encore l'autre et ainsi de suite, pendant toute une rangée. Sur chacune, j'aperçois mon nom. J'agrippe un livre en échappant presque mon café, que je dépose finalement sur la table basse. J'observe le roman sous toutes ses coutures. Un polar. Mon nom en grosses lettres sur le dessus me chavire le cœur. Je suis si ému. Je porte une main sur ma barbe de trois jours en détaillant ma photo au dos de la jaquette.

— Je suis écrivain !

Les deux femmes dans la cuisine se tournent alors vers moi, l'air de me juger fin prêt pour mon admission en psychiatrie. Li-Ann finit par balayer le plafond avec ses yeux pendant que Shu Fang souffle un bruit de fort vent de l'ouest avec sa bouche.

— Y en a combien ? J'en reviens pas ! m'écrié-je en parcourant du doigt la rangée qui semble en contenir au moins dix.

— Coudonc, toi ? Quessé que t'as fumé à matin ? Du crack ?

— Douze ! Douze romans ! Je fais ça dans la vie ? Ça marche fort mon affaire ou quoi ?

— Appelle mon psy, Shu Fang ! Pfft !

`9H05`

« L'empoignant par la nuque, j'approche mes lèvres des siennes. Je souhaite tant l'embrasser, mais je ne le puis. Son témoignage est essentiel à l'enquête. Je dois faire preuve de sang-froid pour maximiser mes chances de coincer ce satané meurtrier en série. Je hume son parfum une ultime fois avant de la repousser un peu violemment contre le mur. Elle me crie son désespoir de me voir partir, mais je ne l'entends pas. Je suis déjà loin. »

Je termine le dernier paragraphe du chapitre avant de refermer le livre tout en maintenant la page avec mon doigt. Je lis depuis déjà un bon moment des bribes de cette histoire que j'ai moi-même écrite, mais qui m'est inconnue. Je suis étonné ; ma plume est stylisée, mais concise et directe à la fois. L'intrigue me semble à première vue bien ficelée. Tout semble se tenir, ça coule. Je suis remué par mon propre talent. Moi qui tente d'écrire un seul roman depuis les vingt dernières années, me voilà subitement le père d'une belle douzaine. Qu'est-ce que je fais de pas correct dans ma vie, alors, pour ne pas y arriver ? Ou plutôt qu'est-ce que je ne fais pas ?

Li-Ann s'approche de moi, elle semble tout à coup plus mielleuse qu'au début de cette matinée.

— Écoute, je vais passer te voir tantôt. Les salles de ce soir et de demain sont pas pleines, tu comprends ?

Assise en équilibre sur l'accoudoir de mon fauteuil, elle passe le bout des doigts de sa main droite sur mon épaule avant de sourire. Pendant une fraction de seconde, je la vois. Je vois cette jeune Li-Ann de neuf ans, assise près de moi, qui m'apprenait la lecture. Les femmes asiatiques ont vraiment le don de bien se conserver. J'ai envie de lui dire qu'elle est toujours aussi superbe, mais elle crie subitement à l'intention des enfants :

— Bon, préparez-vous et venez dire au revoir à votre père !

Les yeux ronds, je fixe le plancher, puis le mur devant moi. Mon doigt perd la page du livre. Leur père ? D'accord, mais je ne vois rien de moi dans ces enfants. Li-Ann est bel et bien ma femme ? Mais où est Claire dans toute cette histoire ? Je ne comprends pas du tout le but de cette séquence de rêves absurdes.

— J'AI DIT, ON SE DÉPÊCHE !

Si Li-Ann est ma femme, je l'entends donc gueuler comme ça tous les jours depuis longtemps ? C'est à en devenir sourd. Dorénavant papa, je décide de m'impliquer un peu auprès de ma nouvelle progéniture.

— Il est pas tard un peu pour l'école ?

— Alexandre, t'es vraiment étrange depuis ce matin.

— Il est 9 h 15.

— Oui, l'école alternative commence à l'heure que nous voulons, entre 7 h 30 et 9 h 30. Shu Fang va aller chercher nos vêtements chez le nettoyeur puis elle me rejoindra pour des emplettes.

— Ah, d'accord. Mais la petite mange juste du riz blanc le matin ?

— Elle mange juste ça depuis qu'elle est arrivée. Tu le sais autant que moi !

— Arrivée d'où ? Et elle parle pas français non plus ?

— Ben oui, qu'est-ce tu racontes !

— Et notre fils ? Il a voulu me tirer une balle dans la tête tantôt.

— Ha ! ha ! ha ! Je commence à te trouver vraiment drôle, ça doit bien faire au moins quinze ans que ça m'est pas arrivé. Ha ! ha ! Écris ça dans un de tes livres ! Bon, je file, annonce-t-elle en m'assenant sur l'épaule une tape de partenaire de squash.

— Pourquoi as-tu deux sacs d'école ? fait Li-Ann en direction de notre fils, qui ne répond pas puisqu'il fixe la porte, tel un cabot qui attend qu'on lui ouvre pour aller pisser.

Précédant les enfants qui sortent sans même avoir daigné s'approcher de moi à moins de dix mètres, Li-Ann m'envoie une main molle en l'air. En même temps, notre fils, juste devant elle, me décoche un regard étriqué avant de disparaître de l'autre côté du cadrage. Si je ne m'abuse, il arborait le même petit sourire en coin cruel plus tôt ce matin. À l'abri du regard des enfants, mais se foutant visiblement du mien, Li-Ann embrasse Shu Fang sur la bouche.

La porte qui se referme dans un fracas laisse ensuite place au silence. Un silence propice au questionnement. Ai-je bien vu?

Pourquoi les deux femmes se sont-elles embrassées? Était-ce un baiser amical entre une tante et sa nièce ou un vrai baiser amoureux? Aucune idée. Shu Fang semble un peu plus vieille que la mère de mes enfants, mais je n'en suis pas certain. Et puis, pourquoi cet enfant, alias mon propre fils, me déteste-t-il au point de jouer à me flinguer?

Autant de questions pour si peu de réponses. Histoire d'aller à la recherche d'indices, je me lève pour ouvrir les tiroirs sous la grande bibliothèque. Quelques albums photo s'y trouvent. J'en prends trois de la pile, puis je retourne à mon poste. Le premier semble dédié à un voyage en Asie pour aller chercher notre fille dont je ne sais même pas le prénom. Elle a donc été adoptée. Selon les photos, je déduis qu'elle est Chinoise et que nous l'avons eue alors qu'elle avait environ deux ans. Est-ce pour cette raison qu'elle ne parle pas encore bien le français? Je porte attention à Li-Ann et à moi en tant que couple. Sur les clichés, celle-ci semble heureuse, mais je le semble un peu moins. Aucune photo d'amoureux non plus. Je ne nous vois nulle part en train de nous embrasser ou main dans la main.

Étrange. N'étions-nous pas amoureux pour ainsi adopter des enfants à l'étranger? Si elle est lesbienne, probablement pas.

L'Asiatique et la lesbienne à la fois; on parle quand même ici d'un beau duo de fantasmes classiques qui ne se démodent pas.

Mes rêves sont remplis de clichés.

Après avoir espionné dans plus de cinq albums les grandes lignes de ma vie, celle-ci me paraît maintenant plus claire : Li-Ann et moi ne semblons jamais amoureux, puis mon fils qui veut me tuer vient du Vietnam et nous l'avons eu à environ six mois. Curieux, je décide de me rendre à sa chambre pour en apprendre plus sur son cas.

Quelle n'est pas ma surprise de constater en entrant que la pièce est complètement rangée. Tout à l'heure, un tapis d'armes à feu recouvrait le plancher et maintenant plus rien. L'endroit semble même anormalement immaculé. Une forme d'hygiène obsessionnelle qui crée un malaise, si on tient compte du fait que ce n'est qu'un enfant.

Je m'assois sur son petit lit. Comment un enfant d'à peine dix ans peut-il avoir autant d'armes à feu comme jouets sans que Li-Ann et moi intervenions? J'aperçois un ordinateur sur un petit bureau de travail. Je m'y dirige. La page encore affichée s'intitule *Craft bomb confection in the name of Allah*.

Mes yeux s'exorbitent d'eux-mêmes sous la pression de mon choc interne. Notre fils s'est radicalisé ou quoi ? À dix ans ? Il n'est tout de même pas musulman. Il doit être bouddhiste, à la limite taoïste, ce qui nous situe bien loin des attentats terroristes survenus dans le monde entier. Les actes les plus délinquants que ces deux écoles de pensées philosophiques n'aient perpétrés sont de faire brûler de l'encens ou de couper des fleurs en guise d'offrande. Point. Quel serait donc le lien entre les groupes radicaux et mon fils vietnamien de dix ans ?

Je divague en ce moment, m'imaginant que les armes qui se trouvaient sur le plancher étaient peut-être des vraies. Je n'ai touché à aucune. Aujourd'hui, on produit des jouets qui ressemblent tellement aux trucs originaux que j'ai tenu pour acquis que c'étaient des reproductions, sans même vérifier. Je me ressaisis en me disant que c'est impossible. Comment un enfant de cet âge aurait-il pu avoir accès à un commerce clandestin comme celui du trafic d'armes illégales ? N'importe quoi.

J'aimerais cependant trouver ses jouets, juste pour en avoir le cœur net.

L'idée que mon fils est peut-être en ce moment même à la tête d'une prise d'otages monstrueuse dans son école primaire alternative, qui doit me coûter annuellement les yeux de la tête en plus du nez, me vient à l'esprit. Surtout parce que cela entacherait ma fantasmagorique journée d'écrivain. Je dois aller dans une librairie à 13 h 30. Disons que j'aimerais avoir le plaisir de porter ces chaussures un petit moment. Voyons voir, je n'ai rien trouvé dans sa chambre et il est parti avec deux sacs. Je me décide à appeler Li-Ann, qui sera mon acolyte dans cette histoire, étant donné son statut de mère.

— Bonjour, Li-Ann, c'est moi. Écoute, notre fils s'intéresse à la radicalisation islamique et il a emporté des armes à l'école.

— QUOI ? crie celle-ci, égale à elle-même.

— J'ai vu ça sur son ordi et je trouve plus ses fusils, que je fais en ajustant le ton de ma voix à la gravité de la situation.

— HA ! HA ! HA ! Tu me fais vraiment rire aujourd'hui. Il aime les fusils, tu le sais, c'est juste un petit gars. Es-tu en train de perdre la tête, mon vieux ?

— Non, c'est que…

Elle me coupe sans aucune délicatesse :

— Bon, je me sauve ! À tantôt ! Bye !

— Attends !

Trop tard, elle a raccroché. Décidément. Dans la vraie vie, ma Claire trouve que notre communication laisse parfois à désirer, en gros, que je ne parle pas assez avec elle. Ici, on gravite dans les hautes sphères de l'incompréhension mutuelle. Notre fils fera probablement exploser son école primaire sous peu et nous batifolons sans nous comprendre au téléphone.

11 H 35

En verrouillant la porte de la maison, je suis encore un peu sous le choc quant au contenu de ma penderie. Les vêtements que j'y ai trouvés étaient tous plus coûteux les uns que les autres. Encore plus que dans ma vie de pseudo gangster de billets de loterie. Je crois que je gagne bien ma vie en tant qu'écrivain. Je réalise ici un grand rêve par procuration. Écrire me rend si heureux, mais me lancer tête première dans ce projet m'insécurise, je pense. Je fais passer ça sur le dos du manque de temps, alors je ne fais rien. L'histoire n'est pas tout à fait claire dans ma tête, donc je ne l'écris pas. En réalité, je me trouve des raisons parce que j'ai la trouille. J'ai peur de me planter. C'est ce que je réalise. Je ne veux pas bousculer mon petit confort en prenant un risque. J'ai perdu de l'appétit dans la dernière décennie au chapitre des ambitions. Je rêve à ce qui est petit et accessible, à ce que je peux obtenir sans trop d'effort. Je vise le premier barreau de l'échelle pour être certain de ne pas tomber. Cuba pour les vacances. Un fonds de pension sans risque pour les vieux jours. Un poulet cuit pour les soupers de fête. Je comprends Claire de me trouver *loser*. Son air distant des derniers temps est peut-être dû à un effritement de son admiration à mon égard. Et mes enfants? Qu'est-ce que je leur donne comme image, en parlant de mon fameux roman que je n'écris même pas? La tête d'un trouillard qui ne fonce pas. La tronche basse et caquetante d'un poussin mouillé. Je remets tout à plus tard.

Dans cette vie-ci, je réussis. Je réussis à vivre de ce qui me passionne. Je suis comme une version fonceuse de moi-même.

Mes intuitions quant à mon succès se confirment à la vue de la bagnole qui m'attend sagement dans l'entrée. Taboire. Une Tesla modèle X noir mat. Je m'en doutais bien en voyant le logo de la clé sur le comptoir, mais en même temps je peinais à y croire.

Je souris à la voiture, à la rue, puis à la clé qui ressemble à une mini Batmobile noire.

OK, je vends des livres. Beaucoup de livres.

Je m'installe à bord en salivant de plaisir. J'observe le tableau de bord et ce qui m'entoure un peu en connaissance de cause, pour avoir visionné des dizaines de reportages à propos de cette voiture en guise de visualisation. La voiture de mes rêves. Elle n'est rien de moins que sublime. Au son à peine audible du moteur qui démarre, je balance la tête vers l'arrière. Le doux silence de la bête féroce. Jubilation puissance mille.

Bon. Je reviens dans la réalité. Pour jouir de cette vie à sa juste valeur, je dois d'abord sauver une école primaire d'une éventuelle tuerie orchestrée par mon propre fils. Je décide donc de tenter d'en trouver l'emplacement.

Il ne doit pas y avoir des milliers d'écoles alternatives dans les environs.

Après quelques recherches sur Google, je repère ce qui doit être l'établissement en question. «Vent dans les voiles» est son nom. On dirait plutôt le nom d'une école d'initiation aux sports nautiques.

J'entre l'adresse, qui ne se trouve pas trop loin d'ici.

En y arrivant, je me stationne devant une borne électrique Tesla. Il y en a quatre. Il va sans dire que les parents dont les enfants fréquentent cet établissement scolaire ont de jolis moyens financiers.

Je me rue à l'intérieur avec la véhémence d'un homme s'en allant sauver le monde.

Ne sachant même pas si c'est la bonne école, je cherche des indices. La concierge me confirme que c'est bel et bien le bon endroit en me saluant avec reconnaissance. Elle balbutie :

— Bon... bonjour, Alex... euh, monsieur Trudeau, bégaie-t-elle en faisant tournailler sa vadrouille trop hâtivement, l'air de craindre que je sois là pour juger de la qualité de son nettoyage.

J'allais lui poser une question à propos de mon fils, toutefois je réalise que je ne connais même pas son prénom. C'est absurde. Restons vague.

— Vous savez où je peux trouver mon garçon ?

— Hi ! hi ! hi ! fait la femme agitée, sans me répondre.

Je la regarde avec une forme d'insistance. Elle me fixe en retour, les yeux béats de joie. C'est à croire que je suis le messie en personne.

— Allo ?

— Allooo, répète-t-elle, toujours en pâmoison.

Résolu à ne pas être en mesure de lui soutirer quelque information pertinente que ce soit, je poursuis ma route dans le corridor. Je repère tout au bout les bureaux administratifs de l'établissement. Je me poste devant la secrétaire, à qui je demande :

— Bonjour, est-ce que je pourrais voir le directeur, mademoiselle ?

Elle lève des yeux occupés vers moi. En m'apercevant, son regard change. Elle rougit ensuite comme une tomate cerise, puis ses lèvres libèrent un « Aaah, mon Dieu » étouffé.

Je lui souris. Visiblement, j'impressionne tout le monde. Sensation très bizarre.

Un homme en costard chic qui a semblé me reconnaître de la fenêtre de son bureau surgit à l'extérieur et s'avance vers moi.

— Monsieur Trudeau ! Bonjour ! Quel plaisir de vous voir ici !

Il me serre la main avec vigueur pendant un bon moment, donnant l'impression qu'il ne voudra jamais la lâcher du reste de sa vie.

— Venez! Venez! me fait l'homme en me désignant son bureau de la main.

— Écoutez, je serai pas long, je crois que nous avons une urgence.

— Juste avant, je tenais à vous remercier en personne pour le généreux don que vous avez fait à notre fondation. Vous avez permis l'achat de cinquante tablettes pour les élèves de notre école de quartier. L'école des gens ordinaires, vous savez! Ha! ha! ha!

Bon sang, combien ai-je donné?

Je reviens au sujet principal de ma visite.

— Je m'inquiète pour mon fils.

Il me fixe, l'air éberlué de ma déclaration.

— C'est délicat, mais j'ai des indices me permettant de croire que mon fils s'intéresserait à des groupes terroristes. Je ne connais pas ses intentions ni ses motifs, mais je dois absolument faire la lumière là-dessus. Vous savez, avec tout ce qui circule dans les médias…

L'homme reste muet un instant avant d'éclater de rire.

— Ha! ha! ha! Vous testez des idées pour votre prochain roman, c'est ça? Elle est bien bonne! Donc, vous allez mettre en vedette un enfant affilié au terrorisme? Intéressant! Du jamais vu en polar, je crois. Bravo!

— Non, je suis sérieux.

— Ha! ha! ha! Quel boute-en-train vous êtes! Ce n'est que la troisième fois que je vous rencontre et je vous aime toujours davantage chaque fois. Dites-moi, votre nouveau roman va bien, hein !? Je vous vois partout. Nous sommes si fiers que votre progéniture fréquente notre établissement.

— Est-ce que je peux voir le dossier de mon fils ?

Pris d'un léger malaise, l'homme hésite avant de dire :

— Oui, absolument. Attendez.

Il revient alors avec une pochette de carton, la mine désolée.

— Écoutez, certains professeurs ont noté que votre fils était un peu renfermé et qu'il ne parlait pas beaucoup, mais ne prenez pas ça comme un reproche quant à votre milieu familial. Nous sommes très conscients que votre fils doit être un tout autre enfant à la maison. L'école prend l'entière responsabilité de son comportement à l'intérieur de ses murs.

En voyant le dossier, je découvre d'abord son nom : Sam.

Je parcours la première page en diagonale. Je repère certaines notes inquiétantes à propos de son comportement : «Antisocial, distant, sans aucune empathie.» Je poursuis et lis : «Toujours seul et en retrait des autres, comportements agressifs envers ses compères de classe.»

— Est-ce que vous nous aviez parlé de ça ?

— Vaguement à votre femme, mais la philosophie de l'école est de régler les problèmes ici sans trop déranger les parents, qui nous confient en quelque sorte la responsabilité d'éduquer leur progéniture. Vous avez des choses beaucoup plus importantes à faire, comprenez-vous. Nous lui faisons faire du hatha yoga pour gérer son anxiété !

— Où est-il ?

— Au deuxième étage, dans le gymnase, fait l'homme après consultation de son horaire.

12 H 28

En arrivant à bon port, je constate que l'enseignante et une autre femme sont en train de gérer un litige. Comme je ne vois pas mon fils, je m'approche.

— Tu l'as tapé au visage, près du nez. Est-ce parce que tu fais face à une situation que tu ne peux pas « sentir », Louis-Charles-Antoine-Xavier ?

L'enfant à qui elle vient de poser cette étrange question introspective tourne vers elle un regard vide comme le néant.

L'autre enfant, qui semble être la victime dans cette histoire, prononce, la lèvre tremblotante :

— Je lui ai juste pris le ballon.

— Bon point, Mathis-Lune. Dans ton cas, est-ce que tu sentais que, de cette façon, tu reprenais le pouvoir de ta vie, de tes choix, de tes décisions, de ton avenir, même, ou plutôt est-ce que de prendre quelque chose à l'autre remplissait un vide intérieur ?

Saisissant que j'ai affaire ici à une éducatrice manifestement dérangée et que ça pourrait être très long, j'ose lever un doigt poli.

— Excusez-moi.

— Monsieur. Un instant. Ne voyez-vous pas que nous sommes en pleine séance de réappropriation de pouvoir émotif à la suite d'une conflagration d'interaction antagoniste, ici?

Les deux enfants me dévisagent avec détresse, l'air de me supplier de les sortir de ce merdier. Faisant complètement abstraction de ma présence, la femme poursuit son intervention:

— Nous allons faire un exercice de reconnexion avec vos émotions; vous allez sauter sur place tous les deux en tapant votre tête et en tournant la main sur votre ventre, et quand je dirai «STOP», vous me direz la première émotion qui vous vient en tête, d'accord?

L'enfant aux quatre prénoms qui a tapé l'autre demande avec une petite voix:

— Madame, je peux-tu juste m'excuser pour qu'on retourne jouer?

La victime Chose-Lune abonde dans le même sens:

— Ouin, ç'a pas fait si mal pis je lui avais enlevé le ballon des mains, tsé...

— Non. Je préférerais que vous fassiez un exercice plus cristallogénique. Peut-être réaliser une murale au fusain pour exprimer vos émotions? Un dessin de mandala en gouache avec vos orteils pour extérioriser votre colère? Une mascotte du pardon en papier mâché?

Leur attention depuis longtemps envolée, les deux enfants commencent à s'éloigner, le malfaisant disant à son ami:

— Je m'excuse, je voulais pas te taper. On joue ensemble?

— OK!

Puis, ils repartent en trottinant de bonheur.

Est-ce ça la psychologie moderne de nos jours? Pauvres enfants.

— Je cherche mon fils, Sam.

— Aaah… Sam. Vous êtes son père, j'imagine. Il doit être dans le placard à ballons. Il passe toujours le cours là. J'ai tenté à plusieurs reprises de lui faire visualiser des envolées d'outardes pour provoquer son émancipation sociale, mais en vain. Je n'ai pas un très bon contact avec lui, se désole l'éducatrice.

Va savoir pourquoi, pauvre folle.

— C'est où? Là-bas?

— Vous savez, je tente d'ancrer en lui la terre d'accueil des outardes comme un lieu réconfortant et socialement enviable pour qu'il transfère éventuellement ce bien-être ici. J'en suis actuellement à lui confectionner des ailes en carton pour qu'il mime l'envolée. Nous adoptons des pratiques très concrètes pour réaliser notre approche d'intégration du sentiment émotivo-comportemental à tangente propsychosocialisante.

Je commence vaguement à comprendre le désir de mon fils de se radicaliser contre son école.

— Merci, que je fais en quittant les deux femmes.

Au moment d'entrer dans le local, je le retrouve assis au sol. Aussitôt qu'il me voit, il rugit un autre interminable «AAAH!» tribal, comme s'il s'apprêtait à me trancher la gorge à l'aide d'une machette. Je décide de prendre les choses en main.

— Non, non, non, tu cries pas après moi. Tu vas… tu vas venir avec moi à la place. Journée père-fils, tiens!

Non mais, il s'agit toujours bien d'un enfant de dix ans. De mon enfant. D'accord, il semble chérir très fort le projet de m'éliminer, mais tout de même.

Il me fixe avec un air hybride de stupéfaction et de ravissement. Je viens de le déstabiliser on dirait. C'est bien.

Du moins, je l'espère.

Après avoir mangé chez McDonald's, suivant les règles de l'art afin de mettre-dans-sa-poche-d'en-arrière-un-enfant-de-dix-ans, je presse un peu mon fils muet pour qu'il monte dans la voiture, question de nous rendre à la librairie où l'on doit déjà m'attendre.

En empruntant une rue du centre-ville de Montréal, quelle n'est pas ma surprise de remarquer une grandiose affiche publicitaire mettant en vedette mon livre, accompagné d'une beaucoup trop grande photo de moi.

— C'est moi!! que je crie au tube digestif aphasique en pleine assimilation de son Joyeux Festin assis à mes côtés.

Au même moment, un bus nous dépasse. Ma tronche se retrouve aussi sur le côté de celui-ci. Moi tenant mon livre, mine de vouloir le déposer dans les mains des piétons. Je m'observe passer à toute vitesse en gueulant à nouveau :

— Encore ici! Coudonc? Je suis SI connu?

Je commence à réaliser que oui. Surtout après que la concierge de l'école m'ait presque supplié de lui signer un autographe à mon départ tout à l'heure. Le titre de mon dernier bouquin, que j'ai eu le temps de lire dans son intégralité sur le bus, me laisse cependant perplexe : *Sang qui coule n'amasse pas frousse.*

Hon. C'est donc ben mauvais, ça. Pas mon idée, certain.

En apercevant ladite librairie, je ralentis un peu, question de trouver un stationnement à proximité. Un type sur le trottoir me fait de grands signes me priant de m'arrêter. Il se penche à la fenêtre, que j'ouvre automatiquement.

— Mon assistant ira stationner ta voiture. Aaah, t'es avec lui?

— Tu connais Sam, mon fils? demandé-je à l'homme qui doit être mon éditeur ou bien mon attaché de presse.

Le **Gazon**

— AAAH, crie mon héritier en guise de salutation.

Pas très sympathique, j'en conviens, mais au moins il interagit avec ses semblables. L'homme sur le trottoir le détaille avec le dédain de celui qui découvre que le sac en feu qu'il vient d'éteindre avec son luxueux soulier de cuir italien contenait de la merde de chien. Il se réajuste un peu l'enthousiasme :

— Allez hop, la vedette à son éditeur chéri ! T'es juste assez en retard, les médias sont impatients.

Je sors du véhicule, imité par mon fils qui, contrairement à ce que j'anticipais, semble un minimum ravi de me suivre. Non pas qu'il sourit, mais du moins il collabore. J'ai pris soin de ne pas prendre ses deux sacs d'école possiblement bourrés de fusils. Je préférerais qu'il n'envisage pas de faire exploser la cervelle des libraires.

En pénétrant dans l'immeuble, des *flashs* de caméra scintillant de partout m'accueillent avec dignité. Des gens applaudissent même. Une longue file attend, postée devant une table basse placée à l'entrée du magasin. Je souris en tapant sur l'épaule de mon fils pour qu'il partage mon bonheur du moment. Son air d'astronaute en déroute dans l'espace me confirme que ce n'est pas le cas. Il s'en va même plus loin.

Ricardo semble super nerveux. Des gouttes de sueur perlent à la racine de ses cheveux. Il me susurre à l'oreille :

— Dis comme d'habitude, que c'est ton meilleur. Égare-toi pas trop dans l'explication de l'histoire. Vous êtes jamais bons dans ça, vous autres, les auteurs.

Merci de la précision, de toute façon, je ne sais même pas de quoi ce nouveau roman parle.

— Le titre… euh, c'est vraiment pas bon, en passant.

— Tut, tut, tut, pas de caprice de vedette ! C'est un peu trop tard *anyway*.

Une jolie journaliste au sourire rouge comme le sang du Christ approche avec son caméraman :

— Bonjourrr, Alexandre, parlez-nous de votre nouvelle œuvre, *Sang qui coule n'amasse pas frousse*, que le public attendait avec tant d'impatience !

L'entendre de la bouche d'un vivant me donne le coup de grâce en pleine poire. Quel titre complètement nul. J'ai honte.

— Bon, comment dire : c'est, à mon sens, mon meilleur !

Elle roucoule de joie en faisant cliqueter ses talons hauts ensemble, telle Dorothée au pays d'Oz. Ses lèvres sublimement volumineuses et charnues m'hypnotisent pendant un court instant. Elle me pose une seconde question à propos de mon état d'esprit actuel, à laquelle je baragouine une réponse toute faite à base de « fébrilité et d'excitation ». Avant de laisser la place aux autres, elle me glisse en toute discrétion un petit papier au creux de la main.

Une retenue minimale m'impose de ne pas regarder tout de suite, mais je m'interroge. Est-ce son numéro de téléphone ? Ou peut-être que je couche déjà avec elle. Cette vie est pleine de rebondissements.

Le Gazon

Je réponds à une série d'autres questions prévisibles et répétitives pendant quelque quinze minutes, puis je me dirige vers la table de signatures. Je cherche Sam du regard, mais je ne le trouve pas. J'agrippe donc Ricardo pour lui dire :

— Peux-tu jeter un œil sur mon fils ?

— Pourquoi tu l'as amené ici, bon sang ? C'est pas la place. En parlant de place, question pour toi : ton dernier manuscrit est terminé, tu m'as dit, *right* ? Il est où ?

— Oui, oui, que j'improvise en me demandant pourquoi il me pose la question de nouveau si je le lui ai déjà dit.

— Il est dans ton ordinateur ou sur une clé USB ?

— Pourquoi tu veux savoir ça ?

— Pour rien, pour rien. Faque, il est bien chez toi ?

Sans lui répondre, je m'assois pour signer mon tout premier livre. Un moment d'anthologie pour mon âme tout entière. Avant, je jette un coup d'œil au petit papier logé dans le creux de ma main : « On se voit ce soir ? Texte-moi… xxxxxxxxxx », le tout suivi de trois cœurs.

— Bonjour, dis-je au premier lecteur devant moi.

— Écoutez, je l'ai déjà lu, dès sa sortie, et franchement, je comprends pas pourquoi vous avez dissimulé l'arme du crime dans la valise à roulettes d'une mannequin suédoise s'enfuyant à Prague. Pourquoi ? Vous auriez dû, à mon avis, l'enterrer. Plus efficace. Ou la faire aller se cacher ailleurs que là. Londres peut-être ?

— Ah, que je fais, surpris que mon premier lecteur m'affronte ainsi à propos de l'histoire.

— Et le type qui voulait faire croire que c'était lui, le voleur de Mercedes, pour tromper la police sur son implication dans le meurtre du colonel retraité de l'armée, pourquoi il aurait pas pu juste disparaître aux Bahamas, par exemple? Il avait les moyens. Il me semble qu'à sa place, j'aurais fait ça pis ça aurait évité de passer trente pages d'interrogatoire avec lui au poste de police. C'était une longueur, à mon avis.

— Ah bon.

Pour être franc, je ne suis pas trop certain de la façon dont je dois accueillir cette critique à propos des lieux, et ce, en début de file. C'est ma toute première dédicace. Est-ce que les gens font tous ça[5]?

Une fois son roman signé, je le remercie comme si de rien n'était. Une femme rondelette se présente ensuite devant moi.

— Bonjour, j'aime tout ce que vous faites. Je rêve d'écrire un livre aussi, comment faites-vous[6]?

— Je l'écris, madame.

— Non, mais votre truc? C'est quoi votre truc?

— Mon truc? Y a pas de truc.

---

5. Non, Alexandre, ne t'en fais pas.
6. Ça, ça arrive souvent par contre.

Le **Gazon**

— C'est que je veux vraiment écrire un roman, mais j'ai pas d'idées, je sais pas comment faire et je suis pas très bonne en écriture. Sauf que ma mère me dit que j'ai une belle plume quand j'écris des cartes de fête, mais sinon ça coule pas vraiment mon affaire.

— Peut-être avez-vous d'autres talents ?

— Ouin, peut-être, mais c'est écrire un roman que je veux.

Je lui tends gentiment son roman, puis je souris à la suivante. Une jeune femme dans la vingtaine.

— Bonjour, j'aime tellement votre plume !

— Ah ben, merci, que je réponds, ravi de vivre une relation qui me semble normale avec une lectrice.

— Sérieusement, là, faut que vous écriviez ma vie[7] ! Je vis tellement d'affaires, là, ç'a pas de bon sens. Bon, OK, ça vous changerait un peu du policier, mais je pense que ça ferait genre du bien à votre carrière de vous renouveler un peu. Je vous jure que vous auriez du *stock* en masse pour un roman, voire une série ! Pour vous donner un exemple, l'autre fois, j'ai pogné un *flat* en me rendant à l'épicerie. C'est même pas loin de chez nous en plus. Il manquait de sauce Warcestarchose pour faire ma fameuse recette asiatique de bœuf sauté à l'orange, la recette de l'autre, là, euh... comment elle s'appelle ? Distarrio, là. Josée Distarrio, genre ? En tout cas, faque je dis à Steve, mon

---

7. Et ça, encore plus !

chum : « Je vais aller en chercher. » Je pars, je tourne le coin de ma rue, et paf ! je pogne un *flat* ! Eille, ça arrive à qui ça ?

— Ça arrive parfois, que je réponds, jugeant son exemple pas tout à fait digne d'être ne serait-ce qu'en note de bas de page d'une fin de chapitre de roman.

— Là, après, j'ai dit au remorqueur : « Allo ! ? C'est absurde ! Je m'en allais juste chercher de la sauce Warcestarchose pour mon sauté de bœuf asiatique à l'orange. » C'est fou, hein ? En tout cas, j'ai plein d'histoires de même qui m'arrivent. Comme la fois où, en marchant dans le bois, une racine m'a fait une jambette et j'ai failli TOMBER ! Eille ! Eille ! Eille ! Y avait du monde en arrière qui marchait. Imaginez ! Y m'auraient vue tomber à terre, genre ! Ha ! ha ! ha !

— Votre nom ?

— Élodie. En tout cas, je vais vous faire une liste d'anecdotes pis je vais vous envoyer ça sur Facebook. Vous en reviendrez pas ! Pensez-vous l'écrire bientôt ? Avez-vous déjà un autre roman de commencé ou ça pourrait être votre prochain ?

— J'ai beaucoup de travail en chantier, en effet.

— Je vous envoie ça ce soir ! *Anyway*, vous me devez ben ça, j'ai acheté tous vos livres…

Après avoir dédicacé une bonne trentaine de copies et tenté de conseiller au moins dix personnes qui rêvent d'écrire un roman, sans parler de ceux qui m'ont carrément laissé leur manuscrit sur-le-champ au cas où j'aurais des envies de lecture nocturne, je me sens comme un poisson dans l'eau dans mes chaussures d'écrivain. Les médias, encore présents pour la plupart, me donnent le sentiment d'être un auteur vraiment connu et reconnu pour son succès. Je me demande bien combien j'ai vendu d'exemplaires à ce jour.

En signant la copie de Stéphane, qui me confie se sentir exactement comme le meurtrier de mon roman – ce qui m'inquiète un peu, d'ailleurs –, quelle n'est pas ma surprise d'entendre un cri que je reconnais très bien :

— Bonjour, mon amour ! hurle Li-Ann en entrant dans la pièce les bras levés dans une pose de première danseuse des Grands Ballets canadiens.

Elle se rue sur moi pour m'embrasser. Les lèvres de Li-Ann, auxquelles j'ai si souvent rêvé dans la tiédeur de ma couverture de Transformers, me laissent un peu sur ma faim à cause de leur raideur et de leur sécheresse. Ce n'était pas senti du tout. Les médias croquent quelques clichés de l'écrivain que je suis et de sa splendide conjointe. Je songe à notre fils, que je n'ai pas revu depuis un bon petit moment. Comme Ricardo n'est pas dans les parages non plus, j'imagine qu'ils sont ensemble. La journaliste d'une chaîne de nouvelles en continu s'approche au même moment pour nous dire que nous serons en direct dans dix secondes.

Trois, deux, un…

— Bonjour, Michel, oui, nous sommes actuellement en direct de la première séance de signatures du célèbre écrivain Alexandre Trudeau pour son nouveau roman,

Sang qui coule n'amasse pas frousse, qui vient tout juste de paraître, il y a quelques jours. Il est en ma compagnie justement. Comment allez-vous, monsieur Trudeau?

Combattant mon envie de déclarer publiquement que le titre de ce livre est le pire de l'histoire de l'humanité et que j'en ai honte, je réponds plutôt:

— Très heureux! C'est mon meilleur roman, à mon humble avis, mais il paraît que je suis trop près des pages pour être objectif.

— Ha! ha! ha! fait tout le monde en éclatant de rire.

Li-Ann déploie alors ses grandes ailes pour venir se poser rien de moins que devant moi.

— Je suis si fière de mon mari, et pour l'avoir lu avant tout le monde, responsabilité de femme d'écrivain oblige, je confirme que ce roman est son meilleur!

— Ah bon, tant mieux! Voici, mesdames et messieurs, la femme du célèbre romancier, Mme Li-Ann...

— Li-Ann Duàn, Li-Ann Duàn. Je suis coach de vie, magicienne du bonheur et conférencière! Je donne justement une conférence ce soir et demain à Laval. Les gens peuvent acheter des billets au liannduan.com ou directement à la porte. Les réponses à vos questionnements, les clés du bonheur, je les détiens et je vous les dévoile ce soir. La preuve: regardez mon tendre mari. Si son succès n'est pas issu de ma forte propension à la transmission du bonheur, je ne m'appelle pas Li-Ann Duàn!

Le Gazon

Elle a prononcé son nom complet avec le désespoir de la femme voulant que le plus de gens possible le retiennent. Quelle ratoureuse.

— Plus précisément de quels aspects du bonheur parle votre conférence? demande la journaliste, qui se fait prendre au jeu.

Écoutant ma femme déblatérer à la vitesse de l'éclair tous ses beaux principes de «bonheur en une heure» et de «changement de cap radical en une soirée», je remarque alors dans mon angle mort que mon fils vient d'apparaître entre les journalistes. Il me fixe avec hargne pendant un instant, puis il sourit avant de pousser un puissant «AAAH!» en brandissant dans ma direction une arme à feu. Encore? La même que ce matin en plus. Li-Ann cesse de parler. La journaliste se tourne. Par réflexe, le caméraman du reporter tourne aussi sa mire vers mon fils.

— Qu'est-ce que Sam fait ici? m'envoie ma femme en plein questionnement.

— Mais… c'est votre fils? (Silence) Ah, je comprends! Vous faites une mise en scène pour animer la sortie de votre roman!? Quelle belle idée! s'extasie la femme au micro en se dirigeant vers Sam, qui change la direction du canon vers la cervelle de celle-ci.

— Ah, et puis tu me vises avec ton petit fusil pour me faire peur? Ha! ha! ha! Quel charmant garçon!

Profitant de la perplexité actuelle de mon fils, je m'approche en vitesse pour lui prendre le revolver. À son poids, je déduis que ce n'est heureusement pas un vrai. Sam déguerpit alors en courant.

La caméra revient vers moi, le temps de saisir pendant quelques secondes la peur dans mes yeux. L'air très inquiet de Li-Ann contamine alors le reste du groupe. En silence, tout le monde semble se demander si c'était bel et bien une mise en scène planifiée. Ricardo me fixe du fond de la salle, blanc comme un pet de fantôme.

— Ha! ha! ha! Petit tannant, va! Il rêvait de faire cette blague! Plastique! articulé-je en brandissant l'arme de poing comme une vulgaire banane trop mûre.

— Wow! Génial! Vous avez tellement le souci du détail, c'est bien vous, ça! Donc voilà, sur ces images saisissantes à la hauteur du talent de ce romancier, je vous souhaite une bonne fin d'après-midi, Michel! De retour en ondes plus tard, en direct du lancement du nouveau livre de recettes de Denis Coderre!

Li-Ann, qui arbore la même teinte blanchâtre que mon éditeur, me susurre:

— Qu'est-ce qui se passe, là?

En continuant de sourire à tout vent, planant sur l'extase de cette bonne fausse blague, je lui avoue en catimini:

— Rien, à part que notre fils veut faire sauter son école ET me tuer. Je te l'ai dit au téléphone ce matin.

Ses yeux s'accrochent au plancher un instant, puis, reprenant ses esprits, elle me précise à voix basse:

— J'ai vraiment pas le temps de m'occuper de ça. Je dois aller préparer la conférence pour les grosses folles malheureuses qui me font vivre.

— Li-Ann ?

— Bye, mon amour ! JE T'AIME ! vocifère ma femme avant de m'embrasser sans conviction, toujours sous les projecteurs.

Je lui murmure à l'oreille :

— Est-ce qu'on est ensemble pour vrai ou pas ?

Elle recule en faisant un visage de dégoût extrême que je suis le seul à voir avant de sourire aux journalistes et de prendre la fuite.

— Allo, mon bel écrivain ! Je m'ennuyais trop, finalement ! fait la jeune journaliste aux lèvres nouvellement repeintes de rouge qui me saute au cou au moment où je passe la porte de la librairie.

En l'embrassant sans trop avoir le choix, je bouffe une fois de plus du rouge à lèvres. Je dois presque croquer pour en venir à bout. Un goût caoutchouté de pétrole me pénètre jusque derrière les oreilles. Moi qui n'aime pas trop les cosmétiques, j'en mange à la louche. Mais bon, la jeune femme dont je ne sais même pas le nom est jolie et semble bien charmante par-dessus le marché, donc passons l'éponge sur le haut-le-cœur signé Revlon. Comme je ne vois pas son badge de journaliste pour l'identifier, ainsi encastré dans ses bras, je lui glisse à l'oreille, en improvisant une ligne de notre potentiel langage intime :

— Quelle belle surprise, mon petit minou !

— Mon ti-minou ? Aaaw, c'est trop cuuute !

Comme elle frissonne d'extase en se tortillant sur ses talons hauts, je pousse la note pour voir où ça nous mènera. Je suis conscient qu'il y a des dossiers chauds au four, par exemple mon fils «*want to be a serial killer*» actuellement en cavale, mais j'ai mis Shu Fang dans le coup, et surtout, à ses trousses tout à l'heure. Elle doit me tenir au courant. Je ne doute pas une seconde qu'elle ait un meilleur lien de confiance avec ce gamin que moi.

— Tu es mon petit minou, que je miaule en passant une mèche de cheveux derrière l'oreille droite de la journaliste.

Elle semble se liquéfier à un point tel que je crains qu'elle ne me glisse entre les doigts. Ce truc de chat lui fait atteindre un sommet élevé de nirvana. Le pouvoir des mots. Le charme de l'écrivain. Cette femme ne m'aime pas beaucoup. Elle m'adore. Elle m'adule. Je le sens. Je crois que j'aurais pu l'appeler «mon petit crapet-soleil» qu'elle aurait jubilé tout autant. Est-ce seulement parce que je suis connu ? Ah, et puis quoi alors !? On s'en fout comme de l'an quarante.

— On va chez moi ? m'offre alors la femme en montrant les dents tel un félin assoiffé de chair fraîche pour ensuite mordre l'air devant elle.

Davantage tigresse que chatonne, la jolie.

En m'éloignant de ce corps aussi inconnu qu'inspirant, j'observe les environs pour me rendre à l'endroit où Ricardo a fait stationner la voiture. Du coup, j'aperçois le badge de ma douce, qui répond au prénom de Cathy.

La belle Cathy.

En arrivant près du véhicule, la journaliste semble une fois de plus victime d'une poussée d'hormones la forçant à se jeter à corps perdu sur moi pour m'embrasser. Je l'attrape presque au vol pour lui permettre d'atterrir en douceur les fesses sur le capot de la Tesla. J'aimerais mieux qu'elle s'assoie ailleurs, mais bon. Nos langues se baladent dans tous les sens, en pleine rue Peel. Cathy s'emballe alors et elle m'empoigne la fourche à deux mains pour frictionner mon entrejambe à travers mon pantalon. Le début d'érection qui en résulte est un peu désagréable, car elle comprime mon pénis dans un angle impossible. On dirait que Cathy a envie d'ouvrir ma braguette ici, comme ça, au beau milieu de la rue. Comme je suis plus raisonnable qu'aventurier dans le domaine sexuel, l'exhibitionnisme n'est pas mon truc.

— Allons, ma belle Cathy, trouvons un endroit plus confortable, fais-je en la soulevant un peu pour la prier d'entrer dans le véhicule.

Elle mime une convaincante *duck face* de photo Instagram en faisant lascivement le tour de la voiture pour atteindre sa porte. Comme si j'épiais une *stripteaseuse* tournaillant autour de son poteau dans l'attente d'une pirouette enlevante à la toute fin, mon regard reste cramponné à cette femme qui me plaît davantage, à présent qu'il ne lui reste plus de rouge à lèvres. Je l'ai tout avalé.

Lorsque sa portière est enfin ouverte, j'entre en vitesse de mon côté du véhicule. Une fois à bord, elle m'agrippe à nouveau la nuque pour me tirer vers elle. Décidément, nous n'arriverons jamais chez elle. Je m'éloigne un peu.

Disons que j'aimerais mieux passer aux choses sérieuses au lieu de *frencher* pendant trois heures dans une voiture. Sans le sentiment amoureux, ce type de rapprochement me laisse un peu indifférent. Comme Cathy voit que je m'apprête à appuyer sur le bouton de démarrage, elle me dit d'un ton suave :

— Rendons la balade agréable.

Puis, elle descend ma fermeture éclair pour en extirper mon pénis, encore durci.

Apparaît soudain à mon esprit un souvenir beaucoup trop précis avec Benoît-pas-de-Plaisir. Ark. Non. Je ferme les yeux pour chasser cette horrible pensée qui risque de perturber mon érection. Je devrais peut-être tâtonner l'entrejambe de cette journaliste pour être certain de mon coup.

La fellation en voiture est un truc que Claire m'a fait plusieurs fois à nos débuts. Elle me demandait de l'avertir chaque fois que nous croisions un dix-roues, pour éviter les regards indiscrets venant du ciel, ce que je faisais avec diligence, par crainte de me voir refuser à tout jamais cette gâterie exquise si je désobéissais. La fellation en voiture est un truc qui se perd automatiquement quand les enfants débarquent. Dommage. Non pas que je trouverais décent de faire ça en présence de sa progéniture dans l'auto, mais en l'absence de ceux-ci, pourquoi pas ? Cependant, ce n'est jamais plus arrivé après la naissance des petits. Même pas une mini fois en s'en allant en voyage d'amoureux sans les enfants. Voir la bouche de Cathy, ainsi béante et prête à engloutir ma verge d'un seul coup, me donne l'effet d'une montée de fièvre. La bouche salivant plus que d'habitude et les yeux humidifiés par le réflexe archaïque d'un acte sexuel imminent, je perçois les secondes s'écouler au compte-gouttes. Au moment précis où elle penche la tête, ses lèvres gloutonnes ouvertes à s'en déchirer les jonctions de la mâchoire, je démarre la voiture.

Celle-ci explose.

Entre ciel et terre

Hyper frustré, je fixe cet Indien de malheur qui m'offre en retour le sourire le plus radieux de l'univers. Il ose même me pousser les pieds pour venir s'asseoir, trop près à mon goût. On dirait que je commence à douter qu'il provienne de ma propre imagination. Il me semble que, dans ce cas, les choses se seraient terminées autrement.

— Un sale emmerdeur. Voilà ce que t'es.

— Ah, allons! Quelle fin spectaculaire! L'explosion et tout!

— T'aurais pu attendre, juste cinq minutes, tsé.

— Je n'ai rien à voir là-dedans, moi, c'est votre expérimentation. Vous aviez demandé «pas de sexe», votre inconscient s'en souvenait.

— Franchement. C'est ta faute, certain, pas la mienne. Mon inconscient voulait pas ça, tu sauras. Et dire que c'est mon fils de dix ans qui a fait sauter ma voiture... Du gros n'importe quoi!

— Ici, vous faites erreur. Ce n'est pas votre fils, mais bien votre éditeur, Ricardo.

— Quoi ? Il a fait ça, le salaud !?

— Vous savez, pour les éditeurs de ce monde, un romancier mort peut être encore plus payant qu'un romancier vivant[8]. Il prévoyait même retravailler votre manuscrit en cours pour le publier quelques semaines après vos funérailles. Excellente stratégie commerciale, c'était bien joué de sa part. Succès assuré !

— Quel con ! Et mon fils voulait aussi me tuer pour son héritage ?

— Votre fils ne voulait pas vous tuer, monsieur Alexandre, il était seulement autiste et un peu fanatique des armes à feu en plastique, qu'il considérait comme un excellent levier pour établir le contact avec vous.

— Charmant. Et ses armes apportées à l'école, c'était dans quel but ?

— Il n'avait pas apporté ses jouets à l'école. Vous avez cherché dans son garde-robe, sous le lit, sous les couvertures en omettant de regarder dans son coffre à jouets. Toutes ses armes y étaient, sauf sa préférée. Bien que vous écriviez des romans policiers, laissez-moi vous dire que vous faites un piètre inspecteur dans la réalité.

---

8.   Hon, vraiment ? se demande l'écrivaine, les yeux ronds.

— La réalité, mon œil. Je sais même pas où je suis. Et l'article sur la fabrication de bombes artisanales, tu l'expliques comment?

— C'était la une d'un journal, qui s'affichait automatiquement à l'ouverture du navigateur. Vous n'avez même pas lu l'article avant de sauter à de sombres conclusions. Quel dramaturge du dimanche vous faites!

— T'as fait exprès pour que je croie tout ça!

— La perception des choses vient toujours de soi, c'est une règle de base de la vie. Notre bagage, ce que nous sommes et nos croyances influencent toujours notre lecture des situations. Mais, dans une optique plus introspective, dites-moi: qu'avez-vous appris sur vous dans cette vie?

— Que j'étais pas doué du tout pour les titres de roman! *Sang qui coule n'amasse pas frousse*, au secours.

— C'était en effet très mauvais. Ça prouve que la popularité ou, si vous préférez, l'intérêt de la masse envers un individu peut faire vendre n'importe quoi à n'importe qui. Les gens achètent d'abord l'image de quelqu'un, vous savez. Quoi d'autre?

Je me ravise un instant pour admettre une triste réalité:

— Li-Ann m'aimait pas, du moins pas pour ce que j'étais. Elle profitait de ma notoriété pour rayonner et je la laissais faire. Elle faisait un métier sans passion, pour l'argent, ce qui me dégoûte. Ça me dérangeait pas ou quoi? Parce que je m'envoyais en l'air avec les jeunes journalistes?

— Comment pourriez-vous résumer cette vie en un mot?

— Déséquilibre.

— Vous étiez un riche romancier pourtant. Votre plus grand rêve.

— Oui, mais ma fille me parlait pas, ma femme m'utilisait et je côtoyais mon fils, sans même me rendre compte qu'il était autiste. Je suis déçu de pas avoir vu ça.

— Vous focalisiez votre attention ailleurs. Ne soyez pas si dur avec vous-même, monsieur Alexandre. Vous êtes plongé dans ces vies potentielles pendant seulement une journée, c'est difficile de tout voir, de tout comprendre.

— Je reste tout de même moi et je suis pas comme ça. Je suis attentionné, un bon père, je m'occupe de ma famille, ça me tient à cœur. Qu'est-ce que ce rêve veut me faire comprendre? Qu'au fond je suis comme ça? Pas du tout.

— Simplement que vous auriez pu l'être, peut-être. Les valeurs se forgent au fil des choix de la vie. Mais, à la fin, vous vous êtes occupé de votre fils, Alexandre, plus que cette version de vous-même en grand écrivain ne l'aurait fait dans cette vie.

— Moi, je pense que nous sommes qui nous sommes. On peut pas changer à ce point-là. La vie est comme ça. Les choix changent rien à ça. L'emploi non plus.

— Vous vous trompez. Ignorer la mission de son âme est chose commune. Peu de gens sont attentifs à ce qu'ils doivent vraiment accomplir sur terre. En plus, l'ego étouffe la bonté du cœur et la clairvoyance, donc cela n'aide en rien.

— La clairvoyance, maintenant. La boule de cristal, un coup parti!? Non pas que cette conversation à saveur psycho-pop contemporaine soit inintéressante, mais je peux-tu juste me réveiller et aller écrire mon article pour demain?

— Malheureusement non. Nous devons poursuivre.

Je soupire de découragement. Pourquoi est-ce nécessaire? À quoi cette mascarade rime-t-elle?

— De toute façon, je dois retourner auprès de quelqu'un d'autre.

— Qui? C'est quoi ton rôle dans tout ça?

— Le chef d'orchestre. Mais juste avant, je vais me détendre un peu. Je travaille fort, vous savez.

L'homme extirpe alors une pipette de verre qu'il allume avec une plume beige, qui s'est embrasée au moment où il a soufflé dessus.

— T'es un drogué. Voilà qui explique bien la débilité de ce rêve. Du crack, je gage?

Une odeur âcre s'élève au-dessus de la pipe de verre dont il tire une généreuse bouffée.

— Ça sent pas le pot.

En retenant la bouffée, il m'explique, les joues gonflées :

— Opium. C'est mieux pour ma concentration et ça me reconnecte au divin.

— Pipette d'opium, comme ça, tranquille ! T'es sérieusement dérangé, l'ami !

On dirait que tout ça me convainc encore plus que cet Indien est possiblement une entité distincte dans mon rêve. Un intrus venu s'y immiscer. Comment est-ce possible ?

— Vous voilà à présent dans le jugement, monsieur Alexandre. Vous savez que les jugements que l'on porte envers les autres sont souvent ceux que nous entretenons envers nous-mêmes ? C'est l'effet miroir : je vois chez l'autre ce que je déteste chez moi. Mais bon, c'est un autre dossier. Maintenant, trêve de bavardage, je vous souhaite à nouveau bon voyage.

Il s'éloigne en marchant dans le ciel tout en tirant une seconde bouffée. Il chantonne ensuite :

— *I believe I can fly...*

Un peu gazé par les vapeurs que j'ai bien à contrecœur respirées, je me sens léger comme le nuage qui me fait face. Je m'installe sur le dos, puis je crie vers le ciel :

— Et Li-Ann ? Elle était lesbi ou pas ? Juste pour savoir.

Aucune réponse.

Le **Gazon**

Une nouvelle vie ?

 6 ⋈ 48

En ouvrant un œil, je constate que je suis allongé dans un lit avec une femme. Comme elle me fait dos, je ne sais pas qui c'est. À voir ses cheveux blonds et lisses, ce n'est ni Claire, ni Li-Ann. Et surtout pas Mme Perron ; les couvertures sentent bon. La fille sent bon aussi. Les femmes de mon entourage sentent presque toujours bon. Des odeurs sucrées pour certaines, de fleurs ou de fruits pour d'autres, ou encore des effluves frais de brise de mer qui vous renversent. Je me penche un peu vers elle pour analyser plus précisément dans quelle catégorie je la classerais. Une douce senteur de fruits me monte au nez. Amalgamée à l'odeur de ses cheveux, d'où émanent des arômes exotiques, ça sent doublement bon. Ananas, hibiscus, ou quelque chose des îles de ce genre. Quelque chose du paradis. Claire prise aussi ce type de fragrance en matière de cosmétiques. Depuis plus de seize ans, elle me fait voyager en Polynésie française après chaque douche. Dans ma tête, ce pays sent ma Claire.

Comme je comprends de plus en plus le *modus operandi* de cette suite de rêves, j'en déduis que ce corps allongé près de moi doit être celui de ma femme de la journée. Même si je ne sais pas qui c'est, je décide de l'enlacer un peu par-derrière. Elle se réveille alors en sursaut, puis elle me susurre :

— Non, non, ils pourraient nous entendre. Tu sais qu'ils se lèvent toujours tôt.

Qui ça ? Nos enfants ?

Semblant un peu nerveuse, elle se lève du lit, puis enfile un peignoir beige par-dessus sa jaquette. Je l'observe avec attention sans toutefois la reconnaître. Est-ce que je connais cette femme ou non ? Il me semble bien que oui, mais je n'en suis pas certain.

Sondant le terrain à la recherche d'indices, je lui demande avec désinvolture :

— Qu'est-ce qu'on fait aujourd'hui ?

Elle tourne vers moi des yeux dépourvus de quelque forme d'entrain que ce soit pour me dire :

— Comme d'habitude, j'ai une grosse journée au travail.

Comme cette femme semble mélancolique. Sa posture un peu cambrée et ses épaules recourbées vers l'avant semblent indiquer qu'elle s'excuse d'exister sur terre. Des lignes creuses pendent sous ses yeux comme si elle était cernée depuis déjà trop longtemps. J'aurais d'emblée le goût de la faire rire pour enlever un peu de tout ce poids sur sa frêle charpente. J'improvise.

— Pour le petit-déj', je te sors chez Tim, ma chanceuse !

Elle sourit à demi, dans l'ultime but de me faire plaisir, avant de me tourner le dos. Bon. Si c'en est une autre qui me déteste, je prends officiellement ma retraite des femmes et j'entre chez les moines trappistes.

Elle quitte la chambre dans un soupir digne d'une marche vers le bûcher.

Le **Gazon**

Moi qui me lève toujours d'agréable humeur, cette lourdeur matinale me fige. Désormais seul dans la chambre, je cherche des indices à son sujet. J'ondule en ver de terre sur le lit pour accéder à sa table de chevet. Je glisse avec précaution le tiroir du haut pour éviter de faire du bruit. J'y trouve un journal de *scrapbooking* ainsi que des bouchons pour les oreilles, des mouchoirs et un passeport. Je le feuillette avec empressement.

Ah oui. Je la connais. Ce qu'elle a changé.

— *Si tu pouvais, est-ce que t'aurais le goût ? que je lui demande.*

Elle devient alors rouge comme une tomate.

— *T'es trop jeune. J'aimerais plus ça embrasser Carl Marais. Y est si beaaau.*

Agacé qu'elle me parle encore de ce Carl machin-chouette que je ne connais même pas, je soupire. C'est un grand de quatrième secondaire. J'ai bien hâte d'embrasser une fille. Quand j'ai vu débarquer cette nouvelle voisine, j'étais certain qu'elle avait mon âge. Julie est si petite qu'elle a l'air d'avoir treize ans comme moi. Mais non, elle en a quinze. Elle ressemble à un elfe avec son petit nez pointu et elle sourit toujours sans montrer les dents. Elle étire plutôt au maximum ses lèvres rose foncé. Son visage a le teint de porcelaine de la poupée de plâtre que maman a depuis son enfance.

— *Juste pour essayer, que je tente une fois de plus. Comme ça, quand tu vas embrasser ton beau Carl chose, tu vas être bonne.*

Elle semble considérer mon offre pendant un court instant, par crainte d'embrasser mal le jour J, mais elle se ravise aussitôt.

— *Mon père veut pas.*

— *Il le saura pas.*

— *Il sait toujours tout. Veux-tu m'enterrer dans les feuilles?*

Julie veut toujours que je l'enterre partout. Dans les coussins quand on joue au sous-sol, dans les couvertures de ma mère qui traînent toujours dans le garde-robe de la penderie et maintenant, dans les feuilles. Comme si elle aimait disparaître. Moi, je veux pas qu'elle disparaisse.

— *OK!*

Nous nous dirigeons vers le fond de la cour tout près du gros érable, puis elle s'allonge sur le gazon déjà jauni par l'automne bien installé. Je m'active à la tâche en débutant par ses pieds. À quatre pattes près d'elle, je rassemble avec vigueur les feuilles qui recouvrent le terrain partout autour de nous. De toute façon, mon père veut que je les ramasse avec le râteau plus tard. Il m'a promis un dollar pour aller au dépanneur en échange. *Je m'achèterai des gommes Bazooka et des jujubes en forme de bouteille de Coke. C'est comme boire du Coke, mais en croquant dedans. J'adore ça.*

Rendu à la hauteur de sa taille, je l'observe. Son gros chandail à capuchon Vuarnet s'est un peu relevé lorsqu'elle s'est couchée au sol. Je vois sa peau. La peau blanche du bas de son ventre. Pour ne pas que des feuilles entrent sous son chandail, je le rebaisse doucement. Elle ferme les yeux. Je recouvre ensuite son abdomen jusqu'à ses épaules.

— Partout, me dit-elle.

— Même ta face ?

— Oui.

Je pose maintenant de grandes feuilles une à une sur son visage pour ne pas qu'elle étouffe. Je fixe ses lèvres un instant. Ses belles lèvres roses que j'aurais le goût d'embrasser. Je me demande ce que ça fait, embrasser. Peut-être que je pourrais le faire en surprise, là, maintenant ? Je me ravise et je pose plutôt une dernière feuille sur ses lèvres.

Elle a dit non. Son père veut pas.

Fantasme no 3 : Julie Desmarais

Âge de l'apparition du fantasme : 13 ans

L'odeur de café éveille davantage les synapses de mon cerveau. Vêtu d'un pyjama blanc à rayures bleu marin style matelot que je juge franchement horrible, j'ouvre la porte de notre chambre conjugale pour ainsi atterrir dans un long corridor qui présente plusieurs portes. Certaines sont ouvertes, d'autres closes. Cette maison un peu vieillotte en matière de décoration semble tout de même assez vaste. Un plain-pied, à première vue. Je jette un œil dans les pièces ouvertes au passage. Une chambre d'enfant. Une salle de bain dans les teintes de turquoise. Une porte fermée. Une autre chambre, mais de style encore plus ancien avec une lourde chaise berçante en bois et un lit recouvert de diverses draperies brodées, à la mode des années quatre-vingt. Sûrement pas une chambre d'enfant ; ce serait digne d'un signalement à la DPJ pour négligence criminelle. Quoique si c'est notre chambre d'invités, la situation est tout aussi honteuse. De plus, une table fait face à la grande fenêtre, ce qui, semble-t-il, empêche le Chi d'entrer en rotation avec les métabolismes énergétiques des forces dynamisant la vitalité de la pièce.

En aboutissant dans la cuisine, quelle n'est pas ma surprise de constater qu'il y a foule ici ce matin. Julie est là, près d'une jeune fille d'environ huit ou neuf ans assise devant un bol de céréales. La fillette lui ressemble lorsqu'elle était enfant. Un mini elfe. Une femme dos à moi fait mijoter un truc sur la cuisinière, tandis qu'un autre homme est assis dans une chaise berçante au salon adjacent à la cuisine. Il lit son journal d'un air sérieux. Lui, je le reconnais très bien. C'est le père de Julie. Mais voulez-vous bien me dire ce qu'ils font ici à une heure pareille ? Il lève les yeux vers moi, puis sans même me saluer il repose ceux-ci sur les pages du journal. Un peu insulté de son comportement austère dans ce qui semble être ma propre maison, je souris un peu faussement pour lui dire :

— Bon matin quand même !

Julie fige sur place, sa colonne vertébrale semblant se calcifier sous le poids du malaise. Sa mère, Gisèle, qui selon mes souvenirs était une femme douce et gentille, cesse de brasser sa cuillère de bois dans le chaudron, puis se tourne vers la fenêtre. L'ambiance semble presque sur le point de craquer tellement elle est sèche. La fillette à table joue dans ses céréales, la mine basse. C'est très pesant ici. Je ne comprends pas trop le fait que ma belle-famille au complet soit dans ma cuisine pour prendre le petit-déjeuner. Quel jour sommes-nous ? La mère de Julie s'approche de moi avec une tasse de café bien chaude, puis elle me désigne du nez un autre journal sur la table. *La Tribune*. Nous sommes donc en Estrie, cette fois. Curieux, je feuillette ce journal… du 10 juin. Toujours la même date. Suis-je encore écrivain ou journaliste ?

En tournant les pages à la hâte, j'observe avec attention les noms qui signent les différents articles et reportages. Étrangement, je ne connais personne. Personne sauf Gaston Bouthiller, qui fait les sports. Toujours là.

Je dois être écrivain, alors. Si tel est le cas, j'exigerai de changer le titre de mon dernier roman sur-le-champ, quitte à payer la réimpression de ma poche, et je balancerai mon éditeur meurtrier. J'organiserai un immense feu de camp de la Saint-Jean avec toutes les copies restantes de *Sang qui coule n'amasse pas frousse*. À la remémoration de ce titre affreux, je laisse échapper un petit rire à table. Ma bonne humeur semble une fois de plus créer un inconfort, surtout auprès des femmes présentes dans la pièce. Je me lève pour scruter la bibliothèque du salon à la recherche de mes œuvres. J'y trouve plutôt une ribambelle d'anciennes encyclopédies, de vieux romans à l'eau de rose et des livres pour enfants.

— Le gruau est prêt, fait la mère de Julie en déposant un chaudron sur la table.

Beurk. Du gruau. Elle apporte un pain de sucre d'érable dont elle râpe des copeaux à l'aide d'un gros couteau. Ma grand-mère maternelle faisait ça aussi.

L'ambiance austère qui règne à table me fait penser à ces films des années cinquante où les repas en famille se passaient toujours en silence après avoir récité une prière. J'observe la jeune fille au bout de la table. Elle me ressemble un peu, je dois l'avouer. Elle me fait aussi penser à Laurie à son âge. Bien que Laurie porte davantage les traits du visage de Claire, elle a mes yeux, exactement comme cette enfant.

Ne sachant pas trop comment aborder cette fillette qui est la mienne, mais que je n'ai jamais vue de ma vie, je lui souris de ma place. Elle fait de même dans ma direction. Voilà le premier contact humain normal depuis mon réveil.

Le Gazon

En se levant de table, le père de Julie, qui s'appelle Bertrand si ma mémoire est bonne, dit :

— Je te laisse charger le camion.

Puis, il disparaît dans le corridor.

Il s'adressait à moi ? Quel camion ?

Julie déglutit difficilement, puis elle me chuchote :

— Tu vas bien ? T'es bizarre. Quoique, dans les circonstances, je peux comprendre.

La mère de Julie lui fait alors de gros yeux, comme si elle avait trop parlé. Y a-t-il un éléphant rayé rose et bleu dans le salon et je ne suis pas au courant ?

— C'est vous autres qui êtes tous bizarres, dis-je en me levant pour jeter un coup d'œil par la fenêtre.

J'aperçois alors un camion affichant la mention «Peinture B. Desmarais».

Son camion de compagnie n'est pas identique à celui de mes souvenirs, mais je me rappelle très bien que cet homme était peintre en bâtiment à l'époque. Il était même déjà venu chez mes parents repeindre la cuisine et le salon. Ceci dit, il veut que je charge le camion ? Je lui donne un coup de main entre deux romans ou quoi ? Je l'aide à mettre le matériel à l'intérieur, car il avance en âge ? Cela n'explique par contre pas pourquoi lui et sa femme se lèvent ici ce matin. Retournant dans ma chambre, je croise des portes désormais closes sur mon passage. Une découverte que je n'avais pas faite avant me désole au plus haut point en arrivant dans la chambre : des vêtements de travail, légèrement maculés de peinture, se trouvent sur une chaise près de notre lit. Merde. Non, ce n'est pas sérieux? Je travaille avec mon beau-père, bête comme ses pieds? Impossible. Peinturer est ce que je déteste le plus au monde. Je préférerais de loin être croque-mort.

8ʜ23

Mes vêtements sentent drôle. J'ai enfilé ce qu'il y avait sur la chaise en me disant que c'était correct, mais là, me semble que je pue. Assis dans le camion près de Bertrand, je rumine la situation afin de comprendre. À mon départ de la maison, Gisèle semblait rester là aujourd'hui. À l'époque, elle travaillait à la bibliothèque du quartier, si mes souvenirs sont bons. Habitons-nous vraiment tous ensemble dans une maison intergénérationnelle? Misère. Je trouve très loyaux les gens qui font ça pour leurs parents vieillissants, mais il me semble que ce concept prend toute sa valeur lorsque chaque génération a au moins son étage privé ou sa partie de la maison. Non pas en vie de commune, comme ce que j'ai constaté ce matin.

J'ai aussi réalisé en sortant de la cour que nous sommes à deux pas de la maison de mes parents, donc deux maisons à côté de celle des parents de Julie lorsque nous étions enfants. En passant devant la demeure de mon enfance, je n'ai pas reconnu le véhicule dans le stationnement, donc je ne sais pas si mes parents habitent toujours les lieux. L'endroit n'a pas changé d'un iota. Mon père aime tellement cette maison qu'il veut y mourir. Il nous a même demandé de se faire enterrer dans la cour arrière. Je serais le premier surpris de découvrir qu'ils l'ont vendue.

Le **Gazon**

Bertrand fixe la route sans me dire un mot. La vie inter-générationnelle, je veux bien, mais pas dans une ambiance écrasante comme celle-là. Un peu de bonne humeur, s'il vous plaît. Mais qu'est-ce que cette famille cache? Un vil secret, quelque chose de laid, je le sens. À moi de le découvrir.

En route vers notre contrat du jour, je suis dégoûté avant même de commencer. Rien qu'à l'idée de peinturer des murs pendant une journée entière, j'ai envie de m'étendre sur la ligne jaune en attendant un poids lourd assez massif pour m'achever.

Je cesse de me plaindre mentalement au moment où nous tournons dans l'entrée de Mme Perron. Eh, merde. Encore elle? Décidément, une histoire de karma, cette gardienne. J'avais quatre ans, taboire, il faut en revenir à la fin. Une spirale qui tourne, que cette histoire de fous. Je panique. Et si notre cliente voulait encore me faire une gâterie sans dentier? Je ne pourrais pas le supporter.

Par peur de la suite, je reste un instant dans le véhicule bien qu'il soit immobilisé. Mon beau-père me ramène à l'ordre sur un ton autoritaire :

— Go! On a pas toute la journée, ti-gars!

Ti-gars?

L'odeur qui me vient au nez en pénétrant dans la maisonnette n'est une surprise pour personne. Cigarette au bacon. Attention : peut provoquer des nausées ou des étourdissements.

Mme Perron s'approche, sa généreuse poitrine ballottant comme les grosses couilles d'un bullmastiff qui gambade. Son peignoir de coton est beaucoup trop échancré compte tenu de l'amplitude de la matière adipeuse à recouvrir. On lui voit un sein presque jusqu'au mamelon. Je ne veux plus voir ces seins du reste de ma vie, est-ce que c'est bien clair? Étrangement, elle est aussi âgée que dans l'autre vie, mais elle semble plus en forme. Pourquoi? Elle nous salue sans me porter plus d'attention qu'à Bertrand. Je réfléchis. En réalité, si je comprends bien la logique de cette histoire, elle ne se souvient peut-être même pas qu'elle me gardait lorsque j'étais enfant. Les vies changent. Les gens aussi. Tout change en fait.

— En tout cas, t'étais pas gras de même des fesses quand je te gardais, mon petit porcelet, dit-elle en me claquant joliment une fesse.

Ah bon, voilà, elle sait qu'elle me gardait. Et je suis son porcelet maintenant. Au secours.

Au comble du malheur et ne sachant pas que faire, j'épie un peu les faits et gestes de Bertrand en attente de ses directives. Mme Perron semble me mirer de côté. Elle se flatte le rebord du peignoir, la bouche ouverte à demi. Je ne peux pas croire que, même dans un rêve, j'aurais pu y insérer ma queue... Je cligne d'un œil. Je nage en plein choc post-traumatique.

Bertrand me tire de ma torpeur:

— Awèye! Tire les joints de la chambre en premier pis de la pièce ici après, comme ça je vais pouvoir commencer la cuisine, où t'as rien à faire.

Le Gazon

— QUOI?

— Quoi, quoi?

— Tirer les joints?

— Ha! ha! ha! Oui, c'est pour ça que je te paie depuis neuf ans, ti-gars!

Je disais que la peinture était ce que je détestais le plus. Eh bien, tirer des joints, c'est cent fois pire. C'est grave quand c'est cent fois pire que la chose qu'on déteste le plus au monde. Un enfer. Un calvaire. Une pénitence pour outrage à Sa Majesté. Un supplice de niveau romain. Ça va, ça va, j'accepte d'être jeté dans la fosse aux lions vêtu d'un speedo de steak de gazelle avec plaisir, César. Pas besoin de m'y reconduire, j'y cours à l'instant, Votre Altesse. Mais à bien y penser, j'aimerais mieux mourir au bout de mon sang en me faisant dérouler la peau en languettes de deux pouces au rythme doux et lent de la septième symphonie de Beethoven. Je préfère la période classique à l'époque romaine. Simple question de poésie.

Vais-je vraiment sabler des murs à me remplir les narines de poudre de ciment toute la journée? Comment est-ce possible que je fasse ça dans la vie?

Je veux rentrer à la maison. Venez me chercher. L'Indien? T'es là? Tu m'entends penser ou je dois crier?

Je soupire un bon coup en terminant de lécher le plâtre sur un des murs avec ma truelle. Bertrand rigole en me voyant la mine si découragée.

— Coudonc? Qu'est-ce t'as aujourd'hui, ti-gars?

Son attitude arrogante, la similisupériorité qu'il dégage depuis ce matin et son ironie moqueuse actuelle me piquent le cœur en même temps. Quel effronté, ce con. Pour qui se prend-il? «Ti-gars», franchement.

— C'est une taboire de *job* de marde, ton affaire, c'est ça qui se passe! C'est ça que j'ai! La poussière me rentre dans le nez pis j'ai même pas la moitié de la *job* de faite. Tantôt, il va entrer par où, le sable, si mon nez est plein? Hein? Si mon nez est plein, je vais respirer comment, moi? C'est une sacrée *job* de marde pis c'est toute!

Il me dévisage un instant, un seul sourcil de relevé, avant d'avancer vers moi, les poings fermés le long de son corps. Il éclate finalement de rire:

— Ha! ha! ha! Mets ton masque, ti-gars!

— Quoi?

— Tu me fais rire aujourd'hui, t'es comme bizarre. Je te reconnais pas, on dirait, pis me semble que tu travailles mal sans bon sens en plus. Ici, c'est croche, regarde.

Pour ça, il a raison. Le mur que j'ai fait en un temps interminable est loin d'être parfait. Mais je suis tout de même meilleur que je le serais dans la vraie vie. Une mémoire antérieure des muscles de mon poignet, sûrement.

— Tiens, prends un bon sandwich au baloney, ça va te redonner de l'énergie.

Deuxième «au secours». C'est pire que les sandwichs de la machine distributrice au journal.

Le Gazon

Avalant de travers ce sandwich que la mayonnaise a détrempé – c'était ça ou des oreilles de criss gracieusement offertes par Mme Perron –, j'observe toujours cet homme devant moi. Il est silencieux et me regarde à peine. Je me sens comme un moins que rien à ses yeux. Sans que je comprenne pourquoi. Ai-je fait quelque chose de mal ? Je ne sens aucun respect de sa part à mon égard.

Son téléphone qui sonne dérange notre pause. Il s'éloigne. J'entends la conversation sans trop comprendre ce qui se passe.

— D'accord. Avez-vous appelé Julie ? Parfait, dites-lui que je m'en occupe, conclut-il en raccrochant.

— Continue le travail, je reviens tout à l'heure. Excusez-moi, madame Perron, je dois partir un moment.

Puis, il quitte la maison sans donner plus de détails. Bon. Julie, alias ma femme, semblait impliquée, mais pas moi.

Me voyant fixer la porte à la recherche de réponses, Mme Perron me dit avec désolation :

— T'étais un jeune garçon si enjoué et si gentil. Avec des fesses moins rondelettes, mais bon. Tu veux pas d'oreilles de criss, t'es sûr ?

Est-ce une tentative de rapprochement déguisée ?

— Non. Merci.

Elle soupire de déception et retourne à ses fourneaux.

10 H 20

Incapable de travailler dans ces conditions plus longtemps, je demande à Mme Perron sur un coup de tête :

— Est-ce que je peux emprunter votre voiture ?

Elle lève des yeux aussi interrogateurs que complices vers moi.

— Euh, oui. Les clés sont là. Si Bertrand revient, je dirai que je t'ai envoyé chercher des cigarettes.

Elle sourit, puis me lance un clin d'œil qui me fait tout de même reculer d'un pas, par simple précaution.

Je saute dans sa vieille Buick bourgogne avec la sensation de faire un saut dans le temps. Mon père a déjà eu une voiture de ce genre.

Je me dirige sans plus attendre vers la maison de mon enfance. Je dois savoir si mes parents y habitent encore. Comme c'est tout près, j'y suis en moins de deux.

En inspectant avec plus d'attention l'aménagement extérieur, je songe qu'ils n'habitent peut-être plus ici finalement. Mon père est un maniaque d'horticulture depuis toujours. Il a tant essayé de me transmettre sa passion, mais en vain. Je n'ai jamais accroché. Il était même un peu insulté quand Claire a insisté pour que l'on engage ce foutu jardinier indien, qui s'occupait aussi de la maison de ses parents. Après coup, à voir ce qu'il me fait vivre aujourd'hui, je le regrette aussi beaucoup. Voyant l'état actuel de l'extérieur de la maison, j'ai peine à croire que mon paternel ait pu laisser les choses aller à ce point. Ce n'est pas si désastreux en soi, mais ce n'est simplement pas la signature du pouce vert de mon père. Arbustes et haie de cèdres mal taillés, rocaille inégale, gazon trop long.

Je cogne à la porte. J'aperçois à travers la fenêtre ma mère qui écarte les stores des doigts pour identifier le visiteur.

— Bonjour, mon grand, qu'est-ce que tu fais là ? J'étais en train de lire dans le journal qu'un train au complet a explosé en Inde. Bonté divine, ces gens-là ont déjà rien, ils sont pauvres pis, en plus, leurs trains explosent ! Hier, j'ai fait une recette de soupe aux tomates et aux nouilles, en veux-tu un bol ? Il fait beau aujourd'hui, hein ? Pas trop de vent, il va faire soleil en après-midi, je pense. J'ai acheté des tomates cerises bio à l'épicerie hier, mais je sais pas trop si je crois à ça, le bio, moi. As-tu vu la nouvelle annonce d'IGA à la télé ? Non, je pense pas que je vais aller en Inde un jour. Trop de monde pis de vaches. Tu travailles pas aujourd'hui ?

— J'avais droit à une petite pause, je voulais venir vous voir. Papa est là ?

Son visage se décompose de tristesse. Elle s'éloigne vers la fenêtre du salon. Ma petite maman a beaucoup changé. Elle semble avoir vieilli. Nous sommes pourtant toujours le 10 juin. À moins que ce ne soit pas la même année ? Son dos est cambré, son corps amaigri. Elle ne teint plus ses cheveux, donc ils sont poivre et sel. Je n'ai jamais vu ma mère sans teinture ; c'est une religion pour elle, le rendez-vous mensuel du vendredi matin chez la coiffeuse.

Elle me demande en s'adressant à la fenêtre :

— Tu vas pas bien, c'est ça ? Depuis quand ?

— Quoi ?

En jetant un œil vers la bibliothèque, une vision me frappe en plein cœur. Une urne funéraire de bronze et une photo encadrée de mon père reposent sur l'étagère à la hauteur des yeux. Ses cendres. Mon père est mort ?

— Papa…, que je fais en touchant sa photo du bout des doigts.

Je suis complètement assommé. Tout va trop vite dans ma tête. Papa est décédé ? Mais quand ? J'attrape le signet mortuaire qui repose tout près de l'autel érigé en son honneur. Son visage qui flotte est entouré de verdure, sa passion.

— Quelle date sommes-nous ?

— Alexandre…

— Quelle date, maman ?

— Le 10 juin 2015, mon grand.

Il est donc mort il y a dix ans pile-poil. Mais de quoi, bon sang ?

Le petit texte derrière explique : « … décédé accidentellement le 10 juin 2005, laisse dans le deuil son épouse… »

Je suis sans mot. Une tristesse intense m'envahit. Papa. Des larmes que je ne peux contrôler emplissent mes yeux. Ma mère s'approche et pose une main à plat dans mon dos, puis l'autre sur mon cœur.

— Ça fait dix ans qu'il est là, près de toi. Ici.

— Raconte-moi. J'ai besoin que tu me racontes.

— Tu pouvais pas savoir que c'était ça. Tu pouvais pas savoir que t'allais couvrir ça. Rien de tout ça aurait dû se passer comme ça.

— Raconte-moi, maman, s'il te plaît.

— Je comprends pas ce qui se passe avec toi, mon grand. Je vais nous faire du thé.

`11ห48`

À la fin de son long récit plein de parenthèses – qu'elle m'a livré sans même se douter que c'était la toute première fois que je l'entendais –, je suis toujours sans mot. Journaliste à *La Tribune*, j'avais été appelé pour couvrir un accident de la route. Sur les lieux, le périmètre de sécurité de la police nous empêchait d'approcher. La voiture accidentée était trop loin dans un fossé pour que nous puissions la voir. J'attendais bien sagement avec les autres reporters des détails de la police pour ensuite être en mesure d'écrire mon papier à propos des tragiques événements. Accident, manœuvre inexpliquée d'une camionnette qui avait embouti un vieux Buick. Le conducteur de ce véhicule, un homme de Sherbrooke, n'avait pas survécu. Le conducteur de la camionnette, quant à lui, avait été reconduit à l'hôpital pour choc nerveux. J'étais retourné au journal écrire mon papier. Ma mère m'avait appelé pour me convoquer à l'hôpital mon article tout juste terminé. J'avais donc rédigé sans le savoir le fait divers à propos de l'accident ayant tué mon propre père. Impensable. Triste. Troublant. La preuve que nous ne savons jamais ce qui nous pend au bout du nez.

Une question me démange.

— Pourquoi je suis plus journaliste, maman?

— T'as jamais été capable de réécrire un seul mot depuis. Les gens du journal t'ont mis à la porte après un congé de maladie forcé de six mois. Ils ont d'abord proposé de te transférer à la distribution ou au marketing, mais t'as refusé. Un peu sadique de leur part, mais comment voulais-tu qu'ils te gardent, sinon? T'étais plus en mesure d'écrire une seule ligne. Ensuite, t'as sombré, mais maintenant ça va mieux, mon grand. Dis-moi que ça va toujours mieux?

— Je suis tireur de joints avec mon beau-père, taboire. Non, ça va pas mieux, maman.

— Bertrand s'est occupé de tout. Il s'occupe de vous. De toi, de Julie, de ta fille, de moi aussi.

— Quoi? Je suis pas capable de m'occuper de ma propre famille?

— Tu vas mieux maintenant. Ça va bien et je suis fière de toi.

Je ne comprends décidément rien à rien. Qu'est-ce qui s'est passé de si terrible avec moi?

— Tu iras à la rencontre aujourd'hui ? À te voir en ce moment, j'aimerais que tu y ailles.

— Quelle rencontre ?

— Alexandre…

Mon cellulaire sonne au même moment. C'est Bertrand.

— T'es où ?

— Je suis avec ma mère.

— Sur tes heures de travail, ti-gars ?

Encore ce ton autoritaire de merde et ce surnom infantilisant.

— Oui, pis je m'en fous comme de l'an quarante si tu veux savoir !

C'est assez, la gestion de ma vie. Ça suffit.

— Alexandre, répète ma mère avec douceur. Fais ce qu'il te demande.

— Reviens à 13 heures pile, sinon…

— Sinon quoi ?

Puis, il raccroche. Non mais, mon père est mort depuis dix ans aujourd'hui même, est-ce que je peux avoir un peu de compassion ? Il doit bien être au courant.

— Je vais revenir te voir ce soir, maman.

Celle-ci m'embrasse sur une joue, l'air accablé par mon comportement.

Je décide de contacter la seule personne qui pourra possiblement me donner des détails sur ce qui se passe et qui m'échappe. Pierre.

J'espère qu'on se connaît, cette fois.

— Dis donc, ça fait un bail, vieux. Je dois avouer que j'étais un peu surpris que tu m'appelles. Tu vas bien ?

— Oui, non, je sais plus.

— Pourquoi aujourd'hui ?

— Ça fait dix ans que mon père est mort, que je répète comme pour me convaincre de la chose une fois de plus.

Même si je sais que je suis dans un rêve, cette perspective me trouble fortement. Je me suis toujours assez bien entendu avec mon père, mais on entretient une certaine distance, je dois l'avouer. C'est un vrai père de sa génération, qui possède l'espèce de froideur qui vient avec. Quand il a pris sa retraite, il y a quelques années, il est devenu comme plus émotif. Il pleure chaque Noël en levant son verre tout en disant: «La famille est ce qui compte le plus !» Il veut se rapprocher de moi, je le sens. Mais avec la vie qui va vite et nos temps libres restreints, je le vois peu ou toujours avec les enfants et Claire. En fait, je crois que mon père voit plus mes enfants que moi. Cette réalité m'attriste tout à coup profondément.

En recevant nos bières pression, Pierre les fixe un moment, puis il me dit:

— Tu sais que j'ai jamais été celui qui faisait la morale au monde ?

— Mon beau-père le fait pour deux faque ça va. Quelle situation absurde. Comment j'ai pu laisser à cet homme-là le loisir de me gérer de même ? J'habite avec lui, comprends-tu ?

— Oui.

Cette bière froide me fait l'effet d'un baume sur cette journée troublante dont je ne comprends en rien le sens. J'ai l'impression que c'est la meilleure bière de toute ma vie. Mes papilles en frémissent de plaisir. Comme s'il était au courant de l'expérimentation dans laquelle je suis coincé, je dis à mon ami :

— Je veux pas de cette vie-là, vieux ! Mon métier de marde, la cohabitation avec ma belle-famille, ma femme qui semble dépressive. Où est-ce que ma vie a dérapé, dis-moi ? Quand mon père est mort ?

— Quelques semaines après, oui.

— Je suis capable de me remettre de tout ça, non ? De prendre soin de ma famille, de ma mère.

— Si tu le dis, mais vas-y doucement. Je suis content de te voir. Ça faisait longtemps.

— Toi ? Tu fais quoi ?

— Toujours dans la vente d'aspirateurs centraux. Ça va bien.

Compte tenu des aspirations que je lui connaissais, décidément, rien ne va bien pour personne.

Bien décidé à reprendre cette vie en main, je ne retourne pas chez Mme Perron malgré les nombreux messages et appels de Bertrand dans la dernière heure. Non mais, qu'il aille au diable, ce con. Je devrai par contre rapporter la voiture de mon ancienne gardienne plus tard, mais bon, rien ne presse. Mon premier réflexe est de me rendre au journal. Voyons voir s'ils peuvent me réengager, juste pour le plaisir de faire suer mon beau-père. Quelle satisfaction j'aurais au cœur de revenir à la maison ce soir et de dire à ce minable : « Écoute, travailler avec toi, c'est terminé, et vivre avec toi aussi, tant qu'à y être ! » Puis de le mettre dehors de chez moi. Ce rêve est assez improbable, car jamais cela n'aurait pu m'arriver. Je suis bien trop responsable. Le départ de mon père serait un gros choc, certes, mais pas au point de perdre le contrôle de ma vie tout entière. Il faut se relever, être fort.

En gravissant les escaliers du journal, je me rappelle que, ce matin, je ne reconnaissais aucun nom dans les rubriques, sauf celui de ce bon vieux Gass, aux sports. Je décide d'aller le voir. Ce sera mon allié dans ma démarche. Ancien employé d'ici lui aussi, Pierre m'a dit avoir entendu que le journal cherchait souvent des journalistes à la pige. On l'a même rappelé, il y a deux mois, pour un petit contrat de deux semaines. Dans son cas, il a définitivement tourné la page des actualités pour se consacrer aux balayeuses. Je ne sais pas trop pourquoi d'ailleurs. Trop traumatisé par cette vie, je ne le lui ai même pas demandé, tout à l'heure.

Je me sens à la maison ici. En frappant à la porte de son bureau, je suis heureux à la perspective de revoir Gaston. Il m'ouvre.

— Eille, Gass! Comment ça va?

Il me dévisage un moment sans trop sembler me reconnaître. Je me rappelle alors qu'il y a toujours bien dix ans que je ne travaille plus ici. Dans ma tête, je l'ai croisé hier, au photocopieur.

— Alexandre Trudeau, je travaillais aux faits divers il y a dix ans.

Sa ride du lion s'enfonce en larges sillons pour ensuite se détendre en de simples ondulations.

— Aaah, oui, oui, je m'en souviens. La triste histoire de l'article à propos du décès de votre propre père. Batince.

— Ouais. Mais vous savez quoi? Après tout ce temps, je veux remonter en selle, je me sens d'attaque plus que jamais. Vous croyez qu'il y a des opportunités de reportages à la pige au journal ces temps-ci ou un poste peut-être?

— On nous avait dit à votre départ que vous n'alliez pas bien du tout.

— Mais non, des conneries. Simple processus de deuil, vous savez ce que c'est.

— Si vous voulez, je peux m'informer, je connais bien la nouvelle patronne et je dois la voir tout à l'heure. Je lui raconterai un peu votre histoire. Laissez-moi vos coordonnées.

— Merci, c'est vraiment très gentil de votre part.

— De rien. Je me souviens de votre histoire et ça m'avait touché en batince. Ouf, comme le but refusé d'Alain Côté en 1987. Y a des affaires injustes de même qui se produisent des fois.

14 H 59

En sortant de là, je ne sais pas trop quoi faire. Bertrand m'a envoyé environ cinq autres textos en plus de m'appeler, trois fois. Son dernier message me disait qu'il quittait la résidence de la cliente. Non mais, c'est du harcèlement criminel rendu là. Il se prend pour qui ? Mon père ? Il est mort, mon père, chose. Pas besoin d'un remplaçant.

Je décide tout de même de rapporter la voiture de Mme Perron à bon port. Sur la route, l'envie d'un arrêt pour prendre un verre se fait ressentir. Mais je décide d'attendre à plus tard. J'envoie une invitation à Pierre à cet effet. Il me répond par l'affirmative en me disant de le prévenir ce soir, lorsque je serai disponible. Je suis content de retrouver mon vieux frère dans cette vie. C'est mieux de cette façon que comme policier qui vient m'arrêter la main dans la culotte de dentelle d'un transgenre.

En stationnant la voiture dans l'entrée de la maison, j'aperçois Bertrand qui m'attend les bras croisés sur le porche de Mme Perron. Il m'a induit en erreur sur sa localisation actuelle. Son attitude de dictateur est si convaincante que c'est presque dur de ne pas relever la tête en portant sa main au front comme dans l'armée. On est dans une secte religieuse, c'est ça ? Les témoins de Bertrand ?

Je descends de la voiture avec l'attitude du gars qui se contrebalance de lui comme de sa première chemise de tireur de joints. Je lui fais un sourire forcé en passant droit devant pour remettre les clés à Huguette. Elle semble davantage ravie de me voir tenir tête à mon beau-père que préoccupée par mon comportement. Dans ma poche de derrière, la gardienne.

Il radoucit un peu son air ultra contrôlant pour me dire :

— Bon, le travail est terminé pour aujourd'hui. Viens-t'en. On reviendra demain, madame.

— Au revoir, Huguette, que j'envoie à ma complice.

Une fois dans le véhicule, Bertrand me dévisage. Il s'approche de moi un peu, comme pour me renifler. Je recule, surpris.

— Bon, ça va pas aujourd'hui, Alexandre ?

Enfin mon prénom, pour une fois.

— Ça va bien, même TRÈS bien. Tu vas sûrement devoir te passer de mes services bientôt. Je vais recommencer à travailler au journal. Kin !

— Ben oui, ben oui.

Étrangement, il ne prend pas le chemin de retour menant à la maison. Je ne le questionne pas, n'ayant envie de prendre part à aucune forme de discussion que ce soit avec lui.

En arrivant devant un bâtiment qui ressemble à une vieille bibliothèque, il me dit :

— Ils veulent te voir, je crois que ça va te faire du bien, ti-gars.

— Qui ça ?

— Allez.

Tout de même curieux, je descends du véhicule. Bertrand me suit, son air sévère toujours bien accroché aux parois de son visage.

15 H 23

Un homme dans le hall m'accueille en me faisant une accolade interminable qui me met plus mal à l'aise qu'autre chose. Il sent la transpiration sans bon sens. Ça me pique le nez comme de l'ammoniaque.

— Salut Rolland, fait Bertrand en lui serrant ensuite la pince. Je te laisse avec lui. Fais-moi signe si t'as besoin de moi. Je vais être à la machine à café.

— Café ? me demande le gars qui pue.

— Non, j'ai pas beaucoup de temps. Je dois rejoindre mon vieux frère pour une bière.

Le Gazon

Bertrand dévisage Rolland, qui semble presque sur le bord de la crise de suffocation. Mon beau-père lui dit :

— Bon, je vous laisse.

Rolland le nauséabond me traîne dans une petite salle où je remarque une espèce d'autel, comme à l'église, sur lequel se trouvent un cierge, une croix en bronze et une photo de Jésus dans un petit cadre de bois. Au mur, une grande affiche représente une fontaine d'eau entourée d'arbres. Je remets illico sur le tapis l'hypothèse de la secte. Bertrand n'opère donc pas seul.

— Premièrement, unissons-nous dans l'amour de Dieu.

— Euh, unissons-nous quoi ?

— Viens dans mes bras, Alexandre.

Jugeant son odeur de bête puante en décomposition comme une des pires jamais sentie de ma vie, j'étends un bras devant en guise de bouclier.

— Non, non, non.

— Allez, ça va te remplir.

— Je suis assez rempli pour le moment, je te jure !

C'est exécrable, limite pas endurable comme odeur. Tantôt, je trouvais que mes vêtements puaient, mais c'était du Downy concentré comparé à ça. Comme je vois une petite fenêtre en hauteur sur le mur, je m'en approche pour l'ouvrir.

— Fait chaud ici, hein !

— Mais ton cœur a froid, Alexandre. Ton cœur est plein de trous à remplir.

C'est une secte religieuse inspirée du christianisme, Jésus et tout. Je pense que ça ne pourrait pas être pire.

— J'ai une surprise pour toi. On va combler ton vide, nous autres !

Il se dirige vers la porte, l'air surexcité comme sœur Angèle devant un buffet de pets de sœur.

— SURPRISE ! crient plus ou moins à l'unisson quatre personnes derrière la porte.

Une femme tient à bout de bras un Jos Louis avec une chandelle, l'air beaucoup trop ravi compte tenu de la qualité de son offrande. Ce n'est pas ma fête et c'est ridicule. À moins que ce soit pour le dixième anniversaire du décès de mon père ? Il me semble que ce serait déplacé de le souligner de cette façon.

— C'est pas ma fête.

— Oui ! Bravo ! fait Rolland en profitant de ma perplexité pour me prendre dans ses bras.

Mon cœur grimpe sur ma langue.

Bertrand se tient là aussi, mais un peu en retrait du groupe. Je me délivre de Rolland et de ce supplice olfactif en roulant un peu des épaules vers la gauche. Il me remet alors avec fierté un écusson dans le creux de la main. Je lis sur le truc : neuf ans.

Quoi ? Ça fait neuf ans que je fais partie de leur secte ?

Le Gazon

À tour de rôle, la madame grassouillette et l'autre homme me serrent dans leurs bras. Bertrand ne pipe mot, pas plus que la femme qui tient toujours le Jos Louis de ma victoire.

— Souffle, neuf ans d'abstinence, c'est pas rien !

— Abstinence de quoi ?

— D'alcool ! me rappelle-t-elle en ne se rendant pas trop compte que, dans les faits, je devrais bien être au courant.

OK, oui, ça pouvait être pire.

— Ben là, j'ai pris une bière ce midi, que je confesse en toute franchise, jouissant secrètement d'ainsi briser la magie.

La femme au gâteau Vachon descend les épaules comme si les coiffes de ses deux rotateurs venaient de lâcher en même temps. Rolland expire l'air de ses poumons avec lenteur tandis que Bertrand se prend le côté de la tête avec la main. Bon. Je pense que si je venais de leur annoncer avoir tué et enterré Mme Perron dans le jardin, leur réaction n'aurait pas été pire.

— Une bonne petite bière froide, tsé ! que je précise, pour rajouter une couche à leur désarroi.

Démunie comme jamais, la femme fixe la chandelle un instant, puis elle se tourne vers Rolland :

— On peut pas y donner le gâteau, d'abord ?

— Non, pas de gâteau ni d'écusson, fait un Rolland atterré avant de me reprendre avec rudesse l'objet des mains.

— Bon! Je peux y aller maintenant?

— Alexandre? T'es en rechute.

— Ben non!

— Câlin de groupe pis ça presse.

— Non, écoutez, tout va bien. Merci pour votre aide, mais ça va bien.

Puis, je me dirige vers la porte en envoyant un regard bien senti à Bertrand pour lui signifier que nous partons.

16 H 02

Bertrand ne prononce pas un mot de tout le trajet. Moi non plus. En silence, je tente de recoller les morceaux de casse-tête dans ma tête. Mon père est mort, j'ai dérapé, j'ai perdu mon emploi et je suis devenu alcoolo. Beau portrait. Mais ce n'est tellement pas moi que j'ai peine à y croire. Ça me fait même rire. J'aime bien prendre un verre de temps à autre, mais pas de là à devoir entrer chez les AA. C'est complètement ridicule.

Tel un robot, je descends du véhicule en me demandant ce que je ferai en arrivant dans cette maison. Je crains de devoir vivre la scène d'horreur du père de famille qui doit annoncer à sa famille qu'il a fait une grave rechute. Le plus ironique est que j'ai envie de boire comme jamais auparavant dans ma vie, question d'oublier toute cette merde.

En pénétrant dans la maison, la même ambiance que ce matin m'attend, mais pas pour les raisons que j'anticipais. Ma fille est assise sur le divan, entourée de Julie et de sa grand-mère. Elle porte au poignet un petit plâtre montant jusqu'à son coude. Pauvre chouette.

Mon cœur de père fait un tour sur lui-même même si, techniquement, je ne connais même pas cette enfant.

— Qu'est-ce qui est arrivé?

Pendant un instant et sans trop savoir pourquoi, je crains que ce soit Bertrand qui lui ait fait ça. Un mauvais *feeling*.

Je me tourne vers lui, les yeux ronds. Il s'explique illico:

— Elle est tombée dans le parc à l'école, c'est pour ça que je suis parti ce matin.

— Et moi là-dedans? C'est ma fille, pas la tienne!

— On voulait pas t'énerver avec ça, susurre Julie entre ses lèvres.

— M'énerver avec ça? C'EST MA FILLE! Là, là, votre taboire de famille de *fuckés*, j'en ai plein mes bottes.

Je me tourne vers Bertrand:

— Toi là, t'as pas d'affaire à gérer ma vie de même! T'es qui, toi? Ma femme veut pas me toucher le matin DANS NOTRE LIT parce que tu pourrais nous entendre, tu vis dans MA maison, tu gères MA vie comme si j'avais dix ans, tu me donnes des ordres comme si j'étais ton serviteur. Tu m'appelles « ti-gars ». C'est quoi ça ?

— C'est ma maison en passant.

Encore pire. J'ai l'air très con tout à coup.

— Criez pas devant la petite, nous supplie Julie.

— Excuse-moi, mon amour, papa est très fâché, mais c'est pas contre toi, c'est contre grand-papa que je suis fâché.

Personne ne parle. Curieusement, la petite m'envoie un regard me signifiant qu'elle me pardonne.

— Faque là, je vais m'en aller relaxer, et nous autres, on va déménager au plus sacrant ! Bye !

Je quitte la scène. Pas nécessaire d'insister, il n'y aura pas de rappel.

— Viens me chercher, vieux, je capote, que je déclare à Pierre, que j'ai au bout du fil.

— T'es où ?

— Deux rues en bas de chez mon beau-père, dans le parc des Écureuils.

— J'arrive.

Le Gazon

Je m'assois sur un banc de parc pour me remettre les idées en place. Non mais… hein!? Il y a toujours bien des limites à ce qu'un homme se fasse organiser la vie comme s'il était un moins que rien.

Bien malgré moi, je me sens comme un *loser* fini. Voir qu'on traite un père de famille comme ça. Voir qu'on lui cache que son enfant a eu un accident à l'école. On dirait que je remets en question tout ce que je suis réellement.

En voyant Pierre arriver, je me lève. Je grimpe d'un bond du côté passager, puis je lui annonce :

— Ç'a l'air que je suis un ex-alcoolique fini? Mais je veux prendre une bière, là! J'ai-tu le droit, taboire?

Il ne me répond pas et démarre.

En se stationnant près d'un pub à quelques minutes de là, il me demande, le regard franc :

— Es-tu certain que c'est ça que tu veux, vieux?

— Écoute, Pierre, je te demande pas de me juger, fais juste venir avec moi. Tu dois m'aider à comprendre.

Il ouvre sa portière en guise d'acceptation.

La première rasade de bière que je me descends me réchauffe le cœur.

— Là, je veux que tu m'expliques ce qui s'est passé dans ma vie, du début. Je me souviens de rien, on dirait.

— Ben là, quand t'es né? Je le sais pas, moi.

— Con. Depuis la mort de mon paternel, mettons.

— T'as été dans la brume un méchant boutte, faque je peux comprendre que ce soit flou.

— Raconte.

— Ben, quand c'est arrivé, Julie était enceinte et je pense que c'est ça qui t'a *fucké*.

— Pourquoi? Parce que j'ai perdu mon père pendant que j'attendais un enfant? Pas de là à perdre les pédales à ce point-là.

— Non, pas ça, je pense que t'as jamais pu exprimer ta colère, faque t'as tout retourné ça contre toi. Je suis pas psy, mais c'est ce que j'ai toujours pensé. C'est toi que tu détruisais même si t'avais juste le goût de le détruire, lui. Tu pouvais pas.

— Détruire qui?

— Bertrand.

— Pourquoi Bertrand?

— Tu pouvais pas haïr ton beau-père pendant que t'attendais un enfant de sa fille.

— Le haïr pourquoi?

— Ben, d'avoir frappé ton père.

16ʜ47

Comme je suis silencieux depuis presque cinq minutes, le regard perdu dans les bulles de ma bière pression qui remontent à la surface, Pierre me prend l'épaule.

— Mon beau-père a tué mon père, que je répète en dévisageant mon ami.

— Je sais, c'est *fucké en ta* comme histoire. Un accident, bête de même. Un moment d'inattention.

Je me recueille une fois de plus en mon for intérieur en revisitant de tous les angles possibles l'horrible situation.

— Et lui, la façon qu'il a trouvée de réparer son geste et de me faire du bien, c'est de prendre le contrôle de ma vie ? C'est encore plus *fucké*, ça.

— Il est froid, de cette génération d'hommes là. Il voulait que tu restes avec Julie pour la petite, pour vous deux. Il t'a fait promettre de devenir sobre en échange d'une *job*, d'un toit, mais à ses conditions.

— *Control freak…*

— Oui et non. Seul, tu rechutais tout le temps. Julie voulait te quitter.

Je fixe ma bière pendant un long instant. J'ai peine à croire que l'alcool dominait ma vie. Et ensuite mon beau-père a pris le relais. Je suis un homme en contrôle qui ne se laisse pas dominer par ses impulsions, comment ai-je pu atteindre ce point de non-retour ?

— C'est pas moi ça, vieux, tu me connais ?

— Ça fait un méchant boutte qu'on se parle pu, Alexandre.

— Non ?

— Non.

— Je suis traumatisé.

Bertrand, qui surgit dans la pièce, dérange notre moment de confession. Je me lève de mon banc.

— Non, là, tu vas me laisser tranquille. C'est assez. T'as tué mon père !

— Je peux pas te laisser faire, Alexandre. Pour ma fille, pour la tienne. Viens avec moi, dit-il en avançant pour me prendre sous le bras.

— Pour aller où ?

— Au centre.

— Tu devrais peut-être y aller, vieux, me dit Pierre.

— Quoi ? T'es avec lui ? Tu lui as dit qu'on était ici ? Vous êtes tout le monde ensemble contre moi, c'est ça ? Beau visage à deux faces, toi, Pierre, je pensais que t'étais de mon bord !

Bertrand me prend alors fermement sous le bras. Hors de moi, je saute les plombs.

— Toi, tu vas me lâcher !

Et je pousse un peu l'homme pour me dégager de son étau.

Deux policiers entrent alors dans la pièce.

— Ben non, vous niaisez, là ?

— Veuillez nous suivre, monsieur Trudeau.

— Pierre ?!

— Je voulais pas que ça se passe de même, réplique celui-ci en se tournant vers le bar, afin de se retirer de l'intervention en cours.

Un des deux policiers me prend à son tour sous le bras.

— Deux beaux trous de cul, que je lance en sortant dehors, tandis que je dégage mon épaule avec impatience pour que ce satané policier me lâche enfin.

— L'autre soir, les tripodes m'ont amené de force dans le garde-robe. Je savais pas ce qu'ils voulaient, mais j'ai fini par comprendre. Ils veulent que j'apprenne à décrypter les messages de nos ancêtres. C'est dur, je comprends pas toujours les dessins. Toi, comprends-tu les dessins? Apollo 4, c'est bien ton nom?

Je tourne une fois de plus des yeux sévèrement découragés vers mon voisin de chambre qui délire en me racontant des absurdités depuis maintenant deux heures. L'enfer, c'est ici. Non pas au poste de police, mais bien à l'hôpital, plus précisément à l'aile psychiatrique du huitième étage. À ma grande surprise, les policiers m'ont balancé directement ici. Allez savoir pourquoi.

L'infirmière à la voix stridente qui vérifie si j'ai des idées suicidaires toutes les trente minutes semble presque déçue chaque fois que je lui confirme ne pas en avoir le moins du monde. Quoique si ce type continue de me parler de ses extraterrestres à trois pattes, je risque d'en développer.

— Les tripodes ont trois moignons. Des jambes visqueuses brunes comme des mollusques. Comme des crevettes sans le rond, là, tu comprends ? Faut pas leur dire des noms de couleurs vives, ça les choque, les couleurs. Ah oui, ça les choque. Surtout le bleu.

Eh, misère. J'aperçois alors l'infirmière dans le corridor.

— Mademoiselle ?

Elle surgit dans la pièce sur les chapeaux de roue.

— Avez-vous des idées suicidaires, là ? Ça s'en vient ?

— Je commence, oui.

— Ah oui ? Bon ! Savez-vous quand vous allez faire ça ? fait-elle en prenant mon dossier pour noter le tout, l'air aux anges de me voir enfin penser à mourir.

— Je veux juste savoir pourquoi je suis ici et ce que j'attends.

— Vous êtes ici parce que vous êtes dangereux pour vous-même. Et nous sommes là pour vous aider. Le psychiatre devrait venir vous voir bientôt.

— Les tripodes soufflent des champignons avec leur museau partout lorsqu'ils voient de la peinture de couleur. Les murs viennent pleins de champignons comme là, juste devant nous. AH NON ! ENCORE DES CHAMPIGNONS !

Je fixe le type délirant qui agite à présent les bras comme un demeuré en fixant le mur devant lui.

Au secours.

Je crie – à l'intention du jardinier – en levant les yeux au ciel :

— C'est assez, là ! On peut terminer ce rêve de débile, s'il vous plaît ?

L'infirmière secoue la tête, empathique quant à ma santé mentale précaire de gars qui parle à son tour dans le vide. Une fois le tout consigné, elle quitte la pièce.

Le débile aux tripodes et moi ? Du pareil au même, je pense.

Le psychiatre, dont les cernes ressemblent à des poches de thé noir sous ses lunettes de lecture, me dévisage sans mot dire. Comme nous sommes assis au fond de la chambre double, je fixe de loin le type bizarre qui semble encore se défendre contre des êtres invisibles.

— L'autre avec ses tripodes, ce doit être un beau cas pour vous ça, non ?

— OH ! Vous comprenez ce qu'il dit ? Ça doit vouloir dire que vous êtes schizophrène paranoïde vous aussi ! fait-il, l'air excité à souhait en notant cette nouvelle information dans mon dossier.

— Ben non, pantoute, ça me désole, c'est tout.

— AH ! AH ! Donc, vous êtes dépressif ? Dépression majeure, c'est ça, voilà, note-t-il à nouveau.

— Mais non, je l'écoutais, mais je me sentais bizarre, comme sur une autre planète.

— AAAH! Vous vous sentez à part de la masse, marginal. Trouble de la personnalité schizotypique aussi...

— Quoi? Je pouvais juste pas entrer en communication avec lui, parce que...

— Vous avez également une phobie sociale? Très logique, oui, oui, c'est bien.

Je me gratte le sourcil, complètement dans le néant.

— C'est un tic, ça? Trouble obsessionnel-compulsif en plus!

— Docteur, vous dites n'importe quoi.

— Oh! oh! oh! Vous doutez de mes compétences. Vous remettez en question mon expertise. Personnalité narcissique et *borderline*, mon cher monsieur! Parfait! s'enthousiasme le bouffon devant moi.

Ahuri, je décide de lui dire:

— Vous savez quoi? Il y a deux «moi». Deux Alexandre. Celui qui dort sur son divan à Sherbrooke et celui qui rêve ici, assis devant vous. C'est le *fun*, hein? Celui qui est ici a bien hâte que ça se termine, que je crie vers le ciel, impatient que ce jardinier de malheur intervienne pour me sortir de là.

— Dédoublement de personnalité! Ah, ben ça, c'est une belle première dans le service! Je vais chercher mes résidents. S'il vous plaît, je vous prie de ne pas sauter par la fenêtre entre-temps. Ça fait trois patients qui tentent le saut de l'ange cette semaine et c'est pas bon pour la réputation de l'hôpital. L'endroit n'est vraiment pas sécuritaire.

— Eh ben, je comprends pas du tout pourquoi les gens se balancent en bas comme ça. Vous êtes tellement un bon psychiatre, pourtant.

Il me lève un fier pouce en l'air avant de sortir en courant pour aller chercher sa cohorte.

Mon débile de voisin combat toujours des mains son invasion de champignons imaginaires. C'est assez. Sans réfléchir plus longtemps, je me dirige vers la fenêtre, puis je l'ouvre.

Au diable la morale et au diable cet Indien. Je ne peux vraiment pas compter sur lui.

Entre ciel et terre

— Allons, monsieur Alexandre, parlez-moi à la fin! Arrêtez de me fixer comme un maniaque, on dirait que vous me voulez du mal. Ha! ha! ha! Je vais vous retourner en psychiatrie sinon!

— Je te veux du mal, en effet.

— À un moment donné, je me suis vraiment demandé si vous alliez attendre minuit. Je ne le savais plus du tout. C'est ce qui est bien dans mon rôle: je vois évoluer les gens et ils me surprennent toujours!

— Tu regardes ça comme un film en fumant de la dope? C'est toi, le dérangé, mon gars.

— Mais non, mais non, j'ai d'autres expérimentations en cours, mais je jette un œil chaque fois que je le peux, oui. Lorsque vous avez aperçu Mme Perron, vous auriez dû voir votre tête! Ha! ha! ha!

Mon air dépressif à souhait met fin à son amusement.

— Monsieur Alexandre... Cette vie potentielle a été très difficile, ai-je raison?

— Tout semble si réel quand on est là. J'étais un vrai *loser*. Mon père était mort. Je réalise que je passe pas assez de temps avec lui. Je sais qu'il aimerait ça et je le fais juste pas. Il sera pas éternel.

— Mais la bonne nouvelle, c'est que vous n'étiez pas dans votre réalité et que votre père est encore en vie. C'est ce que vous devez retenir. Qu'est-ce qui vous a le plus marqué dans cette vie potentielle?

— Tout! Voir que je pourrais devenir un alcoolo fini, pas capable de gérer sa vie?!

— Ici, vous portez une fois de plus un jugement de valeur. L'être humain dans son essence propre est bien vulnérable et fragile en réalité. Le problème de la majorité est de se croire invincible et de refouler certaines émotions très nocives. Les hommes font ça, surtout. Les femmes, généralement plus volubiles, ont plus de facilité à extérioriser ce qu'elles vivent, à demander de l'aide, à utiliser leur réseau pour évacuer leur stress. Les hommes se referment la plupart du temps pour cacher cette facette d'eux à leur entourage, et c'est malheureusement ce que vous aviez fait dans cette vie-ci, à ce que je comprends.

— À quoi ça me sert de savoir ça ? De savoir que j'aurais pu perdre les pédales ?

— Je ne gère pas le contenu de ce que votre âme tente de vous faire voir. Je ne fais que vous assister. À vous de trouver les réponses. Une chose est certaine, perdre un proche est toujours une étape difficile. Mais hélas – ou heureusement, selon nos croyances –, tout le monde finit par mourir.

En songeant à mon pauvre papa, je lui accorde un instant de silence, avant de poursuivre :

— Je comprends rien. J'étais un homme en détresse dans cette réalité, mais je me sentais pas comme ça à l'intérieur, tu comprends ?

— Parce que vous ne l'êtes pas en ce moment, comme je vous le disais.

— À quoi ça sert, alors ?

— Je vous le répète, je ne détiens pas toutes les réponses.

Je réfléchis à tout ça. Dans la première vie, j'étais un profiteur et un menteur. Dans la deuxième, un être qui se souciait peu ou pas de sa famille, et maintenant, un pauvre raté. Vraiment, c'est tout le contraire de moi, donc il n'y a rien à comprendre, à mon sens. Je ne peux pas être juste un homme bien ? Un homme normal ?

— C'est que je m'identifie pas à toutes ces soi-disant versions de moi.

— Il y a peut-être là un indice de votre quête.

— Ma quête, ma quête, est-ce que ça pourrait pas être juste de retourner chez moi, ma quête? Je suis heureux dans ma vie après tout.

— L'êtes-vous vraiment?

— Plus que dans toutes ces vies potentielles, en tout cas.

— Je répète ma question : l'êtes-vous vraiment?

Pourquoi me confronte-t-il à mon bonheur de la sorte? Je ne suis pas un homme, un père ou un mari si malheureux. Je me questionne, oui, comme tout le monde, mais pas en me morfondant.

— Je comprends pas pourquoi j'ai besoin de vivre ça.

— Je ne peux pas vous répondre à ce sujet, mais je sais simplement que vous avez souhaité venir ici. C'est votre décision et celle de personne d'autre. La décision de votre âme plutôt, de votre être global. J'ai l'impression que vous devez trouver le sens de votre vie, votre mission sur terre, peut-être apprendre à croire aussi.

En entendant une fois de plus le mot « âme », je doute de l'entièreté de la démarche. « Âme » comme dans « fantôme qui se réincarne »? Ma rationalité est mise à rude épreuve ici. Comment créer tout ça dans un rêve si je n'y crois même pas?

— Mon être global, maintenant… Sinon, on est quoi ? Un être partiel ?

— Oui, en quelque sorte. Ou divisé. Belle image. Mais dites-moi, faites-vous vraiment partie de ces hommes de Cro-Magnon qui croient seulement au corps physique ? Ha ! ha ! ha ! Les Nord-Américains, vous êtes si élémentaires, parfois.

— Es-tu hindou ?

— J'ai été élevé dans une famille hindoue, mais depuis, je n'adhère à aucune religion, car je suis un être de l'Univers, tout simplement. Comme vous, vos enfants, Claire et tout le monde. Je viens de la lumière et je retournerai dans la lumière, tout comme vous tous. Mais d'ici là, nos âmes tentent d'évoluer pour terminer leur vie présente dans la meilleure version possible d'elles-mêmes pour s'élever à un niveau supérieur ensuite.

— C'est vraiment bizarre, comment tu parles.

— « L'âme n'existe pas », quelle connerie ! Ha ! ha ! ha !

Ce type est de plus en plus étrange. Gelé comme une balle, du moins, ça, je le sais. Et moi, je cause avec lui à propos des âmes. Il ne représente pas le puits sans fond de la crédibilité, à mon avis.

— Donc, vous êtes prêt à poursuivre ?

— Bof… Il y en aura combien encore ?

— Je ne sais pas. Tant que vous n'aurez pas compris ce que vous devez comprendre.

J'expire fort, un peu las de toute cette histoire.

— Soyez donc reconnaissant de vivre cette expérimentation. Beaucoup de gens seraient ravis d'être à votre place, croyez-moi.

— Ah, parce que t'as une liste d'attente de participants pour cette nuit de débile? Je laisse ma place volontiers si quelqu'un la veut.

— L'ironie est douce au cœur de l'esprit fermé par la crainte. Ouvrez vos horizons, monsieur Alexandre.

— Je suis pas fermé, je suis juste tanné.

— C'est pareil. Prêtez-vous au jeu, pour l'amour de Shiva. Vous en ressortirez grandi, faites-moi confiance.

— C'est un peu trop demander pour la confiance.

— À plus tard, monsieur.

Le 10 juin, quelque part

Je me tourne vers l'ours à ma droite qui grogne comme un fou dans ma direction. Son cri est si débordant de conviction qu'un filet de bave gigote comme un ver blanc au centre de sa gueule. Son désir de me bouffer dans un avenir rapproché est indéniable. Le deuxième ours à ma gauche semble plus calme. Il doit avoir moins faim, je présume. J'ai toujours eu peur des ours, sans trop l'avouer. En camping avec Claire et les enfants, je jouais le brave homme des bois en allant au front, à l'orée du bois, quand ma tribu se plaignait de bruits suspects provenant de la forêt. « Il y a un ours ? » m'entendais-je demander chaque fois aux arbres, les rotules des genoux me claquant ensemble comme deux castagnettes. Mort de trouille. Non mais, un ours... Quel homme sur terre a envie de se mesurer à ça dans la vraie vie ? Personne. Même pas les deux ou trois timbrés qui animent des émissions américaines à sensations fortes. C'est truqué, ce genre de concept. Je n'y crois pas une minute. L'ours avec lequel ils roulent au sol a l'habitude de porter un tutu dans un cirque. Un « vrai » ours, comme les deux qui m'encerclent en ce moment, ne fait pas de jiu-jitsu brésilien. Je vais mourir. C'est assuré. Courte vie, celle-là.

Celui qui était jusque-là moins criard se met alors à hurler à son tour. Ah. Il a faim aussi finalement. Je suis adossé à une grosse souche humide dans une forêt de séquoias. Des arbres immenses m'entourent comme si je n'étais qu'une vulgaire fourmi. Les deux bêtes me détaillent comme un morceau de viande fumant tout juste poêlé par le cuisinier rebelle. Ça fait mal, mourir croqué ?

— Madame Doubtfire ? Madame Doubtfire ?

Quoi ? Ce n'est certainement pas un de ces ours qui parle. Je ne suis pas seul dans cette forêt, alors ?

— AU SECOURS ! crié-je à tue-tête.

— Madame Doubtfire ? Calmez-vous !

Quelqu'un touche mon bras. Je me tourne pour voir qui c'est. La forêt disparaît d'un seul coup. Les ours aussi. Je me trouve maintenant dans une chambre à coucher aux côtés d'une femme-grenouille.

— Mon pauvre Alex, tu rêvais.

Ma vision se clarifie. La grenouille est en fait une femme humaine portant un masque de beauté. Elle est assise sur le rebord du lit et elle me dévisage comme si j'étais exposé au musée de cire. Je ne la reconnais pas à cause du vert gluant qui orne son visage.

— Je rêvais que je me faisais bouffer par deux ours.

— Mon Dieu! T'as besoin de vacances, pis c'est vrai!

— Pourquoi tu m'appelais « madame Doubtfire »?

— Pour te faire rire. Bon, j'ai une grosse journée. Je prends ta salle de bain, Anouchka est dans l'autre.

Puis, elle déguerpit dans une salle de bain adjacente à la chambre. Sa voix me dit quelque chose. La chambre est bien décorée sans être trop luxueuse. C'est sobre, mais de bon goût, dans les tons de brun chocolat et de gris foncé. Très masculin comme décor, pour tout dire. Je réfléchis. Je rêvais à des ours à partir d'un rêve avec l'Indien dans lequel je rêve que je suis ici. Ce truc va me rendre cinglé.

J'entends alors un bébé pleurer.

— J'y vais! s'écrie la femme-grenouille en quittant la chambre.

Le **Gazon**

Je cherche des indices sur la table de chevet, un cellulaire par exemple. J'ouvre le tiroir de ma table de nuit. J'y retrouve des bouchons pour les oreilles, une prise pour recharger un téléphone, un petit sac transparent contenant des vis, de l'argent provenant de la Colombie ainsi qu'un Lypsyl. Il n'y a pas de quoi en apprendre amplement sur ma vie.

La femme verte revient.

— T'es tout propre, va voir Papounet, dit-elle en me tendant à bout de bras un bambin de tout au plus six mois.

En atterrissant dans mes bras telle une boule de quilles, la minuscule fillette sourit aussi largement que la chambre. Mon cœur chavire. Elle me fait penser à ma Laurie lorsqu'elle avait cet âge. Je la berçais tellement souvent. Parfois même si elle dormait. Je voulais en profiter au maximum, tout le monde ressassant sans arrêt que cette période de l'enfance passe toujours vite comme l'éclair. Je n'ai jamais été très porté vers les tout petits bébés de peur de leur faire mal, mais lorsque ce sont les tiens, c'est différent. Je suis plus à l'aise de prendre des bébés depuis que j'ai eu les miens, certes, mais je n'apprécie pas nécessairement l'exercice avec ceux des autres.

Je tiens donc cette petite fille que je ne connais pas un peu carré. Comme quand quelqu'un nous donne un objet dans le seul but qu'on le pèse pour ensuite le lui remettre illico. Non, mais je ne la connais pas. Je ne connais pas ses habitudes, ses manies, sa gestuelle pour signifier les choses. J'ai donc justement l'air d'attendre que la femme-grenouille la reprenne au plus vite.

Claire s'est toujours occupée davantage des enfants que moi jusqu'à environ un an, sauf pour ce qui est de les bercer. Ensuite, je me sentais plus à l'aise, on dirait. Aussitôt les premiers pas faits, la dynamique changeait. Le développement de leur langage m'aidait à mieux comprendre mes enfants et je me sentais plus en confiance dans mon rôle de père. Plus vieux, ils me réclamaient aussi davantage; avant un an, ce n'était que «mamaaan». Pas de quoi valoriser un père dans son rôle. Étrangement, mes enfants se sont mis à ne jurer que par moi au moment où ils ont commencé à toujours dire non. Donc, à tout ce que je leur disais, je récoltais un non. «Tu veux que papa attache tes chaussures?» «NON!» «Tu veux aller à la garderie nu-pieds?» «NON!» «Tu veux apprendre à marcher sur les mains?» «NON!» «Tu veux que papa n'attache pas tes souliers?» «NON!» «Parfait, je les attache, alors.» Le bon vieux temps où je leurrais mes propres enfants à grands coups de syntaxe. Cette petite fille dans mes bras me ramène quatorze ans en arrière. J'en oublie même les ours.

La femme qui avait fui à nouveau à la salle de bain – visiblement, elle ne prévoit pas reprendre cette enfant de sitôt – sort de la pièce. Sans son masque cette fois. Ah oui, il me semblait que sa voix et ses yeux me disaient quelque chose. Ceci dit, je ne comprends pas du tout ce que je fais ici avec elle.

Assis sur une chaise dans le corridor du journal, je tremble comme une feuille. Le poste a été affiché durant à peine une semaine. Ils ont dû recevoir suffisamment de candidatures. «Je vais avoir ce travail!», que je me dis en scrutant ensuite un candidat au fond de la rangée de chaises inoccupées. L'homme d'une quarantaine d'années est parfaitement coiffé et son habit gris foncé sur une chemise bleu foncé lui donne un air de mannequin de pub de parfum. Son visage semble être de cire tellement il dégage une aura de confiance. Il tient un porte-documents bien droit sur ses genoux. Il ressemble davantage à un juriste qu'à un journaliste. Je ne veux pas ressembler à ça dans vingt ans. Non. Le journalisme, j'adore ça et je vais toujours en faire, mais à quarante ans, je veux être établi en tant qu'écrivain et ne faire que des articles à la pige pour arrondir les fins de mois. C'est ce que je veux et c'est ce que je ferai. Je le sais, je le sens. Rien au monde ne pourra m'empêcher d'écrire, d'atteindre mon rêve. Le plan de roman que j'ai commencé avance bien. Ensuite, il ne me restera qu'à l'écrire. Ça va venir.

— Monsieur Alexandre Trudeau.

Je me lève. Je crains à cet instant d'avoir la forme du dossier de la chaise d'imprimée en sueur sur ma chemise. Je me sens trempe dans le bas du dos. On dit que le corps humain est composé de soixante-dix pour cent d'eau. J'ai l'impression d'en avoir laissé un bon dix pour cent sur cette chaise. Je serre la main de l'homme qui est venu me chercher et je le suis jusque dans le bureau de la rédactrice en chef. Rendu là, on m'assigne une chaise devant deux autres personnes en plus de l'homme : la *rédactrice en chef, Mme Grondin, que je ne connais que de réputation, ainsi qu'une autre jeune femme se trouvant à ses côtés.*

— Je vous présente Judith Gingras, qui est à la fois mon adjointe et une excellente journaliste, et qui m'est d'une aide inestimable au journal.

Je détaille cette fille qui a tout au plus deux ou trois ans de plus que moi. Sûre d'elle, elle m'envoie ce regard franc qui vous aligne les pensées. Brunette foncée avec des airs de latino, elle a les cheveux relevés derrière la tête et des lunettes qui lui donnent un petit look coquin.

— Donc, nous sommes prêts à commencer, fait la rédactrice en chef, qui n'a sûrement pas de temps à perdre.

Judith ouvre une chemise, puis elle me lance la première question avec autant de professionnalisme que la femme plus âgée à ses côtés.

Fantasme nᵒ 4 : Judith Gingras
Âge de l'apparition du fantasme : 24 ans

Je n'ai jamais fantasmé sur Judith, il me semble. J'étais déjà en couple avec Claire et nous nagions dans les eaux fraîches du bonheur. J'avais bel et bien obtenu l'emploi, et le premier matin de mon embauche, on m'avait rapporté, à la machine à café, que l'adjointe était rien de moins qu'en couple avec la rédactrice en chef.

Au journal, Judith était davantage une rivale qu'une compagne de travail. Son «poste avec avantages patronaux» la plaçait toujours en tête de peloton pour les articles les plus intéressants, ce qui me causait certaines frustrations. Mais bon, le monde journalistique fonctionne ainsi depuis toujours. Pour tout dire, je n'ai jamais vraiment connu cette femme. C'était comme une intouchable au journal et elle ne fraternisait que peu avec le personnel, étant la plupart du temps enfermée dans le bureau de la rédactrice en chef. J'avoue par contre avoir déjà imaginé de coquins cunnilingus derrière les stores fermés de cette pièce. Rien de plus. Judith a finalement quitté le journal cinq ou six ans après mon arrivée, pour je ne me souviens quel poste à Montréal. Il paraît que sa rupture avec ladite rédactrice en chef l'avait un peu poussée hors du nid.

Ceci dit, je ne comprends pas ce que je fais ici avec elle. Est-elle devenue hétérosexuelle en cours de route? Si cette petite est de moi, forcément. Je souris au poupon confortablement lové au creux de mes bras.

Comme Judith se tient toujours devant moi, elle me dit:

— Anouchka a un truc qui se terminera sûrement tard, et moi, j'ai une journée de fous. Je pense que tu seras tout seul pour souper. De toute façon, si tu reçois de la visite, tu sais quoi faire et quoi dire, annonce-t-elle en me faisant un clin d'œil.

— Ah, d'accord, oui, que j'improvise sans savoir de quoi il retourne.

Soulevant en douceur le bébé, je me lève pour aller explorer le reste de la maison. Je débute par la vue de la fenêtre de notre chambre. Les propriétés nous entourant sont étroites, mais comportent plusieurs étages et la plupart sont faites de vieilles briques. De grandes vignes grimpent tout en hauteur sur la façade du bâtiment voisin. Un air de Provence s'en dégage. En regardant droit devant, j'aperçois ce qui me semble être la croix du mont Royal. Je suis encore à Montréal.

En sortant de la chambre, je découvre un décor splendide. Une maison moderne, mais pas trop, exactement comme je les aime. Claire a plutôt des goûts rustiques-champêtres en matière de décoration et je suis plus de type contemporain. Pas de doute que cette maison est la mienne. Les moulures des portes sont carrées et sans relief, les planchers tous pareils, en grosses lattes de bois foncé. La cuisine, très simple mais pratique, est ornée d'un îlot en quartz gris foncé. J'adore. Je ne dirais pas que nous sommes riches, mais nous sommes plus en moyen que dans ma vie actuelle, du moins la maison semble plus récente. Si nous sommes tous les deux journalistes pour une grosse boîte de la métropole, nous devons encaisser un bon revenu familial.

Je remarque rapidement que le salon semble aménagé au complet pour la petite. On retrouve un grand tapis de jeu en mousse taillé en forme de casse-tête au sol, ainsi qu'une petite glissade dans un coin. De grands bacs de jouets longent aussi le mur près d'une grande fenêtre. Avons-nous un seul enfant ? Sûrement pas. Je regarde tout à coup la petite dans mes bras. Non mais, j'ai toujours bien quarante-quatre ans. Comment se fait-il que nous ayons décidé d'avoir un enfant si tardivement ? Judith m'a parlé d'une Anouchka tout à l'heure, est-ce notre deuxième enfant ? Drôle de prénom. Une plus grande, peut-être, étant donné qu'elle était à la salle de bain seule.

Comme la petite dont je ne sais même pas le nom se met à chigner un peu, je déduis qu'elle me demande de la nourrir. Ça fait longtemps tout ça. Je la place dans une chaise haute près de l'îlot en lui disant :

— Bon, trouvons du lait, mon bébé. Tu bois encore du lait à ton âge, oui ?

Dans le frigo, tout y est. Des biberons en quantité industrielle et des plats de plastique semblant contenir des purées de fruits maison. Une horde de pots pour bébé se trouve aussi sur l'étage supérieur. En sortant le nécessaire, je remarque un truc qui me réjouit : une cocarde portant le logo de Radio-Canada. Wow. Je suis journaliste pour la Première Chaîne. Impressionnant. Je me demande dans quel service. Je suis peut-être même reporter télé. Ah, bien ça, alors !

Puisant très loin dans ma mémoire pour me rappeler la marche à suivre, je réchauffe le lait – pas trop longtemps –, puis je teste sa température sur mon poignet. J'ajoute un peu d'eau tiède aux céréales que j'ai dégotées dans l'armoire en regardant l'heure. Décidément, je semble être responsable de la routine du matin, car Judith ne vient même pas à la cuisine pour m'aider. Je dois commencer à travailler plus tard.

Une femme surgit alors dans la cuisine.

— Bonjourrr !

Bonté divine.

Mesurant au moins six pieds, la femme aux cheveux presque blond-blanc avance vers moi tel un grand cygne s'élevant vers les cieux. Le petit contenant de céréales dans les mains et la bouche grande ouverte, je suis littéralement hypnotisé par la grande classe qu'elle dégage. Sa taille impressionnante lui donne un petit quelque chose d'inaccessible. Ses pommettes saillantes entourant de grands yeux en amande de couleur noisette forment un triangle parfait avec ses lèvres voluptueuses d'un rose tout aussi parfait. Elle a le visage que toutes les femmes qui se font *lifter* rêvent d'avoir. Mais elle n'est pas *liftée*, car elle ne semble même pas avoir encore trente ans. Juste un peu trop vieille pour être ma fille, en fait. Son accent, son prénom, de même que son allure me laissent croire qu'elle est possiblement russe ou scandinave.

— Merrrci, fait-elle en me prenant le pot de céréales des mains pour commencer à nourrir le bébé.

Ah. Je crois qu'elle travaille pour nous. Mais elle habite ici ? C'est clairement inhumain pour un homme d'avoir une nounou de cette trempe à temps plein sous son toit. Je suis un bon père et un mari fidèle, mais taboire, c'est de loin une des plus belles femmes que j'ai vue de ma vie. Je présume qu'à la longue on s'y fait.

Le **Gazon**

M'étant reculé pour lui laisser la place, je reste en retrait, observant ses longs bras filiformes se mouvoir comme ceux d'une ballerine. Le simple fait de la voir bouger et respirer relève d'une expérience transcendantale. Sa nuque, où l'on voit poindre les os de ses cervicales, semble raconter à elle seule un conte de fées. La base de sa mâchoire carrée, que je vois à la pointe de ses cheveux coupés juste à ce niveau, me rappelle celle de Claudia Schiffer au sommet de sa carrière, dans les années quatre-vingt-dix. Oui, c'est ça, elle ressemble à Claudia.

On sonne à la porte. Claudia toupille comme une princesse des *Mille et une nuits* pour me tendre le récipient de céréales, puis elle entrouvre les bras pour s'envoler en valsant vers la porte. Pas de doute, cette femme descend tout droit du ciel.

— Bonjourrr, fait-elle en accueillant une femme avec un bébé dans les bras.

Anouchka prend aussitôt le bambin. La maman embrasse son enfant, puis elle dépose un sac à couches sur le tapis de l'entrée.

— Bonne jourrrnée, fait ma nounou avec professionnalisme avant de refermer la porte.

Comprenant à peine ce qui se passe, je la regarde se diriger vers deux grandes portes faisant face à la cuisine, qu'elle ouvre d'une main, étant donné qu'elle tient toujours le bébé dans ses bras. Elle en ressort une chaise haute sur roulettes qu'elle pousse vers l'îlot. En fait, le placard qu'elle vient d'ouvrir renferme quatre autres chaises hautes. Pourquoi quatre ?

Elle installe la chaise tout près de bébé numéro 1, alias ma fille, puis elle y glisse bébé numéro 2, qui arbore une drôle de couette de cheveux sur le devant de la tête. Comme s'il était chauve, mais avec seulement une mèche. On dirait le toupet d'Ace Ventura sans le reste.

Ceci dit, Anouchka garde donc d'autres enfants? Ici, chez nous? Ah, et puis pourquoi pas. Peut-être que nous payons cette nounou à plusieurs familles dans le quartier? Ce serait une belle idée de partage communautaire des ressources.

Bébé Ace Ventura me fixe alors un petit moment.

— Bonjour, toi.

Il grimace et se met à pleurer.

— Mais non, mais non.

Ma fille, qui entend son copain pleurer, décide de faire de même. Bon. Heureusement qu'Anouchka arrive à ma rescousse et planque une suce dans la bouche d'Ace Ventura, apaisant illico sa crise, ainsi que celle de bébé numéro 1, qui se tait par procuration.

On sonne une fois de plus à la porte. Claudia Schiffer, que je n'ai même plus le temps d'admirer étant donné la rapidité du déroulement de la scène, se dirige à nouveau vers la porte. Elle accueille cette fois-ci un papa et son fils d'environ deux ans. Après quelques consignes quant à l'opposition dont fait preuve son fiston depuis les derniers jours, le papa quitte la maison sans plus de formalités. J'observe le petit gars, qui reste près du divan.

— Bonjour !

— Na ! me répond-il.

— Bon, pas bonjour alors.

— Na !

— Je vais continuer à nourrir le bébé, moi.

— Na !

Décidément.

Anouchka disparaît dans le corridor. Ouin. Il ne faudrait pas qu'elle me laisse trop longtemps avec cette marmaille. C'est trop pour moi. Ace Ventura lance alors sa suce à bout de bras comme un hameçon sans canne à pêche. Le petit garçon rit de la scène avant de se mettre à lécher le derrière du divan. Je mets en pause le repas de bébé numéro 1 afin de rincer la suce de l'autre.

On sonne encore à la porte. Je jette un coup d'œil vers le corridor.

Mais où est passée Anouchka, pour l'amour ?

J'ouvre moi-même la porte. Une femme à l'air pressé comme pas une me balance comme un paquet trop lourd une autre petite fille d'environ un an.

— Bonjour, Alexandre ! Elle a mangé juste avant de venir ici ce matin, elle avait très faim, la grosse bougresse à sa maman ! Bonne journée !

— Au revoir, que je fais en fixant la fillette, qui me sourit.

Je jette un œil au garçon, dont la langue est toujours étalée sur le cuir du divan. Mon simple regard lui fait crier un autre :

— Na !

Pour donner un coup de main à notre bonne qui a fui, je sors une troisième chaise haute, que j'aligne avec les autres, et j'y place bébé numéro 3.

Judith arrive dans la cuisine.

— Bonjour, tout le monde !

Elle démarre la machine à café sous laquelle elle insère un thermos en inox.

— Où est Anouchka ?

— Je sais pas, marmonne-t-elle, désintéressée.

— C'est que...

Et Judith quitte à nouveau la cuisine sans me porter plus d'attention. Je termine ma phrase même si elle n'est plus là :

— ... je dois aller me préparer pour le travail, du moins, j'imagine.

Au même moment, j'entends un cafouillage se produire : bébé numéro 1 vient de lancer au sol le contenant de céréales que j'avais laissé sur la table de sa chaise haute. Bébé numéro 3, qui a fait un saut, se met à pleurer. La sonnerie de la porte se fait entendre. À ce son, le petit garçon crie un autre « Na ! » à je ne sais qui avant de se remettre à lécher le cuir du divan. Anouchka revient dans la pièce au même moment. Elle ramasse le dégât au sol pendant que je me dirige vers la porte. Cette fois-ci, on vient livrer une petite fille d'environ deux ans et demi qui éternue dans mon visage en guise de bonjour. Sa mère nous envoie sans aucune ponctuation quelques directives et renseignements concernant une mauvaise nuit et un réveil un peu difficile, puis elle quitte la pièce. Le dégât de ma fille ramassé, Anouchka avance vers le gamin de 2 ans pour lui dire :

— Mais nooon, pas lééécher.

Sa façon de prononcer en toute lenteur le mot « lécher » en allongeant à outrance le « é » me fait tomber dans la lune de façon tout à fait inopportune, compte tenu de la ribambelle de tout-petits m'entourant. Même le lécheur de divan semble sous son charme ; la langue sortie, il la fixe. Anouchka s'envole encore vers le corridor. La nouvelle venue trottine vers le salon, puis elle ouvre un bac de jouets dont elle commence à vider le contenu tout en faisant un bruit de moteur de voiture avec sa bouche. Le petit garçon, qui semble trouver son projet intéressant, rapatrie sa langue dans sa bouche et il se dirige vers elle en s'opposant tout de même à ses réalisations en articulant un impitoyable : « Na ! »

En moins de deux, Judith revient. Elle agrippe le thermos, ses clés et une sacoche posée sur le rebord du divan. Anouchka revient aussi. Je suis étourdi. Ace Ventura lance sa suce sur la table de bébé numéro 3, qui rigole en voyant le projectile atterrir devant lui en surprise.

— Bonne journée, fait Judith. Comme je t'ai dit, tu souperas tout seul ce soir. Je t'appellerai pour voir si tout va bien. T'es prête, ma belle?

— Oui. Bonne jourrrnée, m'envoie la nounou.

Tout va si vite que je peine à comprendre ce qui se passe. La fillette qui vidait le bac de jouets tranquillement se met alors à pleurer. Elle tire de toutes ses forces sur un ourson en peluche que le petit garçon à la monosyllabe tente de lui arracher. Il rugit comme une lionne défendant son petit. Judith se dirige vers la porte. Elle revient finalement vers la cuisine en disant:

— Oh, j'oubliais!

Puis, elle attrape la cocarde de Radio-Canada.

Les deux femmes quittent la maison.

Merde.

Un cauchemar. C'est un vrai cauchemar.

Ayant grand besoin de réfléchir, je m'assois sur le divan, laissant ainsi toute la marmaille en plan. Bon. Du calme. On respire. J'habite avec une femme peut-être en couple avec une Claudia Schiffer russe de vingt ans de moins qu'elle, et j'ai eu un bébé avec l'une d'elles, car ce matin la femme au visage vert grenouille a vraiment dit «papounet» en venant me porter la petite. Le bébé est celui de qui au juste? Probablement d'Anouchka, étant donné son plus jeune âge. Je reçois un coup de poing du diable. Comment l'insémination s'est-elle effectuée? Ai-je couché avec elle? Et pourquoi j'habite avec ces deux femmes? De nos jours, les inséminations sont chose courante, mais il me semble que les propriétaires du sperme impliqué ne déménagent pas avec les futurs parents. Et toute cette histoire de garderie? C'est moi la nounou? Impossible. J'aime les enfants, mes enfants. Pas ceux des autres. Comment est-ce possible que je fasse ce métier? D'emblée, je ne sais même pas quoi faire. À la maison, quand les enfants étaient aussi petits, Claire me donnait certaines directives: « Donne-lui à manger, la purée de patates douces est dans le frigo, c'est le pot au couvercle rouge sur le dessus des œufs. » Et je le faisais. Ou encore: « Change la petite et donne-lui son biberon autour de dix heures. Il est dans le frigo. Tu dois le mettre cinquante secondes dans l'eau chaude. » Bref, j'avais un cadre, des étapes précises, une personne de référence à contacter en cas d'urgence, soit ma femme. Je ne me rappelle même pas à quelle fréquence ça boit, les bébés de six, de neuf et de douze mois, comme les trois spécimens qui se trouvent ici.

Pour les deux ans et plus, ça va. Je me tourne vers la petite fille qui continue de vider le bac sur le plancher, le litige à propos de l'ourson étant désormais chose du passé. Le bambin l'a abandonné au combat afin de lécher avec motivation le côté de la boîte de jouets.

— Liche pas ça, mon grand.

— NA! me crie-t-il, toute langue sortie.

— Parfait, je t'emmerde plus.

Comment vais-je faire pour passer à travers cette journée? C'est inimaginable, à mon avis. L'essentiel reste de les garder tous en vie et de les rendre pas trop amochés à leurs parents respectifs.

J'aperçois du coin de l'œil qu'Ace Ventura a finalement décidé que sa suce allait entrer au complet dans son nez. Son plan étant accompagné d'une démarche concrète, il tente d'effectuer la manœuvre en poussant très fort avec ses deux mains. Ambitieux projet. Bébé numéro 3, à sa gauche, épie la scène de biais, l'air impatient d'assister au dénouement. Ma fille, à droite de Ventura, semble aussi bien curieuse quant à la réalisation ou non de cet exploit nasal.

— Non, non, non, que j'interviens finalement en le voyant pousser l'objet avec beaucoup trop de vigueur.

J'aurais été curieux aussi de voir si ça fonctionne, mais pas de là à devoir recoudre une narine en échange. Une pensée me frappe alors de plein fouet : je ne connais le nom d'aucun de ces enfants. Même pas celui de la soi-disant mienne. Je ne peux quand même pas les appeler «eille, chose» toute la journée.

Ace Ventura se résigne, à son grand désespoir, à savoir que l'objet n'arrivera jamais à entrer en entier dans son nez, puis le balance au bout de sa chaise haute avant de tendre un bras vers ma fille en pleurnichant. En guise de consolation à la suite de son échec, ce n'est pas ma fille qu'il mire, mais bien le bol de céréales pour bébé reposant sur le comptoir devant elle.

— Bon, vous avez tous faim, j'imagine. Vous, avez-vous faim ? lancé-je en direction des autres au salon.

— Na !

La petite fille ne répond pas, continuant de faire avancer dans les airs un poisson en plastique.

Bah. Je laisse les plus grands en plan. S'ils ont faim, ils me le démontreront. L'instinct de survie doit être développé un minimum à cet âge, il me semble.

Je me rappelle alors qu'un des bébés a déjà mangé. Un parent a dit ça, tout à l'heure. Était-ce la deuxième maman ou la troisième ? Je n'y ai pas vraiment porté attention. Dans ma tête, je m'en allais à Radio-Canada enquêter sur des dossiers publics importants. Je ne restais pas ici à gérer des introductions de suces dans le nez et du léchage de divan. Je vais les nourrir tous les trois pour être certain.

```
9ʜ27
```

— Eh, taboire, que je fais en apercevant la petite qui régurgite une fois de plus sur son abdomen un liquide gluant blanchâtre et rosé.

Bon, le lait et la purée blanche de je ne sais quoi étaient de trop, car elle a tout renvoyé et ça se poursuit de plus belle. Elle ne semble pas s'en porter plus mal, car chaque fois qu'elle régurgite, elle sourit ensuite. Pauvre petite. Moi qui croyais que les bébés étaient des tubes digestifs sans fin ; je sais maintenant que ce n'est pas le cas. Le tube a bel et bien une fin.

— Tu diras pas à ta maman que je t'ai gavée comme un canard, han? Pourquoi tu continuais à manger, aussi?

La machine à laver est dans une salle d'eau pas très loin de la cuisine. Je dois aller y foutre les vêtements du petit canard, ainsi que ceux du petit garçon, qui a fait un caca débordant tout à l'heure. Il porte pourtant des culottes d'entraînement qui m'avaient laissé croire qu'il était en apprentissage de la propreté. Ceci dit, pas un mot n'a été prononcé pour annoncer la venue de ce monstrueux cadeau. Au diable la pédagogie à ce sujet aujourd'hui, j'ai autre chose à faire que d'applaudir en dansant pour un caca fait dans le petit pot[9].

Je jette un coup d'œil à mon groupe d'amis, assez calme pour le moment; les plus petits sont toujours dans leur chaise et les plus grands au salon. Je cours les genoux dans le front vers la laveuse. Je reviens à bon port en constatant un petit problème à l'horizon. Je me retrouve avec deux enfants à moitié nus à rhabiller, je dois donc associer les sacs à couches à qui de droit. Ça non plus, je n'y ai pas porté attention tout à l'heure. Bon. Voyons voir. Je distingue rapidement les sacs des plus vieux; garçon et fille, c'est facile.

Au moment où j'avance vers le gamin qui se tient près de la fenêtre avec un pantalon propre en main, il me menace d'un «Naaa!» prévisible.

---

9. À main levée, qui sont les parents qui ont déjà dansé ou chanté comme des demeurés pour un caca?

Le Gazon

On sonne à la porte. Ah non. Si on amène un exemplaire sur quatre pattes supplémentaire, je vais craquer. En ouvrant la porte, tenant toujours le petit pantalon, je me réjouis d'apercevoir un homme sans enfant. Il porte un sac scellé, assez gros, orné du logo de la compagnie Couche verte.

— Salut, Alex, me dit le gars d'un ton bien familier.

— Salut.

— Cette semaine, nous avons collecté les contributions de trois compagnies. Tout le monde est bien content des tableaux et des échéanciers proposés.

— Hein?

— Comme d'habitude.

Puis, il me pointe le sac en me faisant un clin d'œil et poursuit:

— Tu lui diras que dès qu'elle sera engagée dans la course, une partie des contributions sera versée directement, pour les reçus. Ils ont une liste d'au moins vingt-cinq sous-compagnies pour effectuer les paiements et, pour le reste, on continuera comme ça. Tu sais quand l'annonce sera faite?

Complètement dans le néant, je réponds d'instinct:

— Non.

— Qu'est-ce qu'il fait, au juste? me demande le type en fixant le petit garçon en couche qui lèche maintenant la vitre de la fenêtre du salon.

— Simple petit problème de lèche-vitrine.

— Bizarre, ça. Fernando viendra tout à l'heure pour la contribution de son équipe, mais je sais pas à quelle heure.

— D'accord.

— Le plan est parfait, votre histoire de garderie aussi, je te jure. Qui pourrait se douter de quoi que ce soit!? Trop fort!

— ...

— Bon, je te laisse. Bonne journée, fait le type en m'envoyant une œillade me signifiant que quelque chose cloche à l'îlot.

— Bye.

Je me tourne pour constater que la petite qui a trop mangé vient de régurgiter une ultime fois sur la tablette de sa chaise haute. Elle semble à présent somnolente, la tête à deux centimètres de son vomi. Je cours la nettoyer en espérant que c'était bel et bien la dernière fois.

Les vêtements de petits garçons et de petites filles pouvant être bien similaires à cet âge, je lui enfile les premiers que je trouve dans un des sacs posés près de la porte. Je l'installe ensuite dans le salon, près des deux autres. Je nettoie à la hâte Ace Ventura, qui tente toujours et à jamais d'insérer sa suce dans son nez. Un esprit compétitif qui ne digère pas l'échec.

Tandis que je termine de mettre le petit propre, je regarde ma fille en tentant de deviner si elle est de Judith ou d'Anouchka. Difficile à dire à cet âge.

Trêve de questionnements, je l'amène ainsi que l'autre au salon, question de regrouper au maximum les troupes pour diminuer mon spectre de surveillance. Je suis déjà épuisé. Tout le monde papote tranquillement, les bébés jouant avec des peluches et des figurines diverses que la petite extirpe toujours de façon compulsive de la boîte. Le bambin qui a refusé ferme de s'habiller a quitté sa mission de laveur de vitres pour jouer au sol avec les autres.

Je m'assois sur le divan face à eux, histoire de souffler un peu.

Entre ciel et terre

— Monsieur Alexandre !? Mais qu'est-ce que vous faites ici, pour l'amour de Shiva ? gueule l'Indien, un bras en l'air pour montrer sa consternation.

— Hein ? Quoi ? que je fais en constatant que je me retrouve une fois de plus sur mon divan dans le ciel.

— Quel gardien irresponsable vous faites !

— C'est terminé ? Merci, mon Dieu ! Je savais pas comment j'allais réussir à passer à travers cette journée !

— Ce n'est pas terminé du tout ! Vous vous êtes seulement endormi sur le divan.

— Ah non. Je veux pas y retourner. Je vous en prie, c'est trop pour un seul homme.

— Écoutez, non seulement vous allez y retourner, mais croyez-moi, la fin de cette journée en vaudra la peine, si vous voyez ce que je veux dire, annonce mon jardinier en me faisant un clin d'œil.

— Ah oui ? Et pourquoi ce rêve implique Judith au juste ?

— Écoutez, entre quatorze et vingt-quatre ans, vous avez fantasmé sur tellement de femmes qu'on en a perdu le fil. J'y suis donc allé avec elle un peu par hasard, je dois l'avouer.

— Eh ben. Et aussi, dis-moi donc, qui est la mère de la petite ?

— Quelle importance ça a ? Allez ! Vous retournez en bas de ce pas ! Hop !

Puis je tombe.

— Na !

L'éternel cri d'opposition me réveille. Je reprends vite mes esprits. Quel irresponsable je suis, comme dirait l'autre. S'il avait fallu qu'il y en ait deux ou trois qui meurent pendant ma sieste ? Cette vie aurait tourné au cauchemar. Ça me fait dès lors penser à un secret que je n'ai jamais révélé à Claire : une fois, lorsque je faisais la sieste avec Laurie dans la chambre – elle avait juste quelques semaines de vie –, je m'étais réveillé à moitié couché sur elle. La pauvre petite était toute recroquevillée sous les deux cents généreuses livres de son insouciant de père. J'y repense et j'ai des frissons. Pauvre chaton. Elle dormait paisiblement, mais si j'avais bougé un peu plus vers la droite dans mon sommeil, je l'aurais peut-être écrasée. Je me demande si je suis le seul père à porter ce genre de secret. Je vous jure qu'après cet épisode, le cododo avec mes enfants fut terminé.

Ceci dit, ce n'est pas vraiment mieux de dormir avec cinq poupons à sa charge. Je ne suis pas très fier de moi.

J'observe mon équipe. L'état de celle-ci plutôt. La petite qui vidait compulsivement la boîte de jouets regarde un livre dans le coin du salon. Ma fille dort sur un tapis de sol à côté de la fillette qui était malade, qui dort aussi, mais dans une position étrange. Elle est sur le dos, cependant ses bras sont droits vers le ciel. On dirait un zombie, mais à l'horizontale. Plus loin, Ace Ventura tente à présent de se rentrer un Lego en forme de croix dans le nez, aidé à bout portant du petit gars qui dit toujours non. Comme il est physiquement impossible que leur entreprise fonctionne, je décide de les laisser faire. Par la méthode « essai-erreur », ils constateront bien l'improbabilité par eux-mêmes. Prônons l'autonomie. Je m'approche de la petite fille zombie pour vérifier qu'elle respire bien. Étant donné que je l'ai suralimentée, peut-être est-ce là un triste effet secondaire. Comme sa respiration est régulière et que tout semble normal, je baisse doucement ses petits bras, qui se rabattent aussitôt vers le ciel, comme propulsés par des ressorts. Elle a des spasmes ou quoi ? Une rigidité des membres supérieurs ? Je la tourne un peu sur le côté pour éviter qu'elle ait des crampes et je place un petit oreiller en amoureuse entre ses deux bras.

En me retournant vers la cuisine bordélique, je remarque le sac de livraison que j'ai reçu tout à l'heure. Comme je n'ai rien compris à cette histoire, je décide de l'ouvrir.

J'y découvre des couches de tissu lavables. Chaque personne qui se soucie un minimum de l'environnement se dit : « Quand je vais avoir des enfants, c'est ce genre de couches que je vais utiliser ! » Mais une fois le bébé au monde, quand on réalise tout ce qu'il y a déjà à faire juste pour assurer la base, on fait *fuck off*. Claire a tenté le coup à peine deux semaines avec Laurie. Elle flottait dedans, pauvre enfant. Je ne sais d'ailleurs pas pourquoi je reçois ça, car aucun des enfants ici n'en porte, pas même ma fille. J'agrippe une couche pour la regarder de plus près. Comme elle est ultra lourde, je l'ouvre. Quelle n'est pas ma surprise d'y trouver une enveloppe brune. Trop curieux, je la déchire. J'en extirpe une liasse de billets de cent dollars bien repassés. Il doit bien y en avoir pour deux ou trois milliers de dollars. J'agrippe la couche suivante, qui camoufle le même genre d'enveloppe au contenu similaire. Vu la quinzaine de couches, il doit bien y en avoir pour au-dessus de trente mille tomates.

Je remets finalement le tout dans le sac, à la hâte, mes mains s'embourbant dans les velcros des couches. Je transfère ensuite les vêtements propres des enfants dans la sécheuse. Claire ne met jamais rien dans la sécheuse outre les draps, et ce, juste l'hiver. Moi, je mets tout dans la sécheuse[10]. Je cache le sac de couches dans la laveuse encore humide. J'y verrai plus tard.

J'entends un téléphone sonner. Ce rêve occupé a l'avantage de m'avoir fait décrocher de la technologie ; je n'ai pas vu mon téléphone depuis mon réveil. Je m'oriente donc dans la maison au son, puis je le retrouve sur une étagère dans le corridor. C'est Judith.

— Oui, allo ?

— Alex, on a un imprévu. Le journaliste qui devait passer dans une semaine propose de passer aujourd'hui, comme dans bientôt. Je crois même qu'il est en route. Comme la rétention de la nouvelle ne saurait tenir encore longtemps – tout au plus lundi prochain –, le comité à l'image publique a jugé que ce serait bien que l'article sorte aussitôt l'annonce faite. Le lendemain, genre. Est-ce que tout roule à la maison ? Je veux dire les enfants vont bien ? C'est une bonne journée ? Ça paraîtra bien pour les photos ?

— Oui, tout roule, sauf un des petits qui refuse de mettre son pantalon.

— Excellent ! Tu diras que notre centre de la petite enfance prône la prise de décision et l'affirmation de soi. De toute façon, tu connais le jargon, on a assez répété. T'as reçu la livraison ?

---

10. Ah. On comprend à présent mieux cette interdiction de faire la lessive…

— Euh, oui. C'est quoi ?

— Cache ça.

— Oui, mais dis-moi, c'est quoi ?

— Les couches des enfants. Super, je te rappelle plus tard, je suis en ondes dans dix minutes. Bye.

— Bye.

Le cerveau dans la mélasse, je raccroche. Je n'ai même pas le temps de me faire une tête à propos de la situation que l'on cogne de nouveau à la porte. Elle avait dit « bientôt », c'est plutôt maintenant, je dirais. En ouvrant la porte, je fais un saut.

— Bonjour, monsieur Trudeau. Cathy Gagnon du *Journal de Montréal*.

C'est le « petit minou » de ma vie d'écrivain célèbre.

— Bonjour.

— Na ! crie l'autre du fond du salon.

— Sois gentil, mon grand ! Déjà qu'il ne veut pas s'habiller aujourd'hui. Mais vous savez, ici, nous prônons la liberté d'expression et le libre arbitre dans le domaine vestimentaire, que je baragouine, plus certain des mots exacts suggérés par Judith.

— Où voulez-vous que nous nous installions ? fait avec professionnalisme la jeune journaliste aux lèvres rouges.

Disons que je l'ai déjà connue plus chaleureuse à mon égard. Surtout avec mon pénis presque dans sa bouche, dans la Tesla.

— Euh, au salon avec les enfants?

— Parfait! Voici justement le photographe.

Cathy ouvre elle-même la porte au type qui cogne, l'air de vouloir bien faire les choses.

Au même moment, je réalise que je suis encore en pyjama.

— Surveillez les enfants, je reviens.

Ayant tout de même une certaine fierté photogénique, j'enfile à la hâte un chandail et un jeans.

Je rejoins le photographe et la journaliste qui fixent les enfants avec une perplexité comparable à celle de Normand Laprise devant un bol de Kraft Dinner froid présenté à la finale de l'émission *Les Chefs*. Le petit zombie qui dort les bras tendus fait maintenant des bruits de didgeridoo avec sa bouche aux côtés des deux gamins, toujours à fond dans leur expérimentation qui consiste à entrer le coin du doudou de ma fille dans le nez d'Ace Ventura.

— Ha! ha! ha! Vous savez, les enfants… Bienvenue dans mon quotidien. Les garçons!? que je fais en direction des gosses, afin qu'ils cessent leur manège d'enfouissement nasal.

Les photos devant être prises en premier pour libérer le photographe, je m'installe au sol, au centre des enfants, mes jambes juste devant la morte-vivante, question de cacher un peu sa drôle de posture à l'objectif. On dirait qu'elle est morte gelée dans la glace en Sibérie. Ça pourrait porter à confusion. J'invite la petite qui lit à venir sur moi. Elle accepte. Bien que ce soit pour la photo, je suis content de l'avoir sur moi. Une vague de doux souvenirs avec mes enfants envahit mon espace. Elle sent le bébé. Je passe mes doigts dans ses petits cheveux fins, que sa mère a attachés avec une minuscule barrette en forme de boucle sur le dessus de sa tête. Je tourne les pages du livre sous son regard attentif en commentant ce que nous y découvrons. Le type prend alors quelques clichés pendant que Cathy relit ses notes dans la cuisine. Curieux de notre activité, le petit bonhomme sans culotte s'approche pour venir s'asseoir près de moi. Ma fille dort toujours au sol. Ace Ventura, qui se contrefout de la période de lecture, roule par terre comme une chenille.

Sans trop savoir pourquoi, je regarde le type prendre ses photos et je ressens une grande fierté. Ces enfants que je connais à peine me remplissent le cœur de joie. Même si je ne les ai rencontrés que ce matin, je les connais tout de même un peu. Leurs petites habitudes, leurs manies, leurs caractères. Ils me touchent. Je m'occupe d'eux tous les jours dans cette vie. Même si c'est encore dans bien longtemps, je songe au moment où je serai grand-père. Le rêve. Ne se soucier de rien, sauf d'avoir du plaisir avec les enfants. La chair de ma chair, mais sans la lourde responsabilité de les éduquer au quotidien. Il y a quelque chose de très noble dans tout ça et de très logique à la fois. Le dessert après avoir été parent. Une lignée familiale qui écrit les pages de son histoire sur terre. Une rangée de bourgeons supplémentaires à la cime de l'arbre.

La journaliste, qui revient vers nous, dérange mon introspection généalogique.

— Comment il s'appelle? demande-t-elle en me pointant Ace Ventura.

— Euh… Xavier! que j'invente à brûle-pourpoint.

À ce moment, je remercie le ciel que les petits soient tous trop jeunes pour être conscients de la situation.

— Xavier! Le beau Xa-vier!

Comme le petit ne réagit pas une miette à son air gaga, elle s'étonne:

— Voyons?

— Il est tellement dans sa bulle, celui-là, que j'improvise.

Le petit, qui semble réaliser que tout ça le concerne, se tourne vers la journaliste, qui l'interpelle encore une fois:

— Xaaavier!

Ace Ventura lui exécute alors une face de «Pourquoi tu m'appelles Xavier, connasse?» digne de mention.

Ils ne sont peut-être pas si inconscients que ça, finalement.

Cathy commence l'entrevue avec des questions concernant la garderie. Je ne connais tellement pas les détails de cette vie que je pressens que cet entretien sera bien divertissant. Avant de partir tout à l'heure, le photographe m'a dit que sa femme m'admirait beaucoup pour l'ensemble de mon œuvre. Elle est tannée de payer pour les autres à ce qui paraît. Comment se fait-il que sa femme me connaisse? Et qu'est-ce que je fais de si admirable? Aucune idée. Je décide de jouer le fin renard et de manipuler un peu l'entrevue pour en apprendre davantage. Je suis journaliste, donc éloignez-vous et regardez faire le professionnel.

— Ça va si on se tutoie? me demande-t-elle.

— Oui, absolument, mais avant d'aller plus loin, dis-moi ce que tu sais à propos de moi, pour que je n'aie pas besoin de tout répéter.

Je me trouve brillant. Excellente stratégie.

— Je sais tout ce que t'as déjà dit en entrevue précédemment, j'ai presque tout lu et écouté avant de venir te rencontrer.

Zut. Échec. Je tente une autre question.

— T'étais pas au culturel avant, toi?

Elle pose la petite pile de feuilles sur ses genoux et lève des yeux mitigés vers moi, comme si elle troquait soudainement son professionnalisme pour un élan de confidence.

— Oui, j'y suis toujours. Écoute, on m'a refilé ton entrevue ce matin. J'ai pas lu ton livre, mais le collègue qui devait faire l'entrevue m'a tout écrit ce que je devais te demander. Moi, ce que je connais le mieux, c'est la culture, tsé, les lancements, les premières, les tapis rouges, les vedettes.

— Ah oui, je vois.

La culture, mon œil. Les gens riches avec des Tesla, oui. Pendant un instant, je revois ses lèvres pulpeuses se penchant vers mon sexe dans l'auto…

Comme si elle sentait que je cultive certaines pensées troubles à son égard, elle toussote, puis se détourne avant de relever les épaules.

— Même si je me sens mal préparée par manque de temps, l'entrevue avec toi tombe du ciel pour être honnête. J'ai l'impression des fois qu'on me considère juste comme la petite journaliste du culturel. J'aimerais ça prouver que je peux faire autre chose… Eille, excuse-moi, j'ai pas à te raconter ça.

— Ah, ça va. Je comprends tout à fait.

J'admire sa détermination. Je la jugeais un peu au départ et j'avais tort. Revenons à nos moutons. Je suis curieux. J'ai donc fait des entrevues dans le passé. Et j'ai écrit un livre finalement. À propos de quoi ? Mon métier marginal ? Un homme et cinq couffins ?

Je l'encourage à poursuivre, certain qu'elle laissera couler des indices sans s'en rendre compte.

— Ta femme est chef d'antenne, au bulletin du midi à Radio-Canada, comme tout le monde le sait, mais que penses-tu de son abandon de tout ça pour faire le grand saut en politique?

Ah, voilà le pot aux roses. La nouvelle qui va sortir. Elle est chef d'antenne, wow! Elle abandonne ce poste prestigieux pour la politique? Bon sang. Je me demande pour quel parti. Judith est donc ma femme légitime. Comme tout va vite dans ma tête, j'improvise n'importe quoi pour jouer le jeu.

— Elle en rêve depuis si longtemps que je suis très content pour elle. Les gens de politique ont ça dans le sang; c'est impossible de leur enlever la volonté de se mettre au service du peuple pour le bien de leur pays.

— Justement, à ce sujet, la première question de mon collègue est juste ici. Je vais te la lire: «Dans votre essai politique intitulé *Un Québec libéral fort pour une élévation de l'élite*, vous avez un peu le même genre de discours idéologique qu'elle, surtout en ce qui a trait aux changements radicaux à effectuer au Québec et au Canada pour en arriver à un redressement économique favorisant la capitalisation de nos actifs. Ne trouvez-vous pas ça un peu trop de droite pour l'essence même des valeurs parfois marginales du peuple québécois?» C'est long un peu comme question, hein?

Quoi? Comme elle a sorti ledit bouquin de sa mallette en me posant sa question, je le lui arrache des mains comme un sauvage. Je fixe avec horreur le nom de l'auteur de ce torchon de six par neuf pouces. Un «Alexandre Trudeau», tout en haut, et rien de moins qu'en grosses lettres, me saute en plein visage. Une photo me représentant derrière la jaquette confirme indéniablement mon implication dans ce truc débile. Veston, cravate, le dos bien droit, les cheveux bien léchés. Mais qu'est-ce que c'est que cette merde en papier, pour l'amour de Dieu ? Dites-moi que je rêve ? Ah, ça oui, je le sais, je rêve, mais dites-moi que je n'ai pas écrit un essai politique de droite prônant le capitalisme ? Pitié.

Faisant faux bond à la question de la journaliste, je feuillette à la hâte la table des matières. Les titres de chapitres et les sous-titres me découragent tout autant que le titre du livre en soi. *Un Québec libéral fort pour une élévation de l'élite*. Franchement. À ce compte, je préfère, et de loin, *Sang qui coule n'amasse pas frousse*. Non mais, avec un titre pareil, je sous-entends quoi ? L'envoi de la classe moyenne à l'abattoir ? La création de dépotoirs à ciel ouvert pour loger les gens dans le besoin ? La chaise électrique pour les homosexuels, les handicapés et les gens de plus de soixante-dix ans ? L'empaillement des enfants autistes pour faire des clôtures artistiques dans le parc du Mont-Royal, tant qu'à y être ? J'ai honte. Tellement que je cache un peu le livre contre moi par réflexe.

J'ai l'air si traumatisé que Cathy adopte un silence éloquent. Elle relit la question dans sa tête en fronçant les sourcils.

— En résumé, trouves-tu que les idées de ton livre sont un peu trop de droite pour le Québec ?

Ce n'est tellement pas moi, ce livre. Dans la vie, mon idole est Jean-Martin Aussant. J'ai même versé une larme à son retrait de la vie politique. Pour moi, c'était le *leader* que ça prenait pour le Québec. J'avais même repris espoir en la politique grâce à lui. Des valeurs de gauche, ça, c'est moi.

Comme si la journaliste flairait mon malaise, elle enchaîne avec la deuxième question de sa liste en lisant à nouveau, histoire de bien faire les choses :

— « Dans votre ouvrage, vous prônez la privatisation du réseau de la santé au complet, dont l'instauration d'un prix fixe à vingt-cinq mille dollars pour les accouchements, pour décourager la classe inférieure à se reproduire, la vente des sites d'exploitation de nos ressources naturelles à des pays étrangers, dont les États-Unis et la Chine, l'abolition de plusieurs services sociaux, dont la coupure de la moitié du budget de l'assurance sociale, la construction de ghettos urbains verts pour tous les immigrants, l'assemblage de trois pipelines traversant le Québec jusqu'aux Maritimes et un montant d'impôt fixe pour tous les travailleurs, pour ne nommer que ces idées. Cela ressemble étrangement au programme de votre femme. Diriez-vous qu'en écrivant cet ouvrage il y a quelques mois, vous étiez un peu le devin de ce qu'allaient devenir ses intentions politiques pour le futur ? »

Mes oreilles saignent. Même la pauvre Cathy semble mal à l'aise. Empêcher la classe inférieure de se reproduire ? Des ghettos verts ? Mais qu'est-ce que c'est que ces conneries ? Planquons les immigrés du Québec dans un terrain vague, mais plantons-y quelques arbres pour se déculpabiliser ? N'importe quoi. Ne sachant plus du tout quoi faire pour me sortir de cette impasse, j'adopte à mon tour le silence. Il n'est pas question que j'endosse ne serait-ce qu'une seule de ces absurdités.

C'est alors que, comme par hasard, le petit zombie qui dormait au sol se met à pleurer. Ma fille, qui entend l'autre pleurer, se réveille à son tour en pleurs. Le petit monstre se met à hurler «NAAA!» à cause du bruit. On dirait qu'ils me crient tous ensemble de faire quelque chose pour réparer ces absurdités. Malgré tout, la fuite me semble l'option la plus attrayante.

— Ce sera l'heure du dîner bientôt, donc je crois que nous devrions remettre l'entrevue.

— Ah non. J'ai absolument rien pour écrire un article. Il faut me parler. S'il te plaît.

En calmant un peu tout le monde, je songe qu'elle a raison et que je pourrais tout de même m'amuser un peu.

— Écoute, je peux te révéler un grand secret. Un gros *scoop*. C'est grave.

— Quoi?

— C'est pas moi qui ai écrit ce livre-là. C'est un truc monté de toutes pièces pour faire mousser la campagne de ma femme, qui est même pas ma femme en fait.

— Quoi?

— Oui. On est mariés, mais c'est juste un *cover* pour sa carrière politique. Elle est déjà corrompue à l'os, avant même d'être élue.

Cathy me fixe avec de grands yeux, ne sachant pas trop de quel angle prendre mes révélations-chocs. Je l'oriente comme un bon collègue.

— Écoute, Cathy, je te donne ici la chance de faire tes preuves comme grande journaliste. Ton *boss* va capoter, je te le jure.

Elle réfléchit un instant, puis elle lève un regard franc vers moi.

— Comment on fait ça ? Je veux dire concrètement.

— Écoute, je vais te faire une déclaration et tu demanderas à ton patron de sortir la nouvelle ce soir, sans faute. Demain, je ferai une entrevue à visage découvert avec toi en direct pour corroborer la nouvelle.

— Ah, mon Dieu.

— C'est gros.

— Je suis prête.

— Ta carrière va changer, Cathy. T'as quelque chose pour enregistrer ?

Terminant de changer les couches de tout ce beau monde à la chaîne, j'analyse le sentiment d'accomplissement qui m'habite. Être pourvoyeur de soins pour ses propres enfants est une chose. L'être pour cinq à la fois en est une autre. Ça fait beaucoup de merde au pouce carré, mais je suis fier de moi. À vrai dire, cette fierté n'existe qu'à condition d'effectuer un solide déni face à mon essai politique de marde. Comment même une autre version de moi aurait-elle pu écrire un truc pareil ? Cathy doit me confirmer par texto durant la journée que la nouvelle sortira. J'ai hâte de voir.

Tout s'est bien passé pour le dîner. J'ai paniqué un peu durant le repas, à me demander si certains enfants avaient des allergies alimentaires quelconques – chose que j'aurais malheureusement sue trop tard, dans le genre pendant que le petit tourne bleu poudre avec des points jaunes au visage –, mais bon, tout s'est bien déroulé. Bien gavés, les bébés somnolent au salon tandis que les plus grands ont regagné la boîte de jouets. Je me sens de plus en plus en contrôle dans mon rôle d'éducateur à la petite enfance. Je me sens utile. Utile pour eux.

On sonne de nouveau à la porte.

— Oui ?

— Bonjour, Alexandre ! Livraison ! annonce le type inconnu en me faisant un clin d'œil.

Il me tend un sac semblable à celui de ce matin et portant le logo de la même compagnie de couches de tissu lavables. Je fixe l'homme en tentant d'y comprendre quelque chose. Si les couches sont bourrées avec autant de générosité que les précédentes, il y aura de quoi payer l'hypothèque de cette maison en un seul versement. À qui appartient cet argent ? À Judith directement ou à son parti ? Elle n'est même pas élue encore. Je me demande bien en échange de quel service. Elle est bien évidemment corrompue comme Barabbas, mais je ne croyais pas que ce genre de trafic financier puisse se faire de façon aussi peu orthodoxe. Par le biais de couches lavables. Du gros n'importe quoi. Je tente d'en apprendre davantage.

— De la part de qui, au juste?

Tout à coup, je le sens douter davantage de mon étanchéité que de celle des couches que je tiens dans mes mains puisqu'il me dévisage, le nez retroussé.

— Tu savais ben que j'allais venir ici, non?

— Oui, oui. Mais de la part de qui exactement? De quelle compagnie, je veux dire? C'est pour tenir les comptes.

L'homme s'empresse de quitter la place sans même me saluer, mais surtout sans me donner davantage de détails. Il est clair qu'il me soupçonne à cause de mes questions. Bon. J'aimerais tellement savoir. Je remise le sac près de la porte pour retourner auprès des enfants. Pour me divertir l'esprit, mon sens olfactif général étant encore gorgé de diverses odeurs de merde, je décide d'allumer la télévision. Judith se trouve justement aux commandes du bulletin de nouvelles, décrivant avec professionnalisme un attentat terroriste survenu en Grèce, la veille. Je la trouve bonne, posée, bien à sa place. Elle doit être si fière d'être rendue là. Pourquoi donc faire le saut en politique si c'est pour devenir corrompue en plus? L'argent. Sûrement l'argent.

Le petit bonhomme et la petite fille tentent eux-mêmes de sortir leur matelas de derrière le plus gros coffre de jouets. Ils connaissent leur routine et déduisent comme des grands que c'est le moment de la sieste. Qu'ils sont drôles dans leur autonomie naissante. Les deux grands du groupe. Comme ils peinent un peu à y arriver, je leur donne un coup de main en étendant aussi ceux des plus petits. S'ensuit alors un branle-bas de combat pour la distribution des doudous. Je me souviens que, peu importe son âge, il est impossible de duper un enfant quant à cet objet précieux. Lorsqu'elle avait un an, Laurie n'avait pas bien dormi pendant des nuits à la suite de la perte de sa si chère couverture. Une fois, j'avais tenté de lui refiler celle de son frère, qui dormait. Non. J'avais aussi coupé une grande couverture similaire de la même grandeur. Non. Après trois nuits d'enfer, nous avions finalement retrouvé la même au magasin, de la même taille et de la même couleur. Non plus. Il avait fallu plusieurs jours pour qu'elle l'apprivoise. Je laisse donc les enfants faire ; la division s'exécute tout naturellement, les plus grands distribuant les couvertures aux bons destinataires.

Je crois qu'ils y vont à l'odeur de bave.

Tous les enfants dorment. Je lutte fort pour ne pas m'endormir à mon tour. J'ouvre donc le sac reçu lors de la deuxième livraison. Même scénario. À l'exception de la forme et de la taille des couches, qui me semblent démesurément grosses pour des bébés, le reste est identique, contenu des enveloppes brunes inclus. Les montants ressemblent à ceux de l'autre livraison. Ce n'est pas croyable. Elle n'a même pas encore annoncé publiquement sa candidature qu'elle se fait glisser en douce soixante mille dollars dans sa petite poche arrière. Imaginez le magot une fois élue. Bien sûr, j'aimerais avoir plus d'argent dans la vie, comme tout le monde, mais jamais au prix de renier mes valeurs comme une prostituée de fond de ruelle qui ne pratique pas sans condom, mais qui, par pur esprit de capitalisme, change d'idée si le client allonge vingt dollars supplémentaires.

Je balance finalement le sac avec l'autre dans la laveuse et je décide d'appeler Judith. À l'heure qu'il est, elle ne devrait plus être en ondes.

— Allo? répond-elle, l'air de ne même pas avoir regardé qui appelait.

— J'ai reçu ton autre livraison. Ça vient de qui?

— D'une compagnie de couches lavables, poursuit-elle. Tu les aimes?

— Ben oui, je les aime beaucoup. Ça doit valoir cher ça, non? que je la nargue en retour.

— Ha! ha! ha! Bon. L'entrevue s'est bien passée?

— Ah oui, super! Ça va être parfait, tu verras.

— Tant mieux! Bon, je file. Bye.

— Bye, là.

Elle va me tuer. Je retourne vers le divan. J'observe à tour de rôle mes petits, qui dorment tous à poings fermés.

Entre ciel et terre

— Voulez-vous bien me dire ce que vous faites ENCORE ici ?

— Hein ?

— Vous vous êtes de nouveau endormi ! Pas possible ! Vous avez vraiment un sérieux problème de divan, monsieur Alexandre. Faudrait voir à consulter.

— Ah, mais, à la fin, je suis crevé de cette journée avec les enfants.

— Bon, à présent, je vous interdis de vous approcher d'un divan, est-ce que c'est clair ? Et ne touchez pas à la télécommande non plus. C'est un somnifère, ce truc.

Meuh. Je roule des yeux jusqu'au nuage le plus près.

Je me réveille en constatant que je ne suis pas le premier debout. La petite est là, près de moi, avec un livre ; elle fait semblant de me raconter l'histoire pour m'endormir. Comme elle ne parle presque pas, elle dit n'importe quels mots en pointant les images, dont le mot « maman », qu'elle associe à chaque représentation de personnage.

— Tu lis une belle histoire à Alexandre ?

— Stoire Alessandre, me confirme-t-elle avec enthousiasme.

Je craque.

Ace Ventura dort, couché sur son matelas, le pouce gauche à l'entrée de la narine. Ma fille et l'autre petite dorment encore aussi. Le petit garçon, qui se réveille, me crie un «Na!» avant de se mettre à lécher sa couverture comme un veau à peine sevré.

La sonnette retentit, suivie de la porte qui s'ouvre aussitôt.

— Bonjour, fait la maman.

Puisque je n'étais pas très attentif ce matin, je ne pourrais même pas associer les enfants à leur parent. Merdouille. Je dois attendre des réactions avant de faire quoi que ce soit. Je décèle alors que la femme mire Ace Ventura.

— Il dort encore...

Bingo.

Je lui flatte doucement le dos pour le réveiller.

Elle vient vers nous pour rapatrier ses affaires ainsi que son enfant. En passant devant la petite qui se réveille tranquillement, la maman d'Ace me dit:

— C'est le chandail de mon fils, je pense.

Bon. En habillant la petite lorsqu'elle a été malade, j'ai pigé dans le mauvais sac à couches.

— Hon, oui, excusez-moi, la petite a vomi et j'ai fait trop vite. Je vais la changer et vous le laver pour demain.

Le **Gazon**

En disant ces mots, j'ai un vertige. Demain. Imaginez que je doive recommencer cette journée demain et le jour suivant, et le jour suivant. Je ne pourrais pas survivre[11].

— Pas de problème !

Elle part en même temps qu'un papa arrive. Au cri de joie du petit monstre lécheur, j'en déduis que c'est son père.

Un texto entre sur mon portable. Je m'approche.

Tout est OK ! Ça sortira en fin de soirée sur notre plateforme numérique et en toutes lettres, imprimé noir sur blanc, dans le journal de demain. Tellement merci, Alexandre. On se parle demain matin pour l'entrevue complète !

Tout va bien.

Je couche ma fille qui dort dans sa couchette. Je l'ai fait boire, manger et je l'ai baignée. Je m'étends sur le divan. Je me relève aussitôt en me disant que je vais m'y endormir une fois de plus et que cet Indien va encore me crier dessus.

---

11. Une seule petite mini journée... Au nom d'Alexandre et au mien, je salue à genoux les éducatrices à la petite enfance de ce monde, et toutes les mamans au foyer itou.

Je suis tout de même curieux de voir ce qui arrivera avec Judith. Elle ne m'a pas redonné de nouvelles. Je devrais peut-être quitter la maison avant qu'elle arrive pour me tuer. Ça ne me tente pas de mourir encore assassiné.

La porte s'ouvre. C'est Anouchka. Je croyais qu'elle avait quelque chose qui devait se terminer tard?

— Bonjourrr!

— Bonjour!

— La pétite dormirrr?

— Oui, elle dort.

Je l'admire à pleins yeux au passage. Elle est aussi ravissante que ce matin, voire plus.

— Est-cé qué tou as mangé?

— Non.

— Parfé, yé vais faire la cuisine.

Ah bon. Pourquoi ne pas partager le repas avec cette déesse, après tout? Je souris en coin.

Je me sers une bière froide bien méritée en demandant à Anouchka ce que je peux faire pour l'aider. Elle me suggère de couper un oignon pendant qu'elle taille des bouquets de brocoli. Je lui offre un verre de blanc qu'elle accepte avec joie. Elle frôle ma main en prenant son verre, ses yeux rivés dans les miens. Elle semble *flirter* avec moi. Est-elle bien en couple avec Judith? À moins qu'elle ne soit bisexuelle. Taboire. Pas moyen de connaître l'orientation sexuelle de personne dans ces foutus rêves.

Le Gazon

Tout en cuisinant ensemble comme un couple à ses tout premiers jours, nous rions en échangeant des regards coquins entre un filet d'huile d'olive et une touche de paprika fumé.

Je songe à Claire. Je me sens un peu coupable.

À table, nos assiettes presque terminées, Anouchka me déshabille des yeux en prenant une interminable gorgée de vin. Elle essuie avec sa langue une gouttelette restée sur sa lèvre inférieure. Elle me veut, je le sens. Mais comment est-ce possible? Une si belle femme. Je rêve, bien évidemment.

Cette femme que je ne connais pas du tout est brillante et craquante avec son accent slovaque. Je ne lui pose pas trop de questions personnelles pour ne pas la refroidir. Après tout, je dois bien la connaître un minimum.

Après avoir posé sa fourchette dans son assiette, elle met la jointure de son index dans sa bouche. Elle semble vouloir me dire quelque chose. Je m'approche un peu. Elle fait de même. J'ai chaud.

— Tou sais, yé bien aimé faire l'amourrr avec toi pourrr lé bébé.

Ses mots pleins de « r » résonnent dans ma tête. J'ai fait l'amour avec elle « pourrr lé bébé ». J'ai fait l'amour avec elle « pourrr lé bébé ». Je répète : j'ai fait l'amour avec elle «pourrr lé bébé». Saint-Esprit-de-doux-Jésus-de-saint-taboire. Les yeux m'agrandissent comme des bidons de lait écrémé.

Je réussis de peine et de misère à balbutier un niaiseux :

— Moi aussiii…

Son regard coquin et appuyé me confirme qu'elle cultive bel et bien une commémoration positive de son expérience. Désolant que ma fosse à souvenirs soit vide à ce propos. Les yeux dans les yeux, nous nous fixons comme si la barrière de l'interdit était difficile à franchir. Comme si nous savions tous les deux que c'était très mal.

La porte s'ouvre. Nous tournons la tête comme deux chouettes.

En beau fusil au milieu de la cuisine, Judith bourrasse :

— Qu'est-ce qui se passait à cette table, au juste, avant que j'arrive ? Vous répondez pas ?

— Rrrien.

Je me lève sans la regarder. Anouchka quitte la cuisine pour d'autres lieux.

— C'est ça, prenez-moi pour une conne !

Elle est furax.

— Anouchka ?

La femme, qui est dans une autre pièce, crie :

— Attends, yé suis en traine dé partir la laveuse[12].

Je ris dans ma barbe, puis je quitte la maison sans rien apporter.

Ça fait un bout de temps que je marche et je ne sais pas trop quoi faire. Ce satané Indien ne va me rapatrier qu'à minuit, si j'ai bien compris. Qu'est-ce que je vais faire d'ici là ? C'est long. Je croise un itinérant d'environ l'âge de mon père qui picole sur un banc de parc tout près du mont Royal. Sans trop savoir pourquoi, je m'assois près de lui. Je lui jette un coup d'œil en le saluant. Je plisse les yeux. C'est Bertrand. Le père de Julie. Le peintre castrant.

— Bertrand ? C'est Alexandre Trudeau, de Sherbrooke, me reconnais-tu ?

Il tourne lentement la tête vers moi.

— Non.

Bon. Sa longue barbe poivre et sel qui frise sur les côtés de son visage le fait ressembler au Doc Mailloux, mais en plus propre. Il porte des vêtements longs malgré la température clémente de cette fin de soirée de juin. Un sac de

---

12. Bien. Argent sale deviendra propre.

sport semblant avoir fait la guerre repose à ses pieds. Il est sans logis depuis quand ? Comment ça ? Qu'est-ce qui s'est passé ?

Sans réagir au fait que je connais son prénom, il me tend une bouteille dissimulée dans un sac de papier brun. Je replie un peu le rebord pour identifier de quoi il s'agit. Ce bon vieux Jack Daniel's. Pourquoi pas. Je me descends une bonne rasade du whisky bon marché, qui me réchauffe l'œsophage autant que le cœur.

Même si je me contrefous de Judith et de cette vie fictive, je me sens tout de même comme un itinérant en ce moment. J'erre.

Je m'ennuie de ma vie. De Claire.

La tête de Bertrand pivote à nouveau vers moi. Son sourcil gauche qui se relève me suggère une question qu'il ne prononce pas. Je me sens redevable de lui expliquer un minimum ce qui m'amène ici.

— J'ai du temps à tuer.

Il se retourne vers le parc, puis reprend la bouteille de mes mains avant de dire :

— Qu'est-ce qu'y t'a fait de si terrible ?

— Qui ça ?

— Le temps. Qu'est-ce que le temps t'a fait de si terrible pour que tu veuilles le tuer ?

Je souris, puis je ris. Il boit avant de me repasser la bouteille. Je songe à son propos. C'est vrai que cette expression est étrange, au fond. Tuer le temps.

Il poursuit :

— Tu sais que les Hopis, des Amérindiens du nord-est de l'Arizona, appelés aussi « peuple de la paix », ont pas de mot dans leur dialecte pour décrire le temps. Selon eux, si un événement se passe quelque part et qu'un autre se passe ailleurs au même moment, tout ça peut pas être simultané, car il faudrait être aux deux endroits en même temps pour en être conscient, ce qui est impossible.

— Non, ça veut juste dire que le lieu des deux événements est pas le même.

— Le temps est pas le même pour eux que pour nous, fait-il en me désignant un couple qui marche main dans la main dans le parc. Ce qui se passe là se passe pas ici. Le temps, c'est rien d'autre qu'un repère que nous créons, avec une horloge, des aiguilles, des tours, une pile, pour être en mesure d'organiser notre société. Il existe pas en réalité.

Je songe « Oui, il existe et, dans quelques heures, je retournerai sur le nuage ».

Je réponds plutôt :

— Si y a pas de temps, comment t'expliques le passé et le futur ?

— Ha! ha! ha! Le point zéro d'où part une flèche allant vers l'arrière pour le passé et une autre vers l'avant pour le futur? Des conneries. Et toi? T'es où? Derrière ou devant?

— Je suis...

Pris de court par sa question, je ne sais pas trop quoi y répondre. Dans la perspective de l'aventure que je vis en ce moment, je ne sais même pas où je me trouve, justement. La théorie du coma reste encore valide dans ma tête. J'ai peut-être eu un accident d'auto. On ne peut pas savoir si on est dans le passé ou le futur quand on est dans le coma, j'imagine.

Un homme passe en trombe devant nous, les yeux rivés sur son portable. Une femme fait de même, mais en sens inverse.

Bertrand leur crie:

— Courez, courez après le temps, bande d'abrutis!

Il me fait rire. Je l'aime davantage en itinérant qu'en tant que beau-père. Il a un peu raison en plus. Où courent-ils, à cette heure? Je me vois à travers ces gens qui passent en vitesse dans la rue. La vie qui va vite, l'horaire rodé au quart de tour, pas le temps de rien faire. Il me reprend la bouteille.

— Tous des esclaves du temps. Et savoir que ça existe même pas rend la chose encore plus débile. Tout le monde est esclave de rien, en réalité. Faut vouloir se faire dominer pour être l'esclave du vide! Ha! ha! ha!

Même si ses propos sont un peu échevelés, une certaine vérité résonne en moi. C'est tout de même étrange que le même homme qui me castrait me fasse maintenant un discours sur l'esclavage de la société moderne.

— C'est quand la dernière fois où t'as pris ton temps ?

Je réponds sans hésitation :

— En vacances, je prends le temps.

— Ah ouin ? Penses-y bien.

Je me replonge dans les souvenirs de nos dernières vacances avec les enfants. C'était à Tadoussac pour voir les baleines l'été dernier. Avions-nous vraiment pris le temps ? Je nous revois courir pour atteindre le traversier à temps, balancer nos valises à la hâte à la chambre d'hôtel, partir en excursion, presser le pas pour arriver à l'heure à notre réservation au restaurant, puis… Non. Nous ne prenons jamais notre temps.

— T'as raison.

— Les gens craignent l'illusion du temps, pis la seule chose qu'ils trouvent à faire c'est de remplir le vide. De remplir le silence.

Il a raison, je n'ai rien à faire en ce moment et j'angoisse presque. Pourquoi sommes-nous comme ça ?

Je décide de respirer. J'aime bien ce Bertrand, finalement.

Picolant toujours joyeusement avec mon nouvel ami, je ne sais même pas l'heure qu'il est. En toute candeur, j'ai décidé de m'en foutre. Minuit arrivera lorsqu'il arrivera, c'est tout. Je m'en balance. L'alcool aide peut-être cette démarche de lâcher-prise ; il faut bien apprendre à être zen grâce aux moyens du bord. Assis sur ce banc perdu au cœur de Montréal, je me sens aussi grand que les gratte-ciel et aussi libre que les hirondelles. L'espace m'entourant semble plus vaste qu'il ne l'a été depuis fort longtemps. L'air est plus frais et il coule de source dans mes poumons, comme si je prenais conscience de ce qui m'entoure. Ma vision est plus centrée, mes sens plus détendus[13].

J'ai tenté d'en savoir plus sur le tournant de la vie de Bertrand, mais il n'a rien voulu me révéler, me répondant chaque fois qu'il était simplement un homme sur un banc. Évidence. Et moi ? Qui suis-je ?

— Le plus bizarre, c'est que les gens tentent toujours de contrôler le temps. D'exiger du temps. De vouloir ci et ça, dans tel ou tel délai. Des caprices irréalisables. Pis après, on se demande pourquoi tout le monde est si malheureux. Qu'attends-tu, par exemple, du gars qui est juste là ?

Puis, il pointe un banc de parc inoccupé devant nous, mais de l'autre côté de la rue.

— Qui ? Je vois personne.

— Et voilà ! Comment c'est possible d'attendre quelque chose du vide ?

Il me fait rire. Je me dirige entre deux bâtiments pour aller pisser. En m'exécutant, je regarde à travers la baie

---

13. On appelle ça vivre le moment présent, Alexandre. Ou juste être chaudaille et heureux, c'est selon !

vitrée d'un resto-pub sportif dont le mur derrière le bar est orné d'un immense écran plat. Les nouvelles en continu de la chaîne concurrente à celle pour laquelle Judith travaille y défilent. J'aperçois alors sa photo en gros plan. Je remonte ma fermeture éclair et je plaque mon visage contre la vitre. Un titre-choc annonce sur un gros bandeau rouge «Lectrice de nouvelles et aspirante politicienne corrompue. Son mari, faux auteur.» Je souris. Je n'entends pas les mots de Cathy, qui décrit la nouvelle, mais bien évidemment, je me doute de ce qu'elle relate. Ce qu'elle doit être fière. N'en faisant pas plus de cas, je souris en rejoignant mon nouvel ami.

Nous continuons à papoter de tout et de rien.

À un moment donné dans la discussion, j'ai le goût de le remercier.

— Sais-tu quoi, Bertrand? Merci.

— Bah. Je fais rien.

— Pas vrai, tu me fais réfléchir. Désormais, je vais prendre plus mon…

Je m'endors subitement sur son épaule comme si je venais de recevoir un coup de masse en pleine poire.

— Allons. Je te le souhaite, mon ti-gars. Je te le souhaite très fort, dit l'homme en tapotant ma tête.

Entre ciel et terre

Je me sens très calme en me réveillant dans le ciel. L'Indien, qui se tient à mes côtés, le remarque.

— Vous êtes plus zen, à ce que je vois?

— «Zen», c'est le mot préféré de ma femme, mais ouais, si vous voulez.

Mon cerveau a comme renoncé à comprendre la signification de ce rêve de fou et la raison de l'implication de cet Indien au sein de celui-ci. Je me réveillerai bien à un moment donné, de toute façon.

— Vous avez aimé cette vie-ci, n'est-ce pas?

— Je peux te confirmer que je suis pas de droite et que jamais je vais me partir de garderie à la maison.

— Qu'est-ce que vous avez appris, monsieur Alexandre?

— Que Claire devait être bien occupée lorsque les enfants étaient plus petits; elle en faisait vraiment plus que moi dans la maison. Et avoir plus de deux enfants, c'est non!

— Vous étiez très bon avec eux, soit dit en passant.

— J'ai aussi réalisé à quel point l'argent mène le monde. Mais je comprends toujours pas la façon de faire débile avec les sacs de couches...

— Quelle importance ça a?

— Aucune. Je suis juste curieux. Je réalise aussi que c'est pas tous les livres que j'écris qui sont bons. Et Judith, ark. Quelle honte.

— Vous étiez bien perdu dans vos valeurs, vous aussi.

— J'ai adoré Bertrand.

— Bon, vous voyez ! Le prophète du temps…

— Oui, le temps.

— Mais parlant de temps, le mien court bien vite, donc je vous laisse aussitôt repartir. Nous en reparlerons plus tard.

— Quand ça ? Demain ? Dans une semaine ? Le temps n'existe pas, il paraît.

Il me sourit et repart sans rien dire. Il est bien pressé, lui, je trouve.

Je m'allonge et je replie un bras derrière ma nuque. Je ne pense à rien lorsque le divan se met à tournoyer.

Ça fait du bien de ne penser à rien.

C'est reparti pour une nouvelle vie

Une odeur de rose et de clou de girofle emplit mes narines avant même que j'ouvre un œil. Je me doutais que ce moment arriverait.

Je le voyais venir.

Je la voyais venir.

Les yeux clos, je roule comme un tonneau dans le lit, le nez tendu pour sentir de près ce fameux corps auquel j'ai jadis rêvé. Le lit étant minuscule, j'arrive rapidement à destination. Je renifle tout d'abord son dos sans y toucher. C'est alors que son bras agrippe tendrement le mien pour que je l'enlace par-derrière. Sans me faire prier, je me plaque tout au long de son corps. Mes tentacules aveugles découvrent avec lenteur un épiderme féminin qui se révèle aussi délicat que dans mes fantasmes les plus fous. Une symétrie transcendantale entre le rêve et la réalité. Ma main gauche s'attarde un peu sur une de ses fesses recouvertes toute en subtilité par un slip de soie. Un simple voile recouvrant le paradis. Elle émet des onomatopées d'appréciation m'encourageant encore plus. Ma main libre se dirige vers ses seins. Bien que menus, ceux-ci dévoilent deux aréoles frileuses pointant entre mes doigts qui alternent entre celle de gauche et celle de droite comme un pendule cherchant des réponses. J'approche ma bouche pour embrasser sa nuque. Comme elle gémit à nouveau, je plaque sans gêne mon érection matinale sur son bassin, passant ma main nouvellement libre dans ses cheveux bouclés pour ensuite les tendre un peu vers l'arrière. Remuant un peu, elle soupire de contentement, grisée par mes caresses. Je hume un grand coup de cette odeur de sel à la rose. Et de clou de girofle. Comme il fait chaud dans la chambre, un fin chapelet de sueur perle à la plante de ses cheveux. Ne pas me retenir, je la lécherais comme une glace. Ne pas me retenir, je plongerais sous les couvertures pour goûter son sexe que j'ai si souvent imaginé dans mes rêves. Ne pas me retenir, j'insérerais en un seul coup mon pénis entre ses cuisses.

Me voyant plus qu'entreprenant, elle roucoule un peu en rigolant.

— Alex... Hi ! hi ! hi !

— T'es si belle.

— Coudonc, as-tu fait un rêve de cul, genre ?

— Euh, non.

Continuant de caresser ma femme du moment avec l'allégresse perverse des premiers jours, mes doigts descendent vers le doux papillon se trouvant entre ses jambes. Sans trop collaborer, elle s'esclaffe plutôt :

— Y est quelle heure, là ?

Elle étend un bras pour attraper son téléphone.

— Oh, *shit* ! Faut partir !

— Non, non, non, tu restes ici, déclaré-je en l'agrippant pour la tirer vers moi.

— Arrête de niaiser, là, vite !

Puis, elle me file entre les bras en riant d'amusement. J'ouvre les yeux. Dans la lumière du jour à peine filtrée par les rideaux blancs, je perçois sa silhouette de dos, calquée de près sur mes rêveries. Je me délecte de l'épier. Elle enfile un soutien-gorge dont les bretelles soyeuses glissent sur ses bras. La chute de ses reins est splendide. L'arrière de sa nuque, parfaite. Ses cheveux ébouriffés par la nuit m'inspirent une certaine rudesse amoureuse liée à l'acte sexuel.

— Allez! fait-elle en me balançant sans avertissement un coussin en plein visage.

Elle rit ensuite à gorge déployée, fière de son coup.

Ce rire. Ce charme. Cette fougue.

Elle.

Pierre m'accroche au passage dans le corridor du journal.

— Elle est dans la salle de conférence, elle t'attend. Je l'ai juste vue passer pis je suis en amour avec. Bonne chance, vieux!

Roulant des yeux à son commentaire, je me dirige vers la salle de conférence. J'aperçois à travers les grandes baies vitrées la silhouette d'une jeune femme de dos qui regarde vers l'extérieur.

Je n'ai presque pas dormi de la nuit. Mathis a hérité d'une gastro explosive à la garderie, qu'il a refilée à sa sœur en moins de vingt-quatre heures. Générosité fraternelle. Ma nuit sentant le vomi et la merde fut donc longue et pénible. J'ai passé le relais à Claire lorsqu'elle est arrivée de son quart de nuit ce matin à sept heures. Sa journée ne sera pas plus jojo que ma nuit l'a été. Elle ne pourra pas trop dormir. Elle est déjà si fatiguée. Nous sommes toujours fatigués.

En entrant, je salue la fille qui se retourne illico en entendant la porte s'ouvrir.

— Bonjour!

Le Gazon

Elle fonce vers moi avec assurance.

— Bonjour, Alexandre, je m'appelle Chloé !

Fonceuse, déterminée, pétillante, charmante ; tel est le chapelet de qualificatifs qui me vient en tête en moins de deux secondes.

— Assis-toi, que je la prie en lui désignant une chaise de la main.

— Je suis siii contente de faire mon stage avec toi, j'aime tellement tes articles !

— Bon, commençons.

Dans le mouvement qu'elle fait pour s'asseoir, son odeur de rose parvient jusqu'à moi en fines particules olfactives.

— Je souhaite que mon stage soit plein de défis, même si parfois ce sera difficile, je le sais.

— Je vais essayer de t'apprendre du mieux que je peux ce que je sais, mais oui, en effet, des défis, il y en aura.

Fantasme no 5 : Chloé Saint-Pierre
Âge de l'apparition du fantasme : 33 ans

Chère Chloé. Une des grandes réussites de ma vie que d'avoir résisté à ses avances ce soir-là, à la fin de son stage, lorsqu'elle me pourchassait à travers les verres de vin vides et les sandwichs pas de croûtes un peu séchés du *party* de Noël au journal. Je suis fier d'avoir toujours été fidèle à ma femme, mais cet actuel rêve reste tout de même une belle fenêtre pour me permettre une certaine relation avec mon ancienne stagiaire sans remords. Je paierai un thé chai à cet Indien un de ces quatre.

Reprenant mes esprits et me résignant à ce que les rapprochements se terminent ainsi pour l'instant, je replie ma libido dans sa boîte afin de parcourir la chambre des yeux.

Première constatation: nous sommes en terre étrangère. L'ameublement et les couleurs criardes des murs, des coussins et de la literie me laissent présager l'Orient. L'Inde peut-être? L'odeur de clou de girofle vient de la chambre et non de Chloé. Des draperies affichant des signes tribaux ovales recouvrent le mur du fond. En guise de décoration, deux longs foulards piqués de petits cercles étincelants descendent en cascade aux deux extrémités de la tringle de rideau.

Je sens que cette vie potentielle sera plus agréable que les précédentes et je n'en suis que très ravi. Nous sommes assurément outremer, mais, à voir la chambre, ce n'est pas un voyage de noces cinq étoiles. La saleté qui recouvre le plancher près de la porte craquée sur toute la longueur me laisse plutôt croire à une chambre de routard bon marché qu'à une suite nuptiale.

Le sourire radieux de Chloé qui trépigne tout en s'habillant me fait sentir que nous sommes – malgré les coquerelles possibles – bien heureux ensemble. Cette fleur doit avoir environ trente ans. Mon dos qui craque sous une torsion que j'exécute pour m'étirer me rappelle que mes quarante-quatre ans, aussi comblés par Chloé soient-ils, souffrent tout de même de l'inconfort de ce matelas trop dur. Je me tâte l'estomac. Eh bien, dis donc. Mes doigts qui glissent sur mes abdominaux me donnent le sentiment d'avoir rajeuni de dix ans. Je me sens plus svelte, plus fringant. Je bouge un peu les épaules. Ah, ouais. Je suis plus en forme. Surpris de ce corps qui ne ressemble pas au mien, je me lève pour me diriger vers une glace accrochée au mur. Taboire… J'ai une manche de tatouages ! Mon bras droit. De l'épaule au poignet. J'inspecte les dessins. Des fleurs, des signes tribaux, un visage étrange, une vague, un palmier. Décidément, un beau ramassis de n'importe quoi. Bah, ce n'est pas laid. Ça rend plus viril mon *look* intello-propre habituel. En bobettes, devant le reflet, j'apprécie le tableau présenté, quoique je me trouve un peu maigre. Les plis de mes aines sont bien marqués, comme ceux des gars dans les annonces de sous-vêtements. Impressionnant. Dès mon retour dans la vraie vie, je me remets au gym. Promis, juré, craché à moi-même.

— Je suis donc ben en forme !

— Arrête de te vanter ! me taquine Chloé, qui est maintenant aux toilettes, la porte grande ouverte.

Avant que je puisse réagir, j'entends quelques bruits indéniables me suggérant qu'elle accomplit un numéro 2. Mais non. Ne pouvant y croire, je me tourne vers elle.

— Qu'est-ce tu fais là?

— Je fais caca. Voyons?

Je fais trois grands pas chassés vers la gauche pour fuir. C'est le maximum de distance que cette chambrette permet. Les bruits se poursuivent de plus belle. Bon, ici, on vit un grand conflit de générations. Dans mon mariage, ce type de commission aux toilettes relève de la vie privée. Depuis quand chier est une activité de couple? J'en ai manqué des bouts. Il y a à peine cinq minutes, c'était une fille excitante et là, mon pénis veut rentrer à l'intérieur pour se cacher.

— Ark, ça pue!

En plus, elle commente son exploit d'un point de vue olfactif? Elle voudra me faire admirer un échantillon, un coup parti?

Lorsqu'elle sort de la pièce, vêtue d'un pantalon trois quarts et d'une tunique orientale, elle m'aperçoit, pétrifié dans le coin du mur près de la porte. Elle fonce vers moi:

— Je t'aime!

Elle se met à m'embrasser le torse et les épaules. Je me laisse faire un instant avant de finir par l'enlacer à mon tour. Je suis un être faible.

— Je suis certain qu'on a un tout petit peu de temps, que je tente en la caressant de plus belle.

Je suis en Inde et j'ai l'impression d'avoir vingt ans.

— Non ! Allez ! Habille-toi !

Elle agrippe un foulard marron qu'elle enroule sans trop de soins autour de ses cheveux.

— C'est aujourd'hui le grand jour. Ils auront pas le choix de nous écouter. Ça fait si longtemps qu'on travaille là-dessus. Marek vient nous chercher dans dix minutes près de la mosquée pour nous conduire à la pyramide. Je t'attends en bas avec deux bons cafés.

Ah, j'aurais bien dû m'en douter.

Nous sommes en Égypte.

Nous avançons à pas de tortue dans une ruelle qui possède à mon sens tout ce qu'une artère du Caire peut livrer. Je renifle les vapeurs d'épices orientales, entremêlées à une odeur fétide de viande crue pendouillant juste au-dessous d'une série de fenêtres qui crachent des cumulus de chicha aux effluves aussi diversifiés que les couleurs qui nous entourent.

Devant moi, Chloé avance tel un poisson dans l'eau. Les hommes la dévisagent tous, bien que ses cheveux et son corps soient couverts de façon respectable. Les hommes la regardent, tandis que moi, je regarde les hommes. Je sens que je me dois de la protéger. Tantôt, j'ai voulu prendre sa main, mais elle m'a expliqué que les contacts physiques en public entre un homme et une femme étaient très mal vus, que ces derniers soient mariés ou pas. Je suis plutôt déçu de cette castrante règle de savoir-vivre locale.

— On va où, ma belle ?

— Visiter les pyramides ! Ha ! ha ! ha !

À son ton ironique, je déduis qu'elle blaguait, mais je n'ose pas trop poser de questions. Dans les faits, je dois bien être au courant de notre horaire du jour. Un homme s'approche de moi pour me vendre un tapis. Un phéno-mène étrange se produit. Je comprends tout ce qu'il dit. Ah, bien ça alors ! Je comprends l'arabe égyptien ? Je lui réponds même « non merci » spontanément sans avoir besoin d'y réfléchir. Décidément, cet Indien dans le ciel ne cesse de me surprendre. C'est donc qu'une partie de moi a vraiment acquis ces connaissances ? De mon point de vue, depuis le début, je croyais que j'étais vraiment moi, Alexandre Trudeau, journaliste, mari de Claire et père de deux enfants. Mais non. Suis-je réellement tous ces hommes ? L'ensemble des balises de ce phénomène reste encore bien obscur.

Devant une grande mosquée pâle en pierre de chaux, Chloé envoie la main à un jeune homme qui patiente devant une Jeep. Il lui renvoie le geste, puis s'éloigne un peu pour terminer un appel. Chloé prend place derrière en me laissant le siège à l'avant. Toujours stupéfait de comprendre de façon limpide les mots étrangers qui fusent de toute part dans la foule environnante, je lui demande :

— Depuis quand je parle l'arabe égyptien, Chloé ?

— Alexandre. Depuis ce matin, t'es bizarre, reviens avec moi, s'il te plaît. J'ai besoin de toi. C'est la journée cruciale de notre mission pis j'ai besoin de savoir que t'as toute ta tête. Les documents ont été envoyés hier, mais je crains encore leur réaction à la réception de l'information. On a beau avoir des faux papiers, on est à l'abri de rien.

— OK, que je réponds, docilement installé dans le siège de l'ignorance.

— Et commence par arrêter de m'appeler Chloé en public. C'est Carmen, mon nom devant le monde, tu le sais.

— Ah.

— Han ?

— Non, non, ça va.

Marek, qui nous rejoint dans le véhicule, se renseigne en anglais à savoir si nous avons bien dormi en m'appelant Normand. Bon, ce doit être ma fausse identité. Il me semble qu'on aurait pu mieux choisir. Quelque chose de plus moderne, de mon âge à tout le moins.

Sur la route, je réfléchis à tout ça. Je crois déduire sans trop me tromper que nous sommes reporters à l'étranger. C'est quelque chose dont j'ai toujours rêvé. Une avenue professionnelle que j'envisageais plus jeune, mais qui s'est avérée nullement compatible avec ma vie de famille bien rangée. La jeunesse garde jeune. Les manches de tatouages aussi. Nous ne devons pas avoir d'enfant. Pendant un court instant, ça me désole d'imaginer ma vie sans connaître la paternité. Impensable. Mais bon, ce n'est pas ma vie.

Après plus de deux heures de route à grignoter des croissants un peu secs sans trop de bavardage – c'est que tout le monde semble nerveux –, j'aperçois au loin une toute première pyramide. Étrangement, ce n'est pas un modèle classique de forme triangulaire qui monte en escaliers comme ce à quoi je m'attendais. Ses parois sont planes et ses arêtes, plus rondes que pointues. Je ne connais rien aux pyramides, mais celle-ci est différente de ce que j'ai toujours vu en photo.

Marek nous annonce que la pyramide rhomboïdale est fermée au public cette semaine pour cause de restauration et que c'est pourquoi la rencontre y aura lieu. Nous ne serons pas dérangés. Comme il faudrait bien que je sois mis au courant de la teneur de notre reportage au plus vite, je chuchote en français à Chloé :

— Excuse-moi, Carmen, t'as raison, je me sens drôle depuis ce matin, le décalage, je pense, rappelle-moi donc notre mission du jour de façon plus précise ?

Elle tourne des yeux intolérants vers moi.

— T'es pas drôle, Normand. Comme dans « vraiment pas drôle ».

Bon.

Non, mais j'avoue que les fausses identités sous-entendent que nous sommes sur un terrain glissant. Sûrement une mesure préventive, compte tenu des tensions politiques qui règnent dans ce pays depuis plus de trois ans.

— Les menaces de mort étaient peut-être sérieuses, tu sauras.

— Pardon? que je m'insurge.

Voilà une information cruciale qui infirme ma thèse de la simple mesure préventive. Sommes-nous réellement en danger? Bon sang, et moi qui pense juste à tenter des rapprochements intimes depuis ce matin. Ceci dit, elle doit sûrement parler de menaces générales planant sur la tête de l'ensemble des journalistes étrangers en mission dans le pays, et non juste sur le dessus de nos deux têtes de nœuds. Non mais, je suis un homme ordinaire pour qui aller au dépanneur passé neuf heures et demie du soir se classe dans le registre des missions spéciales hors norme. C'est donc impossible que dans ma vie de tous les jours je me sois mis en danger au point de craindre l'assassinat.

Je passe une fois de plus mes doigts sur les dessins ornant mon bras.

En sortant du véhicule, Marek semble de plus en plus anxieux. Il se touche sans cesse l'oreille droite en nous conduisant sans dire un mot vers une porte adjacente à la pyramide, donnant sur la façade ouest. Le soleil qui domine la terre craquante du désert nous donne l'impression d'être seuls au monde. Il ne manque que le virevoltant qui roule au sol comme dans *Lucky Luke*. À l'aide d'une imposante clé de métal, Marek ouvre une grande porte de tôle assurément restaurée depuis le temps des pharaons. Chloé entre en premier, puis je la suis. Au moment de nous rejoindre, Marek nous crie: «Je suis désolé» en arabe, avant de refermer la porte dans un grand fracas.

— NON! MAREK, NON! crie instantanément Chloé.

— ...

— *Fuck!*

Dans la pénombre d'une lumière hésitante qui éclaire le passage souterrain où nous sommes, je décèle la panique chez Chloé. Ces yeux-là ne mentent pas: l'abandon-surprise de la part de notre chauffeur est épouvantable.

— Comment c'est possible? Il était de connivence avec les Nations unies! Ce sont les gens de l'organisation qui nous l'ont envoyé! J'étais sûre qu'il était de confiance. Il est là depuis le début. *Fuck!* De *fuck* de *refuck*!

Au même moment, une idée brillante jaillit de ma tête de pharaon pris dans une pyramide, et j'extirpe mon téléphone cellulaire de ma poche. Un message se trouve déjà en plein centre de l'écran sans même que je l'ouvre. C'est un message privé sur Facebook de ma mère. J'en prends connaissance:

Allo, mon grand! Comment ça va? Fait beau, pas trop de nuages et pas de vent surtout. Le vent, ça me dépeigne, j'haïs assez ça. Es-tu chez vous aujourd'hui? C'est que j'irais te porter du pesto maison que j'ai fait. Je l'ai mis dans des petits pots et ça se congèle très bien. L'histoire, c'est qu'en allant à l'épicerie, avant-hier, autour de midi, en fait, après le dîner, j'ai acheté plein de basilic frais qui était en spécial à 0,99 $ la motte. Au Métro. Eille, c'est pas cher, ça, 0,99 $ la motte. J'en ai rapporté plein et là, j'ai fait du pesto toute la journée. Du pistou aussi, mais ça, c'est avec des tomates italiennes. Une recette de Ricardo dans son fascicule d'été. Ricardo a trois filles, tu le savais? J'ai aussi fait des pâtes aux crevettes et au basilic à ton père, hier. Il a bien aimé ça. Il aime pas toutes les pâtes, ton père. En fait, c'est surtout les pâtes farcies qu'il aime pas. J'aimerais ça aller en Italie manger des pâtes, un jour, mais ça fait loin un peu, je trouve, pour un spaghetti. Avec le reste des herbes, je pense que je vais faire des cubes de glace pour quand je fais des soupes. C'est pratique, tu sors un cube et tu le mets dedans. Le ministre Barrette veut enlever les listes d'attente pour les échographies. Bon, bien, je raccroche. Fais-moi signe quand t'arrives chez toi. Il fera super beau le week-end prochain. Je raccroche là. Bye.

Sacrée maman. «Passer du coq à l'âne», disais-je. Elle écrit comme on parle au téléphone. En plus, elle passe toujours par Chicoutimi pour faire Montréal-Québec. Claire se laisse parfois prendre à ce jeu elle aussi quand elle me raconte quelque chose. Souvent, j'ai le goût de dire: «Aboutis, chérie!»

Ceci dit, quelque chose me trouble dans son message, et ce n'est pas que mon père ne raffole pas des pâtes farcies ni les démarches douteuses du ministre Barrette. Elle me croit au Québec. Je veux dire en ce moment. Notre mission est donc secrète à ce point?

Je m'informe à ma comparse d'expédition:

— Euh, j'ai un message de ma mère qui pense que je suis chez moi...

— Ben oui, personne sait qu'on est ici. C'est justement ça, le problème, avec ce qui se passe présentement.

— Faque là?

— Faque là, les seuls qu'on peut contacter sont... t'as du réseau? fait-elle en sortant à son tour son appareil. Hish, moi, presque pas.

— Approche-toi de la porte.

— Ah oui, c'est un peu mieux.

Elle compose sans plus tarder un numéro, puis elle attend.

— Pas de réponse du côté de Jacques.

Et elle recommence la manœuvre de plus belle. Elle ne semble pas obtenir plus de succès auprès de son deuxième interlocuteur potentiel.

— Je vais envoyer un courriel à Jacques et un à Christopher, de l'ONU. Au moins, ils sauront ce qui se passe. Ah, *shit*! J'ai pas de réseau Internet.

Elle me fixe un instant. Je réfléchis.

— L'hôtel? Des gens savent où on loge?

— Ah oui, bonne idée! Mais on appelle pas la police, ça nous aidera pas, je te le jure.

Pendant qu'elle contacte la réception, je fixe le message de ma mère. Quelque chose d'irrationnel me fait sourire.

— Tu trouves ça drôle?

— Non, non, c'est juste que ma mère nous a fait du pesto maison ; une chance, ça se congèle, il paraît.

Elle me fixe pendant un trop long moment, l'air d'hésiter entre me mordre ou me frapper au visage. Je spécifie à la blague :

— Si on est pas revenus dans une semaine, l'hôtel aura au moins une dernière info à notre sujet. Ils pourront donc retrouver nos corps putréfiés pour les rapatrier à nos familles.

— Arrête de niaiser, Alex. Pourquoi tu penses qu'ils nous ont séquestrés ici, toi ? Pour une visite privée des caveaux souterrains ?

— Juste pour nous faire peur, peut-être ?

— Ça marche.

— L'important est de retenir le chemin, il faut en tout temps savoir par où passer pour revenir sur nos pas, si jamais… Jusqu'à maintenant, on a tourné une fois à gauche et une fois à droite.

— Un vrai labyrinthe, cette affaire-là.

Les tunnels au plafond bas mènent toujours à une intersection. Nous devons chaque fois faire un choix. Je n'ai pas un sens de l'orientation à toute épreuve, mais je me débrouille. Pour ne pas prendre de risques, je note nos déplacements sur le bloc-notes de mon appareil mobile, qui nous sert aussi de torche. Gauche. Droite. Une lueur tout au bout de l'embranchement que nous avons pris attire notre attention. Une flamme. En approchant, nous constatons que c'est une torche murale, très ancienne et en forme de tête de chameau.

— Merde.

— Quoi, merde ? que je fais en trouvant la chose plutôt esthétique que désolante.

— On est pas seuls. Quelqu'un l'a allumée.

— Ah ouin, j'avoue.

Même si, dans les faits, je suis un gars très en danger, voire qui va crever sous peu, je ne le ressens pas de cette façon. C'est un rêve. Je me suis jadis balancé comme une pierre en bas du huitième étage d'un hôpital après avoir jasé de tripodes avec un schizo ; je crois avoir atteint à ce moment précis le palier ultime de l'improbable. À minuit, je te quitte, ma toute belle, quoi qu'il arrive.

Mon manque d'information quant à la situation engourdit encore plus mon sentiment d'inquiétude. Le fait que je sois conscient de ce rêve asphyxie mon anxiété. Je suis calme et je trouve même l'ambiance et le décor étonnamment exotiques. J'aurais le goût d'en rire avec Chloé, d'avoir du plaisir. J'opte plutôt pour la rassurer, étant donné qu'elle reste plantée devant la torche, l'air à deux doigts de craquer.

— Chérie, on va s'en sortir, la réconforté-je en la serrant très fort dans mes bras.

— J'espère tellement. Il y a plus de dix ans que je travaille là-dessus. Je pensais avoir bien fait les choses en m'entourant de gens de confiance, mais ça a ben l'air que non.

— Ça brasse par ici depuis un bout de temps, mais on est pas en Syrie, quand même. On tue pas les journalistes étrangers comme ça en Égypte.

— Non, mais on tue des gens qui ont découvert un détail remettant en question toute l'histoire de la civilisation humaine, par contre.

— C'est ça qu'on a fait ?

Je commence presque à sentir poindre une mini dose d'inquiétude dans mon horizon intérieur.

— Ah, arrête de faire le cave, Alex. Tu me stresses encore plus.

Elle se dégage de mon étreinte, essuie ses larmes et reprend la route. Elle n'a pas froid aux yeux, la belle Chloé. J'admire sa fougue. Comme dans le temps. Ceci dit, toute cette histoire commence vraiment à piquer ma curiosité. Mais qu'est-ce qu'elle a découvert de si compromettant ? Et moi ? Je fais quoi dans le portrait ? Un détail remettant en question l'histoire de toute une civilisation… Je me sens comme Tom Hanks dans *Da Vinci Code* tout à coup. Je ne déteste pas le *feeling* du tout. Chloé incarne ma charmante Audrey Tautou. Hum. Est-ce que Tom couchait avec Tautou à un moment donné dans l'histoire ?

Non.

Il était bien trop vieux pour elle.

Après avoir marché un bon bout de temps, je suis assez fier d'avoir noté avec précision nos déplacements depuis le début. Les caveaux souterrains de ce dinosaure en forme de pyramide sont tout aussi impressionnants que déroutants. L'aventure me replonge directement dans *Les Cigares du pharaon*. Tintin a été une marquante figure littéraire de mon enfance. Dans ce titre, il pourchassait des trafiquants d'opium. Visiter une pyramide, mais du dessous, c'est fascinant, car on découvre de temps à autre de petites pièces vides au bout de certains embranchements. Je me demande à quoi elles servaient jadis. J'aurais le goût que Chloé me raconte ce qu'elle sait, mais comme nous sommes en danger de mort imminente, je tente de me contenir la curiosité un peu.

— Si ma logique est bonne, nous allons atterrir dans la salle principale, qui devrait être au centre du truc ou légèrement vers le devant, comme d'habitude. Quoique les plans souterrains que j'ai étudiés étaient tous très vieux et imprécis.

Au fil de nos échanges, je me demande aussi si je partage la même passion qu'elle pour l'Égypte et ses mystères.

— Donc, tu connais très bien cette pyramide?

— Alex?! Je comprends tellement pas à quoi tu joues. Viens, c'est par la droite, je pense.

Le **Gazon**

Nous arpentons alors un long corridor encore éclairé d'un ultime chandelier en forme de tête de chameau. Ces bêtes semblent toutes nous suivre des yeux au passage.

— Je cherche encore à comprendre pourquoi Marek nous a fait ça. C'est comme irréel. Forcément, il a manigancé dans le dos des Nations unies, mais au profit de qui ? Les historiens ont avantage à connaître la vérité pour se faire une tête à propos de la réalité. C'est donc assurément pour le gouvernement égyptien. Pourquoi c'est si grave pour eux de savoir la vérité ? Je veux dire, OK, oui, ça change le cours de l'histoire, mais c'est quand même pas dramatique qu'une réalité survenue quelque deux mille cinq cents ans avant Jésus Christ soit différente de ce qu'ils pensaient. Dans quelle mesure cette information peut être si déstabilisante aujourd'hui ?

Ne pouvant pas du tout l'éclairer dans son questionnement, je l'épie de biais. Je la trouve si craquante dans son rôle de conquérante. J'admire l'ensemble de sa démarche sans même savoir de quoi il s'agit.

Mon ventre gargouille. J'ai à peine mangé un demi-croissant sec tout à l'heure.

— J'ai faim.

— Ça, c'est un gros problème. On a pas grand-chose à manger ni à boire. S'ils décident de nous laisser pourrir ici des jours, ce sera pas évident.

Un rat traverse le corridor en flèche devant nous.

— Au moins, on a du feu, fait Chloé en suivant la bête des yeux.

— Comme dans « pour faire cuire un rat », tu veux dire ?

— Au pire, oui.

Non merci, j'aurai quitté le plateau avant le braisé de rat égyptien.

— S'ils nous tuent, assurément, des gens au Canada vont le savoir. Ils vont faire passer ça pour un attentat terroriste, selon toi ?

— Je sais pas.

— Ce serait brillant de leur part : deux journalistes en mission tués « par accident » dans un attentat. Dans ce cas, si personne prend le relais de ma recherche, personne saura jamais la vérité. Terrible.

Je tente une nouvelle façon de connaître ladite vérité. Ma stratégie s'intitule *Piquons l'ego de la belle journaliste*. Je suis un professionnel.

— Parfois, je me demande si ce que t'as découvert a vraiment du sens.

— Quoi ? Tu me niaises, Alex ? Les z en alliage plombifère découverts dans la Cité de l'Aube de Tulum prouvent hors de tout doute que les Mayas ont appris ça de quelqu'un d'autre avant de le faire eux-mêmes ! Le fait de savoir qu'ils provenaient de l'Asie au départ et qu'ils ont voyagé avec les Khmers un peu partout confirme d'emblée la théorie de la transmission de connaissances évoquée dans les hiéroglyphes réalisés sous le règne du roi Snéfrou. En plus, les formes de la pyramide, genre les arêtes tout en rondeur, sans escaliers, témoignent de l'origine distincte du peuple l'ayant confectionnée en guise d'offrande. C'est clair que les Mayas ont construit ça pour remercier le roi, juste avant de revenir en Amérique par le détroit de Béring !

— ...

Je saigne du nez[14]. Il me paraît bien évident que, lorsque quelqu'un utilise les mots « artéfacts », « alliage plombifère » et « hiéroglyphes » dans la même théorie, la véracité de celle-ci est sans équivoque. Pas le droit de s'obstiner. On hoche de la tête sans s'opposer. On prend tout et on démontre du respect.

C'est ce que je fais, en ce moment, d'ailleurs.

— Tu doutes de quoi au juste ?

— De rien, finalement. Tout a du sens.

Mes orbites de toutou Ty aux gros yeux la fixent. Non plus avec admiration, mais avec adulation à présent. Comment a-t-elle pu découvrir un truc insolite de ce genre ? N'y a-t-il pas des milliers de chercheurs, d'historiens et de scientifiques de ce monde qui se sont penchés sur ces emblèmes architecturaux, et ce, depuis des siècles ? Et là, c'est elle, la Chloé bouclée qui devient chaude après trois *shooters* de tequilas, qui dévoile candidement à la face du monde un si grand secret. C'est irréel.

Audrey Tautou se tourne vers moi.

_____

14. Moi aussi !

— Je pense qu'on approche. Écoute, on entend plus l'écho, il y a forcément une ouverture plus grande par ici.

Elle se penche pour attraper une pierre qu'elle frappe trois fois contre la paroi de roc du mur. En effet, le son résonne jusqu'au tréfonds des entrailles de la structure rocheuse. Elle connaît vraiment son affaire. Je suis sur le cul pour tout dire. Vraiment. Je me sens comme un ver de terre accompagnant une lionne à une chasse aux gazelles. Je ne sers à rien à ses côtés, sinon à laisser une trace visqueuse et repoussante au sol. Moi qui trouve que je ne fonce pas assez dans la vie en général, ici, je ne suis qu'un inutile invertébré.

Nous repartons de plus belle vers l'écho. Je réfléchis. Assurément, sa théorie a dérangé des gens, parce que nous nous retrouvons prisonniers ici.

Les Mayas auraient construit une pyramide en Égypte.

Taboire. On aura tout vu.

Depuis un petit moment, je suis Chloé comme un petit chien de poche sans rien dire ni rien faire. Au fur et à mesure que nous avançons, l'espace devant semble plus clair.

— Tu vois, on arrive à la salle, il y a de la lumière, me chuchote-t-elle.

Bon, enfin. Je commence à être un peu blasé de cette randonnée de plaisance dans des couloirs sombres qui ne semblent mener nulle part. Je me sens d'attaque pour un peu d'action égyptienne. Tant qu'à rêver, aussi bien qu'il se passe quelque chose.

— Approchons. Il n'y a pas grand-chose d'autre à faire de toute façon.

J'avance à pas de loup, excité d'avance par la suite. Au fil d'arrivée de notre marche sur la pointe des orteils, nous atterrissons dans une pièce vaste comme une grande salle de bal souterraine, mais faite de pierre. Ou plutôt, une salle de banquet du Moyen Âge, mais dépourvue de meubles. Une ribambelle de lanternes diverses et déjà toutes allumées éclairent les murs sur toutes les surfaces. Un imposant autel de pierre repose tout au fond, mais il n'y a rien dessus. Pas de sarcophage ? Ni de momie ? Je suis déçu. Je croyais que les pyramides servaient de complexe funéraire. Le tout a peut-être été retiré pour assurer sa conservation ? Je l'ignore. De plus, j'aurais plutôt imaginé sa disposition au centre. Il me semble que ça aurait été plus spectaculaire. Plus ergonomique, du moins, et Dieu sait qu'en fait de feng-shuisme, je m'y connais. Dans les quatre coins de la pièce se trouvent des ouvertures sans porte menant probablement à d'autres tunnels. Nous en traversons une en silence. Je constate que les lieux sont déserts. Personne en vue. Bon. S'ils veulent simplement nous faire mourir de soif et de faim ici comme deux cretons, la fin de ce rêve jusqu'à minuit sera bien ennuyeuse. D'autant plus que je me doute bien que Chloé ne souhaitera sûrement pas passer le temps en s'amusant de quelque façon que ce soit. Un fait aussi compréhensible que décevant. Je demande :

— Qu'est-ce que tu veux faire ? Rester ici ?

— Je sais pas trop. Toi?

Je hausse les épaules, puis je présume :

— Regarde, soit des gens vont venir nous rendre visite, soit ils nous feront pourrir ici. Dans un cas comme dans l'autre, je crois que le mieux reste de pas bouger.

— T'as peut-être raison.

Nous nous assoyons sur le sol de grosses pierres lisses, adossés au mur. La surface pour notre dos est quant à elle plutôt rude. J'enlace Chloé par les épaules. Je renifle ses cheveux, source de cette odeur de rose qui embaume tout mon espace vital depuis ce matin. Ma main parcourt du bout des doigts la peau de son bras. Sa douce peau. Elle appuie sa tête au creux de mon épaule. Ma main libre se pose sur son ventre. Elle reste ainsi un court moment avant de tenter de se frayer un chemin sous son chandail pour se poser à plat sur son ventre.

— Euh, t'es pas sérieux, là?

— Quoi?

— Tu penses vraiment à baiser? Maintenant?

— Non!

— Franchement! fait Chloé en repoussant mon étreinte.

— Chérie, je cherche un peu de réconfort, c'est tout.

— Réconforte-toi autrement!

Voyant ainsi ma tentative affective s'échouer comme un grand cachalot dans les canaux de Venise, je sors le reste de mon croissant de mon sac. Tant qu'à rien faire, aussi bien manger, comme ils disent[15].

— Mais non, tu peux pas manger non plus! Imagine qu'on reste ici des jours… Vaut mieux tout garder.

Piteux, j'enfouis ma collation dans le sac.

Décidément.

Tandis que nous sommes ensommeillés et toujours accotés au mur râpeux, un bruit sourd nous met aux aguets. Des pas avancent sur la pierre.

— Quelqu'un s'en vient, fait Chloé en se redressant.

Elle se replace les cheveux. Elle préfère probablement mourir sans mèches disgracieuses. Par réflexe de contagion, je replace mon chandail.

Ça fait plus de trois heures que nous sommes ici à ne rien faire. Avant de m'affaler au sol, j'ai arpenté la pièce de long en large une bonne douzaine de fois. J'ai aussi proposé à Chloé de jouer au tic-tac-toe avec des cailloux au sol, mais elle a refusé en me faisant de gros yeux de carpe exaspérés. Je m'ennuie sans bon sens au cœur de cette pyramide.

---

15. Qui ça?

Trois hommes recouverts de grandes tuniques des moines de l'ordre de Cluny apparaissent dans une ouverture du mur. Puisqu'ils regardent tous vers le sol, leur visage est caché par le rebord tombant de leur gros capuchon noir. Ils éclairent devant eux avec des torches qu'ils maintiennent à bout de bras comme des offrandes sacrées. C'est à la fois épeurant et très distingué comme arrivée.

— Bonjour! les salué-je avec trop d'entrain, heureux qu'il se passe enfin quelque chose dans ce rêve ennuyeux.

— Normand?! fait Chloé, redevenue Carmen à ce que j'en déduis.

Les trois hommes restent là sans rien dire. Il ne manque que la trame sonore tambourineuse rehaussée d'un abus de timbales pour que nous soyons plongés dans une aventure d'Indiana Jones.

Chapeau au réalisateur.

L'effet est très réussi.

Ils avancent finalement à tour de rôle pour faire des cercles bizarres avec leurs torches devant l'étal de pierre vide. Les hommes tournent les bras d'un côté, puis de l'autre, dans un synchronisme remarquable.

Ils avancent ensuite vers nous d'un pas aussi synchronisé que les danseurs de Riverdance, mais en plus calme. C'est à la fois très solennel et artistique. Comme si j'assistais à un spectacle ecclésiastique, j'admire la scène, toujours assis au sol près de Carmen-Chloé-Audrey-Tautou, qui cache sa terreur derrière un regard inébranlable. Les hommes s'immobilisent à quelques mètres devant nous, puis celui du centre nous adresse enfin la parole dans un autre dialecte arabe que je comprends toujours aussi bien.

— Je présume que vous comprenez pourquoi vous êtes ici.

Nous adoptons un mutuel silence laissant toute la place à ses imminentes paroles, qui nous en informeront probablement.

— L'État égyptien, ainsi que toute l'organisation religieuse et historique du pays, ne peut pas vous laisser entacher sa réputation en divulguant de par le monde des informations erronées à propos de l'histoire des nobles ancêtres de notre pays.

— Nous avons raison, riposte d'emblée Chloé.

Les trois moines à capine dont nous ne distinguons que le menton et la bouche adoptent une minute de silence. Si tout le monde continue d'étirer la sauce comme ça, minuit sonnera et je ne saurai même pas encore l'issue de toute cette histoire de Mayas constructeurs de pyramides. Je suis tout de même curieux.

— Qui est au courant de vos travaux ?

Le regard franc, les épaules droites, mais les boucles un peu échevelées malgré sa mise en plis express, Chloé leur balance en arabe :

— Beaucoup plus de gens que vous ne le croyez.

Ici, je ne suis pas tout à fait certain que ce soit la bonne stratégie à adopter. J'aurais plutôt opté pour : «Nous ne sommes que deux pauvres amateurs niais, ayant trop de temps libre et venant du Québec en plus, imaginez, c'est même pas encore un pays! On oublie tout ça et on s'en va plonger en apnée dans la mer morte comme tout le monde! Bye!»

— Vous ne voulez pas jouer à ça avec nous.

— Infirmez notre théorie, si vous en êtes capables, envoie Chloé sur un ton arrogant.

«Notre» théorie maintenant? Je croyais n'être qu'un vulgaire ver de terre dans toute cette histoire. La lionne va-t-elle me livrer aux lions? Ah non, ça, c'est à Rome. Et un lion ne livrerait jamais un ver à un confrère. Ce serait rire de lui. Trouillard, je rectifie tout de même les faits pour les éclairer quant au sort qu'ils nous réservent.

— Plutôt la théorie de Carmen que la mienne, je tiens à le préciser. Je comprends même pas la signification du mot «plombifère», pour vous donner une idée. Ça vient de «plombage», j'imagine?

— Normand? fait ma comparse, prête à commencer une querelle de couple en bonne et due forme.

— Ben quoi? Je suis même pas certain d'avoir compris pour vrai. Tu m'expliques rien ou presque depuis ce matin, c'est pas ma faute si c'est pas clair ton projet de vie!

— Tu m'abandonnes au combat, wow, beau pissou!

Le *Gazon*

Las de notre prise de bec à propos de la sortie des poubelles, l'homme pris en sandwich au centre et qui semble être le chef poursuit :

— La pyramide rhomboïdale fut construite sous le règne du roi Snéfrou, par et pour les Égyptiens de l'Antiquité autour de l'an 2560 avant Jésus-Christ. Rien ne peut entraver ou salir ce fait prouvé scientifiquement depuis des centaines d'années. Vous n'avez pas le droit.

— Et qu'est-ce que vous faites de la preuve que les Mayas cohabitaient avec les Khmers pendant cette période ? Vos propres hiéroglyphes prouvent que votre peuple a transmis les connaissances liées à l'alliage des métaux durant l'âge du bronze à un peuple étranger, cohabitant ici en tant que visiteur. C'était eux.

Je scrute à nouveau cette intrigante Chloé. Elle vient tout bonnement d'ajouter « âge du bronze » à sa savante théorie qui comprenait déjà les mots « alliage plombifère » et « hiéroglyphes ». Décidément, si ces trois clowns du dimanche ne lui accordent pas un minimum de crédibilité, je ne sais pas ce que ça leur prend.

— Comment avez-vous eu accès aux reproductions de nos hiéroglyphes ?

— Ouin, comment t'as eu ça ? que je renchéris, l'air désormais d'un membre actif du clan des moines.

— Tu veux arrêter, toi ? !

Elle semble en beau fusil contre moi, mais le fait reste que je me le demande vraiment.

— Je ne vous le dirai jamais, mais je peux vous dire que j'ai vu les originaux. J'en ai même fait des copies.

— Prouvez-le ! s'impatiente la capine en chef.

Chloé agrippe une pierre blanchâtre, puis elle se lève. S'installant au mur derrière nous telle une bonne enseignante devant son tableau, elle trace des lignes avec la pierre qui s'effrite au contact du mur en une poudre blanche farineuse. À partir du sol, je ne vois pas très bien son schéma.

Lorsqu'elle termine son œuvre, je sens la pression des trois hommes monter d'un cran sous leur capuchon. Ils piétinent et soupirent d'exaspération en se tournant les uns vers les autres. Je m'étire un peu le cou pour bien voir. Je distingue au mur une étoile à six branches et un petit triangle tout en haut.

Chloé se rassoit avec un aplomb tout aussi rempli de grâce que de confiance en soi.

— QUI ? rugit maintenant l'Égyptien du centre, furax.

Je murmure en français à ma blonde du moment :

— Peut-être que tu devrais leur dire, mon amour.

— Eille, toi ! ? Veux-tu mettre une toge pis aller de leur bord, un coup parti ?

— Ben non, je te conseille, c'est tout.

Le silence du matamore qui s'ensuit m'inspire une question spontanée :

— Allez-vous nous tuer ?

— Franchement! Propose-leur de les aider tant qu'à y être!

Pris au dépourvu, compte tenu de la légèreté avec laquelle je l'ai demandé, les types échangent quelques regards avant que le chef réplique :

— Pas tout de suite.

— D'ici la nuit? Demain, peut-être? Demain, ce serait bien. Mieux que ce soir, à vrai dire.

De biais, je perçois que Chloé désire elle-même me tuer, en ce moment. L'homme de gauche, qui n'a pas dit un mot depuis le début de la rencontre, avance vers moi d'un grand pas. Sans que je puisse prévoir son geste, je reçois en pleine poire un coup de poing qui me fait craquer la mâchoire.

— AYOYE! que je crie avant d'essuyer un filet de sang qui coule de ma lèvre inférieure tout en me protégeant la tête d'une seconde attaque avec mon bras gauche.

Il fait aussitôt un pas vers l'arrière afin de regagner les rangs de la brigade de façon protocolaire.

Ne m'étant jamais battu, même pas dans la cour d'école, je peux affirmer que cette droite était la toute première que je chopais de ma vie. Ça fait mal en chien, mais ça surprend encore plus.

Je saisis à travers le mutisme de Chloé qu'elle est intérieurement satisfaite de l'agression que je viens de subir. Insulté, je lui balance :

— Pis toi, t'es contente?!

— Non, ment-elle sous le regard impénétrable du trio de statues qui nous épie toujours.

— Menteuse! Je t'ai vue être contente! l'accusé-je, avant de changer pour l'arabe. J'ai rien fait, moi! Je connais rien à sa théorie de je ne sais pas quoi. Je ne connais rien aux pyramides non plus. C'est sa théorie, pourquoi vous me frappez, moi?

Complètement déroutés par la tournure inattendue que prend la scène, les types tournent leurs capines dans tous les sens, cherchant à comprendre la nature du dérapage de cette possible mission homicide.

— Calme-toi, Normand.

— Calme-toi, Normand, oui! Normand va se calmer, c'est ça. Eille, je saigne! Vous saurez qu'un VRAI homme frappe jamais un homme déjà à terre!

L'air de trouver que ce léger saignement est bien mineur comparé à ce qu'ils nous réservent pour le futur, les trois types adoptent tout de même un silence respectueux à l'égard de ma blessure d'orgueil. Non mais, ce code d'honneur concernant le fait de ne jamais frapper un homme par terre doit être universel, il me semble.

Semblant tout à coup honteux de son geste brusque, celui qui m'a frappé avance vers moi pour me tendre un mouchoir de tissu que j'accepte d'un geste sec visant à reprendre du coup un peu de dignité. Il immobilise un instant son regard sur ma manche de tatouages.

Son chef lui assène un coup du revers de la main lorsqu'il revient près de lui, peu fier de sa généreuse intervention à mon égard.

— C'est vrai qu'il était à terre, chef.

— Assez de singeries! Vous ne voulez pas parler, nous vous ferons parler.

Ils quittent tous la pièce sans se retourner.

— Veux-tu arrêter de jouer au con!?

— Je joue à rien, il m'a frappé. Voyons donc!

— Alex, ils vont sûrement nous torturer à mort, on s'en fiche un peu de ton petit coup de poing.

— Toi, tu t'en fous, pas moi! C'était sauvage. J'étais à terre pis ça fait mal.

— *My God…*

— Il m'a donné un mouchoir, pourquoi tu penses? Pour s'ex-cu-ser. Il le sait, lui, que ça se fait pas!

— Bon, de toute façon, on fait quoi maintenant?

— Je sais pas.

J'essuie encore ma lèvre, même si elle ne saigne plus. Elle a commencé à enfler. Ça élance de l'intérieur. Je sens mon pouls dans ma lèvre. C'est comme engourdi un peu. Je réalise tout à coup un triste fait: il m'a frappé et ça a fait très mal. Je peux donc, même si toute cette mascarade n'est qu'un rêve, ressentir la douleur. Je m'intéresse donc davantage à la suite des choses.

— Quand tu parlais de torture, tu pensais à quoi au juste?

— Je sais pas, ils vont peut-être nous arracher les ongles d'orteils avec des pinces pour rendre hommage à leurs ancêtres? Ça se faisait beaucoup dans le temps.

— Ah non, non, non. C'est pas vrai que je vais vivre ça. À leur retour, tu vas tout leur avouer et les supplier de nous laisser partir en promenade en chameau, question d'oublier toute cette connerie.

— Es-tu malade? Je travaille sur cette théorie-là depuis dix ans!

— On s'en fout, de ta théorie! Tout ça est pas réel, Chloé! C'est juste un rêve que je fais. Tu le sais pas, tu comprends pas de quoi je parle, mais je t'en supplie, dis-leur la vérité. Ensuite, on sera libres et on visitera l'Égypte pour le reste de la journée.

— Un rêve? T'es complètement tombé sur la tête, Alex. Je te trouve bizarre depuis ce matin, mais là, je réalise que t'as perdu le nord pas à peu près. Je savais que t'étais trop fragile pour m'accompagner.

— Moi, trop fragile? Et toi? Tu pourrais pas être juste une fille normale à la place de chercher à refaire l'histoire du monde entier!? Tu sais, comme les couples ordinaires, qui visitent des pays en toute quiétude en faisant des balades guidées dans le désert après avoir fait l'amour le matin ? Me semble que ça serait moins éprouvant.

— Encore faire l'amour ? T'es ben en manque, coudonc ? On a fait l'amour hier soir pourtant.

Visiblement, j'ai manqué ça.

Je réplique un désolant :

— Pfft !

— T'as toujours embarqué dans mon projet, t'étais là, avec moi, tu me soutenais…, fait Chloé, maintenant triste comme les pierres qui nous entourent.

— Pour toi, pour te faire plaisir, mais pas au point de me faire arracher les ongles d'orteils à froid dans les tunnels secrets d'une pyramide, non ! Excuse-moi d'être SI fragile !

Abattue, elle baisse la tête vers le sol, dans l'intention évidente de lécher les dalles de pierre. Je m'éloigne un peu, tout de même froissé de son manque de foi en mon courage. Je l'entends renifler. La culpabilité s'immisce peu à peu dans mes entrailles. S'il y a quelque chose que mon âme tout entière ne supporte pas, c'est bien d'entendre une femme pleurer, surtout lorsque je suis un peu, beaucoup responsable de la tristesse en question.

— Chloé.

— Ça va, tu me laisses tomber.

La culpabilité fait alors place à un grand sentiment de lâcheté.

18ʜ05

Ne disant pas grand-chose – comme dans rien du tout depuis trop longtemps –, Chloé semble à présent me détester jusqu'au plus profond de son être. Assis plus loin dans la pièce, je picore en cachette le reste de mon croissant tel un oiseau de malheur. Les bruits de pas qui arrivent me font illico changer de place pour retourner au mur près d'elle. Pour la protéger ou plutôt pour qu'elle me protège? Tout ça n'est pas clair dans le cœur du lâche guerrier que je suis.

Les trois mêmes hommes débarquent dans la pièce, vêtus de la même façon. C'est le jour de la marmotte.

— Donc? Avez-vous décidé de parler?

Chloé se tourne vers moi. Elle me regarde. Je la regarde. Elle se lève finalement pour dire :

— Normand a rien à voir là-dedans. Laissez-le partir. Il ne sait pas grand-chose, c'est moi qui ai tout découvert.

Toujours accroupi au sol, je la dévisage. Je perçois de biais son petit minois aux traits fins entouré de bouclettes cachant sa vulnérabilité derrière un courage grand comme celui d'Hercule. Mais quel genre d'homme suis-je pour l'abandonner ainsi au combat? Ça n'a aucun sens. Je me lève d'un bond.

— C'est faux, elle ment. Je sais tout à propos des Mayas, de l'alliage de plombi-chose et des hiéroglyphes !

Comment douter de mon implication étant donné cet amalgame de mots savants ?

— Normand…

— Si vous voulez vous en prendre à elle, vous vous en prendrez à moi d'abord !

Bon. Me voilà qui les supplie presque de m'arracher les ongles en premier. Chloé me sourit un peu, heureuse de retrouver un semblant de bravoure chez son ver de terre de chum.

— Nous avons le matériel pour vous deux de toute façon.

— Le matériel ? que je chuchote en français à Chloé.

Elle hausse les épaules. Ils doivent parler des pinces pour l'extraction des ongles. Au secours. Je vais souffrir le martyre. Claire me taquine souvent en disant que je ne suis pas très endurant face à la douleur. Même si je le nie haut et fort chaque fois, eh bien, là, je l'avoue. C'est possible. Mais en quoi serait-ce positif d'être tolérant à la douleur ? Qu'est-ce que ça apporte dans la vie ?

Toujours à la tête des opérations, le chef à capuchon fait signe à ses deux partenaires de torture de procéder en levant un bras. Mes orteils se crispent. Je ferme les poings pour cacher le bout de mes doigts au centre de mes paumes. Une protection de courte durée, je le crains. Nous observons les préparatifs de loin. Les deux types se dirigent vers des ouvertures différentes. Un bruit de ferraille et de joints qui grincent se fait ensuite entendre. L'écho sourd de la pièce crée un joyeux tapage ressemblant au bruit d'une voiture que l'on écrabouille pour en faire un vulgaire cube. Les deux hommes réapparaissent avec chacun une sculpture de bois et de fer posée sur une plateforme roulante aussi en bois.

— C'est quoi ça?

À première vue, on dirait une mini grande roue pour chat. Il ne manque que les paniers. Le grand cercle de bois de chacun des appareils est traversé par deux poutres qui forment un «X» et qui dépassent en haut et en bas. Je distingue des sangles de cuir sur chaque poutre de bois.

— J'ai une petite idée de ce que c'est, mais…, commence Chloé.

— Vous avez voulu entacher l'histoire de notre nation, nous vous réservons un traitement digne de cet affront.

Un des faux moines s'approche pour s'emparer de mon bras droit, tandis que le deuxième fait de même avec celui de Chloé. De peur qu'il me frappe à nouveau, j'exploite au maximum la distance entre nous en le guettant du coin de l'œil. Il prend alors mon menton avec ses doigts pour m'inspecter le visage de plus près. Il examine ma blessure à la lèvre. Comme je ne vois que partiellement son visage, je ne sais pas s'il est ravi de son travail ou repentant, étant donné sa lâcheté d'avoir frappé un homme à terre. Peut-être un mélange des deux.

Il me fait grimper avec lenteur sur la plateforme, puis il appuie mon dos sur les poutres de bois en posant son index sur mon torse pour que je recule. Plaçant une de mes chevilles au centre de la première sangle, il l'attache bien serrée, mais sans trop me faire mal. Il fait de même avec la suivante. Une autre grosse sangle retient ensuite mon tronc contre la planche de bois centrale. Son attention à bien faire les choses dans un certain souci de mon confort me glace le sang. C'est comme raser avec délicatesse le crâne de quelqu'un avant de lui envoyer une balle dans la tête. Une attitude psychopathique à la hauteur du crime à venir. Observant de côté le truc dans lequel Chloé se fait aussi installer, je comprends alors ce qui se passera.

— Un écarteleur. C'est un écarteleur !

Je mire Chloé avec la fierté du gars qui vient de sauver son équipe de la défaite en trouvant une réponse décisive à un *quiz* télévisé.

— J'avais compris et je suis pas SI heureuse que ça. Toi, oui, on dirait.

Plus ou moins, pour tout dire. Je me demandais simplement ce que c'était. Donc, l'hypothèse des ongles arrachés ainsi écartée, je réalise qu'à la place je me ferai moi-même écarteler comme un porcelet à un méchoui. Mieux ou pas ?

Chloé, qui décide – va savoir pourquoi – que le moment est excellent pour jouer les fanfaronnes, lance à nos bouchers :

— En passant, ce machin est de l'époque du Moyen Âge et non de l'âge du bronze.

Un détail. Pas le moment le plus adéquat pour les rectifications sociohistoriques à propos des méthodes de torture ancestrales.

La capine en chef répond :

— Oui, en effet, nous cherchions au départ l'extracteur à ongles dans la boîte à torture, mais il est resté introuvable. Nous sommes dus pour un petit ménage.

En attachant mon poignet droit, le moine s'attarde encore sur mes tatouages.

— C'est beau, han? Regarde la belle fleur juste au centre.

— Hum, apprécie le type en hochant la tête.

Le chef s'oppose avec grogne à notre camaraderie artistique :

— Assez!

Pas moyen de fraterniser avec son bourreau, de nos jours. Une fois les sangles bien en place, nos liquidateurs s'éloignent pour nous observer un instant. Fiers du boudinage accompli, ils entreprennent l'étape numéro un de notre exécution imminente en faisant basculer la roue de cent quatre-vingts degrés. Nous nous retrouvons donc à l'envers. Le sang me monte rapidement au cerveau. Ils placent ensuite un genre de récipient de métal sous notre tête.

— C'est pour quoi? fais-je, sceptique, mais tout de même captivé par les détails entourant les circonstances de ma propre mort.

Il m'explique avec pédagogie que c'est pour recueillir le sang qui giclera de notre nez comme d'un robinet. Ils ne tiennent pas à récurer le plancher après le supplice, car ils doivent tous se rendre à un souper-bénéfice de tajine d'agneau au profit d'un hôpital pour enfants.

Charmante attention.

— Excusez-moi, pourriez-vous me dire l'heure justement?

Aucune réponse.

— C'est que ce genre de rituel devrait plutôt se faire à minuit, non? Vous savez, avec la pleine lune, les cris de loups et tout, me semble que ce serait préférable. Pourquoi ne pas remettre ça tout de suite après votre souper-bénéfice?

Le type qui m'a frappé se tourne vers le chef avec la face d'un gars considérant ma suggestion comme logique et avantageuse pour tous. L'autre balaie l'air du revers de la main en guise de refus.

— ALLEZ! crie-t-il encore.

— Dernière chose, c'est juste un petit détail, mais vous avez placé les engins un peu devant les portes, saviez-vous que cela empêche le Chi d'entrer en rotation avec les métabolismes énergétiques des forces dynamisant la vitalité de la pièce? Les Chinois, le feng shui, vous connaissez?

— *My God*, de quoi tu parles? fait Chloé, tout aussi à l'envers que moi, mais surtout déçue par l'absurdité de ma tentative de diversion.

Le type qui m'a frappé mentionne à son supérieur que sa femme aime bien cet art millénaire d'origine chinoise. Il semble donc une fois de plus vouloir considérer ma suggestion. Il me fait penser à ce nigaud d'Averell des frères Dalton. Le chef, qui ne semble pas abonder dans le même sens, poursuit :

— ALLEZ !

Je pousse ma chance :

— C'est que ça favorise l'apparition du cancer de la prostate pour les gens qui se trouvent devant ou derrière.

— Prostate ? s'inquiète le nigaud en dévisageant le chef avec crainte.

— Prostate ? répète le deuxième moine, aussi apeuré que le premier.

— Prostate..., fait le chef en baissant les yeux vers sa fourche.

Je viens de les toucher en plein cœur de leur crainte masculine la plus sombre. C'est universel, cette anxiété d'un dérèglement de la prostate.

Le chef fait deux pas vers la gauche pour éviter d'être trop près des machines. Ravi d'ainsi diminuer les facteurs de risques le concernant, il hurle à nouveau :

— ALLEZ !

Le **Gazon**

La mine basse, compte tenu de leur cancer imminent, les deux types à son service se résignent et tournent une grande roue à quatre manivelles de métal derrière le mécanisme.

En sentant mes membres se tendre un peu, je m'écrie :

— Ayoye !

En vérité, ça m'a davantage surpris que fait mal. J'anticipe par contre la suite. Le pire. Bientôt, ça fera très mal, je crois. Qu'est-ce qui cédera en premier ? Ma colonne vertébrale ou les rotules de mes membres inférieurs ? Mes épaules, peut-être ? J'ai toujours eu une faiblesse à la coiffe des rotateurs droits à cause du tennis.

— Je m'excuse, Normand ! beugle une Chloé plutôt résignée à mourir qu'à perdre sa bataille.

Sa fougue, que j'admirais jadis, me paraît en ce moment obsessive et démesurée. Voir qu'on accepte de crever pour des maudits alliages de plomb vieux comme Mathusalem. Voir que je vais mourir éjarré dans un écarteleur du Moyen Âge. Je paierais très cher pour être à la maison et ouvrir la porte à ma chère mère pour une livraison de pesto au basilic.

— Qui vous a donné les copies des hiéroglyphes ? QUI ?

— Personne ! crie Chloé.

Les deux types font un autre tour de roue.

— AYOYE !

Expression consacrée décrivant une douleur au niveau du torse, en langage universel. Je peux même à présent confirmer que c'est bel et bien ma colonne qui cédera en premier. Lombaires 4 et 5, si je ne m'abuse. J'ai chaud. Je sens mes vertèbres presque étirées au maximum de leur capacité. Ça tire dans mes tendons, mes muscles et mes os aussi. Il ne peut pas faire un autre tour. Impossible.

— QUI ? rugit le fou furieux que j'écoute à peine, trop préoccupé à souffler par la bouche comme un petit chien.

— PERSONNE ! crie Chloé, alias la folle à lier, si je me fie au registre d'insultes à son égard qui défilent en ce moment dans ma tête.

— DIS-LEUR !

— NON !

Nos tortionnaires empoignent à nouveau la barre de métal, puis ils tournent encore.

Je gémis comme une chèvre, avant de m'évanouir.

Entre ciel et terre

En reprenant connaissance dans mon divan, je me rends compte que je respire encore en petit chien.

— C'est terminé, monsieur Alexandre, respirez, respirez. On voit que vous avez très bien assimilé la matière de base des cours prénataux suivis avec Claire avant la naissance de votre premier enfant. Bravo !

— Ça fait mal en chien, tes conneries !

— Mais non, mais non. Que vous êtes frileux face à la douleur, monsieur.

— Je me suis fait écarteler dans une pyramide, chose bine.

— Même pas. Vous ne vous êtes pas rendu là, car vous avez perdu conscience avant. Et ce, de façon très précoce, je dois dire. Vous savez que votre jeune compagne était encore capable de supporter au moins trois tours de roue supplémentaires ?

— Pfft ! Simple question d'âge et de flexibilité.

— Non, non, j'avais soigneusement calculé l'indice de douleur. Au moment où vous avez craqué, la souffrance était comparable à la douleur ressentie par une femme enceinte dilatée d'à peine deux centimètres et ayant des contractions toutes les vingt minutes[16]. Votre performance générale me désole un peu, pour tout dire.

— C'était bien plus souffrant que ça !

— Non. Il paraît que les hommes ne pourraient physiquement pas supporter un accouchement. Une chance

---

16. Les hommes et la douleur… Pas moi qui le dis !

que la nature fait en sorte que ce soit leurs compagnes qui accouchent, sinon la race humaine serait en voie d'extinction ! Ha ! ha ! ha !

— Pfft !

Le seul fait d'imaginer que des êtres humains aient pu être réellement sanglés à cette horrible grande roue me fait frissonner d'effroi.

— Tu me fais peur, avec tes histoires.

— Mais non, c'était amusant, cette balade en Égypte, avec la belle Chloé en plus.

— Chloé la folle, oui ! Elle avait même pas l'air d'avoir peur de mourir, la pauvre. Est-ce que des gens peuvent perdre la tête à ce point pour vrai ?

— Vous, Alexandre ? Avez-vous peur de mourir ? Quoique, à voir votre attitude de tout à l'heure, j'ai ma réponse.

— Ça fait déjà deux ou trois fois que je meurs depuis que je me suis couché hier soir, donc je commence à m'y faire. Mais quelle folle, cette Chloé ! J'en reviens juste pas.

— Ce n'est pas tellement elle qui m'intéresse, mais plutôt vous.

— Dans ce cas, va donc ramasser mes membres étalés un peu partout dans le sous-sol de la pyramide, si ça te chante ! Les trois autres zoufs à capuche avaient un souper-bénéfice de tajine, donc ils ne feront sûrement pas le ménage ce soir.

— Quel geste de générosité de leur part que ce souper. Ha! ha! ha!

— Tu trouves ça drôle, c'est ça qui m'énerve le plus dans toute l'histoire, je pense.

— Allons! Tout avance rondement, je trouve. Sur ce plan, je suis même très fier de vous!

Tirant une nouvelle petite bouffée de sa pipette, l'Indien me fixe un instant avant de l'exhaler avec force. Pris au piège dans le nuage de fumée, je toussote.

— Tout peut bien tourner à la folie, avec un drogué comme toi aux commandes.

— Je ne suis que partiellement aux commandes, monsieur Alexandre. Je vous ai déjà expliqué tout ça.

Je soupire en guise de réponse.

— Qu'avez-vous appris dans cette vie-ci, dites-moi?

— Que de découvrir des faits historiques inédits mène à l'écartèlement? Wow! Je ressortirai vraiment grandi de cette expérience. Je jure de jamais faire de recherches à propos de l'histoire.

— Ne jouez pas à l'idiot. Appris à propos de vous.

Pilant un peu sur mon orgueil, je réfléchis un instant. Je lui révèle du bout des lèvres:

— Je me suis trouvé lâche.

— Pourquoi?

— Chloé était là, avec sa fougue, sa force, et moi, je la suppliais de parler pour notre libération.

— Oui, mais vous étiez là.

— Là, où ?

— Avec elle. Vous avez pensé à vous sauver, mais qu'est-ce que vous avez fait, finalement ?

— Je suis resté.

— Une force interne a surgi en vous à la toute fin, vous empêchant d'abandonner. De l'abandonner, elle.

— Ouais.

Même si je revois dans ma tête cette scène dans la pyramide avec Chloé, je reste plus ou moins convaincu de la réelle bravoure de mon geste.

— Si vous aviez accepté qu'ils vous laissent partir, un de leur complice vous aurait flingué à la sortie de toute façon, c'est ce qui était prévu, mais bon, l'important est que vous êtes resté.

— Génial. Vous voulez toujours me tuer.

— Soyez fier de vous, monsieur Alexandre. Vous êtes un homme loyal envers ceux que vous aimez. Même si vous avez pleurniché comme une fillette. Saint curry d'Espelette que c'était drôle ! Ha ! ha ! ha !

— Bon, c'est beau, là.

Le Gazon

Je fixe le nuage qui défile devant moi. C'est vrai que si quoi que ce soit arrivait à mes enfants ou à Claire, je ne les abandonnerais jamais. C'est ma famille. Comme s'il m'entendait penser, le jardinier ajoute :

— Je crois en effet que c'est ce que vous deviez voir. On dirait qu'il faut toujours des décennies pour que vous compreniez les choses par vous-même. Comme vous êtes mort dans cette vie, poursuivons avec la suivante. La dernière, en théorie.

— Facile à dire, tu restes en haut, toi. Bon, la dernière, promis ?

À dire vrai, j'en ai marre. Je m'ennuie de Claire, des enfants, de ma vie.

— À moins que ça se passe très mal.

— Aaah ! Pas de douleur physique cette fois, s'il te plaît.

— Allons, je dois retourner auprès de quelqu'un d'autre. Pas de douleur physique, promis, mais sachez par contre que cette vie-ci devrait vous confronter à un niveau différent, justement.

— Ça peut pas être pire que celle que je viens de vivre, je t'en passe un papier. De toute façon, si c'est parce que je vais mourir à la fin, je commence à y être habitué.

— Pour les expérimentations avec les hommes, il y a toujours plus d'aventures et de rebondissements ; votre cerveau plus cartésien assimile mieux de cette manière. Mais pour la dernière vie, le seul conseil que je peux vous donner est de ne pas sous-estimer le fleuve tranquille.

Ses yeux plongent à cent lieues dans les miens. Il semble désolé d'avance.

Désormais, je crains le pire.

Enfin, la dernière vie

Des bruits dans la maison me font un peu sursauter. Des voix. Une jeune fille crie : « Laisse-moi tranquille, gros épais ! » Impression de déjà-vu ici ; on dirait ma Laurie qui peste toujours et à jamais contre son frère. Suis-je de retour à la maison ? J'en serais si ravi. J'ouvre les yeux. Un jeune homme lui répond : « C'est toi, la plus *full* ortho de nous deux ! » Ces insultes résonnent en moi comme un récital rassurant. C'est si mélodieux à mes oreilles. Le décor de la chambre où je me trouve me laisse par contre perplexe. Ce n'est pas notre chambre, mais bien celle de... Pierre, mon vieux frère. En un quart de seconde, je me tourne et j'aperçois Nathalie, sa femme. Elle roupille à mes côtés en tenue légère. Mais qu'est-ce que j'ai fait là, pour l'amour ? J'ai trompé ma femme avec sa meilleure amie ? Voyons donc ?! Le bout de la marde, comme on dit.

Horrifié, je me lève du lit, les deux bras en l'air, comme si cela me déresponsabilisait des événements passés. Elle se réveille à son tour, puis elle me regarde, les yeux petits.

— Je sais pas ce qui s'est passé, mais c'était une grave erreur. Une très grave erreur, Nathalie.

Est-ce bien un rêve encore ? Un cauchemar, plutôt. Comment vais-je expliquer ça à Claire ? Elle va me quitter. Et Pierre va me casser la gueule. À moins que je me sauve jusqu'à minuit dans le bois ? Étrangement, je crains encore que ces rêves aient des répercussions dans ma vie. Et si c'était ça, l'expérimentation ? Du genre : « T'as refusé d'affronter cette vie, donc ça va se produire pour vrai. » Juste au cas où, je vais attaquer la situation de front.

— Alex ?

— Regarde, je vais rentrer à la maison et réfléchir à ce qu'on va faire ou dire.

— Alexandre ?

— Pas de problème, on va leur expliquer ou juste rien dire. Je sais pas. Je sais pu. Je dis pas que c'est ta faute, là. Je t'accuse pas pantoute, mais… C'est épouvantable ! Pierre est où ? En voyage d'affaires ?

Elle ne répond pas, les sourcils tordus en forme de trombone. J'agrippe des vêtements reposant sur une chaise près du lit et je me lève pour me rendre à la salle de bain. Comme en plein centre de l'action d'une pièce de théâtre d'été, je m'habille en route, en titubant dans le corridor. Je pisse en ayant mal au cœur.

Je me dirige ensuite vers la sortie en ne songeant même plus aux enfants de Pierre, en face desquels je me retrouve.

Merde. Se tiraillant sur le divan, ils ne font même pas mine de s'apercevoir de ma présence. Je tiens tout de même à leur dire avant de sortir :

— Écoutez, les enfants, c'est pas ce que vous croyez.

Ils se tournent vers moi, l'air de rien.

Je les regarde à peine, trop honteux. Je cherche désespérément mes clés de voiture, que je ne trouve pas. Je ne vois que celles de la Toyota de Nathalie. Voyons? Je jette un coup d'œil dans l'entrée. Un vieux Chrysler rouge vin se trouve à côté de celle-ci. Pour des raisons qui me sont inconnues, je dois être venu avec ça, hier soir. Je trouve finalement les clés dans la poche d'une veste qui reposait sur un dossier de chaise. Je quitte le plateau.

En me stationnant devant la maison, je constate que la Yaris de Pierre s'y trouve déjà. Ah non. Sont-ils au courant? Déjà?

Bon. Je ne sais pas pourquoi Nathalie et moi avons fait ça, mais je vais prendre le taureau par les cornes et affronter ma femme sans plus attendre. Maman m'a toujours dit : « Faute avouée est à moitié pardonnée. » Puis, naturellement, elle ajoutait : « Comme ton oncle Maurice, quand il avait brisé la chaise de patio chez Suzie parce qu'il avait pris du poids. Il l'a avoué juste le Noël suivant, un peu chaudaille. Je lui avais dit, à Maurice, d'écouter *Maigrir pour gagner* avec Chantal Lacroix. Elle a adopté des enfants elle, tu le savais? En Chine, je pense, mais je suis pas sûre.

J'aimerais ça aller en Chine, mais il paraît qu'ils mangent des chiens là-bas. Je suis pas d'accord, faque ton père pis moi on va retourner aux pommes à Rougemont à la place. » Même si je ne suis pas certain de croire à sa doctrine de faute avouée, je vais l'écouter. Après tout, je n'ai jamais eu ce genre d'écart auparavant. Nous nous relèverons, peu importe le temps que ça prendra. La variable «avec sa meilleure amie» reste impardonnable à mon avis, mais bon. C'est trop tard, donc je n'ai pas vraiment le choix d'assumer.

J'entre d'un pas décidé dans ma maison, propulsé par une urgence de régler ça au plus vite. Dans l'entrée, je me ravise et choisis de me camper plutôt dans un rôle repentant qu'explosif. Je remarque que mes enfants sont sur le divan devant deux tablettes. Depuis quand ont-ils des tablettes? Leurs visages me semblent différents. Sont-ils plus vieux?

Pierre est déjà assis à table devant Claire, qui se trouve dos à moi – probablement dans tous ses états.

— Eille, vieux! Ça va? fait Pierre en semblant un peu surpris de me voir surgir ainsi.

— Écoutez, je sais pas ce qui s'est passé. On a dû perdre la tête quelque part, on voulait pas, c'est pas votre faute, vous avez rien à voir là-dedans.

Pierre lève des yeux inquiets dans ma direction. Je tente de trouver quelque chose d'intelligent à dire.

— On est désolés, tous les deux, autant Nathalie que moi.

Je réalise que mes enfants sont au salon et que je devrais peut-être attendre de régler ça en leur absence.

Claire semble mal à l'aise, le nez enfoncé dans son café au lait. Elle ne se retourne pas. Je suis certain qu'elle pleure en silence. Ça a beau n'être qu'un rêve, mais quelle scène d'horreur ! Tout va vite dans ma tête.

— Écoute, vieux, on comprend.

— Vous comprenez ?

Claire se lève pour se rendre à l'îlot.

— Mais oui, les hauts et les bas, on comprend ça, ça va, pas de souci. On se reprendra !

Je suis sans mot. On se reprendra pour quoi ?

— Vous vous disputez souvent, ces temps-ci, hein ? C'est des phases, ça, vous allez vous retrouver.

— Qui se dispute ?

Dans le néant, je me tourne vers mes enfants. J'avance un peu vers eux. Mathis me paraît vraiment différent. Laurie aussi.

Mon fils déclare :

— Ah, c'est poche ! J'aurais aimé ça leur montrer mon nouveau jeu.

Pierre lui répond :

— On pourra les voir une autre fois à la place, mon grand. On peut se reprendre pour le souper ce week-end ? Ici, si vous préférez ?

Alors que je suis planté près du divan du salon, tout roule à cent milles à l'heure dans ma tête. Ah non. Ne me dites pas que…

— Bon, les enfants, assez de tablettes pour ce matin, allez vous préparer.

Les enfants à qui ?

Claire se tourne vers Pierre pour lui dire :

— Je vais me préparer aussi, mon chéri.

Puis, elle quitte la cuisine.

C'est le monde à l'envers.

Un véritable cauchemar.

Le bout de la marde est ici, finalement.

8 н 12

De nouveau assis dans le vieux Chrysler, j'appuie mon front sur le volant. Je suis en couple avec Nathalie et Claire est avec Pierre. Comment est-ce possible ? Comment nos vies ont-elles pu être inversées de la sorte ? Et les enfants qui me semblaient différents… Je comprends maintenant pourquoi. La moitié de leur ADN n'est pas de moi. Laurie se ressemble encore beaucoup, par contre, Mathis moins. Et pour ceux de Pierre, euh… plutôt, les miens, je ne m'en souviens pas trop, étant sorti en coup de vent tout à l'heure.

Avant de partir de chez moi, ou plutôt de chez Pierre[17], j'ai finalement rectifié avec lui que le barbecue de ce soir aurait bel et bien lieu. Pourquoi faire un drame avec des disputes de couple alors que nous avons tout simplement changé de partenaire? N'importe quoi.

Pourquoi est-ce que ça se produit ainsi? Ce rêve, je veux dire. Depuis le début de toute cette histoire de vies multiples, je réalise que l'ensemble des personnes avec qui je me suis retrouvé sont des femmes sur lesquelles j'ai déjà jadis plus ou moins fantasmé. J'ai compris ça depuis la troisième vie, avec Julie Desmarais. Donc maintenant, voici le tour de Nathalie. Quelle honte. J'ai presque aussi honte de me retrouver dans une vie avec elle que si j'avais réellement couché avec elle. C'est aussi grave dans mon échelle de culpabilité. Ai-je fantasmé à ce point sur elle? C'est vague. Je me demande si Claire a déjà fantasmé sur Pierre… Pour ma part, lorsque j'ai ressenti un peu d'envie à propos de Nathalie, c'était durant une période creuse avec Claire alors que les enfants étaient plus jeunes. Du coup, on courait partout, les enfants tombaient malades en alternance presque tous les deux mois, et sans surprise, Claire était un peu en panne au lit. Beau chaos. À ce moment-là, Nathalie et Pierre semblaient nager en plein bonheur. Et je ne parle pas ici en me fiant à des photos mises sur Facebook pour faire croire à tort au bonheur absolu, non, je parle en toute connaissance de cause, car nous les côtoyions

17. Ça devient mêlant, tout ça…

souvent à l'époque. Nos enfants ont environ le même âge, donc nous faisions souvent des soupers, des activités ou des sorties avec eux. Ai-je vraiment fantasmé sur Nathalie?

— Non, prends les lingettes humides dans le sac à couches, Alexandre. Pas les essuie-tout du cornet, ça va rester tout collant, me dit Claire, un peu impatiente.

Je regarde Laurie qui a de la crème glacée au chocolat partout dans le visage, sur la moitié de son chandail, ainsi que sur ses bras jusqu'aux coudes.

Comme si ma lenteur était impardonnable, ma femme me balance:

— Ah, laisse faire, là!

Puis, elle fait un pas vers la poussette pour fouiller elle-même dans le sac à couches qui y pendouille.

Je souris à mon fils, qui me regarde de son siège, les lèvres tachées lui aussi, mais de façon moins spectaculaire que notre fille, qui mange maintenant toute seule comme une grande. Mon œil, oui.

Une scène similaire se déroule du côté de notre couple d'amis. Nathaniel a aussi de la crème glacée jusque dans les oreilles, sauf que Nathalie s'en amuse.

— Attends, je vais prendre une autre photo! Ha! ha! ha!

Pierre se place près du petit, qui se tient bien droit sans savoir que sa mère le prend en photo probablement pour la lui ressortir à ses dix-huit ans devant sa nouvelle blonde en riant de sa gueule.

Nathalie montre ensuite la photo à Pierre, qui rit aussi. Ils s'embrassent rapidement, puis retournent à la gestion du petit, qui est toujours sale. Je les observe du coin de l'œil. J'observe Nathalie. Même si elle vient d'accoucher et que les nuits doivent être courtes, Mégane n'ayant que quelques mois, elle rayonne. Elle désirait tellement une fille que je la sens au summum de la joie. Pierre aussi. Je trouve qu'ils dansent tous les deux avec la vie au lieu de s'en faire toujours pour rien. Claire tourne tout au drame ces temps-ci, on dirait. La fin du monde. Un enfant plein de crème glacée par une belle journée au zoo, c'est pas la fin du monde, Claire.

Je continue de fixer la femme de Pierre, qui rigole en nettoyant son fils.

— Alexandre? Peux-tu m'aider, s'il te plaît? fait Claire, en tenant à bout de bras le chandail de la petite.

— Oui, oui, qu'est-ce que tu veux que je fasse?

Elle soupire.

Fantasme no 6 : Nathalie Légaré
Âge de l'apparition du fantasme : 34 ans

Le Gazon

Il me paraissait à l'époque que Nathalie était plus souriante, plus patiente, plus amoureuse et câlineuse avec Pierre que Claire l'était avec moi. De mon côté, j'avais plutôt l'impression de vivre en concubinage avec un amas mélancolique de glace sèche toujours contrarié. S'il y a un truc dans lequel je suis vraiment pourri, c'est bien d'arranger les choses lorsque mon couple dérape ; je ne fais jamais rien de correct, on dirait. La plupart du temps, les solutions que je propose sont rejetées par Claire du revers de la main. Comme si tout ce que je dis ou que j'avance est nul. Depuis que j'ai compris ça, je ne fais plus rien. Je sais, ce n'est pas mieux, mais je me suis tanné de tenter des avenues qui ne fonctionnent pas. J'applique le fameux conseil donné par Patrick Huard dans un de ses vieux spectacles : « Ferme ta gueule ». C'est vrai, il a raison et ça ne me dérange pas de le faire. Tant qu'à me chicaner pour pas grand-chose, je me tais. Ça évite l'explosion des meubles dans une moyenne d'une fois sur deux. C'est au moins ça de gagné.

Je retourne dans mon véhicule pour me rendre chez Pierre. Impossible de me rentrer dans la tête que c'est désormais chez moi. Impossible.

Je démarre le moteur en étant tout de même pas très valorisé que ce soit ça, ma voiture. Suis-je journaliste ? Je ne crois pas que je gagne très bien ma vie pour avoir une bagnole dans cet état. Claire et Nathalie ont la même voiture que dans la vraie vie. Même couleur et tout. Connaissant les deux femmes, cette stabilité ne m'étonne guère. Un exemple de constance. Les maisons, autant celle de Pierre que la mienne, sont décorées et meublées de façon presque identique. Qu'on vienne me dire après que les femmes ne décident pas tout en matière de décoration intérieure. Quand elles nous demandent notre avis, c'est pour la forme ou pour provoquer une illusion de choix. «Tu préfères le beige pâle ou foncé?» «Le foncé, je pense.» «Ah non, le pâle est plus joli, chéri.» «D'accord, on prend le pâle!»

8ʜ31

Lorsque j'entre dans la maison de Pierre, je croise les enfants qui sortent en trombe pour aller prendre l'autobus. Je les observe plus attentivement cette fois. Le garçon est davantage élancé et les traits de son visage sont plus robustes que ceux de mon fils. La fille ressemble beaucoup à celle de la vraie vie, mais avec un nez plus large et une mâchoire plus carrée aussi. C'est étrange d'être en mesure d'isoler les variables provenant de l'ADN de chacun des partenaires ayant conçu un enfant. Quoique mes enfants me paraissaient plus différents physiquement que ceux de Pierre. Possiblement une illusion causée par le fait de les avoir vus grandir. C'est donc dire que, dans le cas des quatre enfants, leurs gènes proviennent de façon dominante du bagage génétique de leur mère. Intéressant. Décidément, cette expérimentation de malheur n'a pas juste comme fonction de me faire mourir de toutes les façons inimaginables; j'apprends aussi des informations bioscientifiques surprenantes.

Comme je ne sais même pas comment s'appellent ces enfants, j'utilise une formule générale et inclusive:

— Bonne journée, les enfants!

Le Gazon

Le garçon me grognasse après en retour et la fille me sourit. Je comprends pourquoi Mathis s'entend si bien avec lui. Ils grognent sur la même tonalité.

J'aperçois alors Nathalie qui court vers la porte en criant :

— Nathaniel ? Mégane ? Vos lunchs !

Ils s'appellent donc pareil. Je gagerais ma chemise que mes enfants ont aussi les mêmes prénoms. Claire était, comment dire, pas tellement négociable là-dessus, et moi, je n'en faisais pas de cas. Je trouvais plein de prénoms jolis sans avoir de véritable coup de cœur.

Nathalie se tourne vers moi :

— Un jour, ils s'oublieront quelque part, ces deux-là.

Je souris de façon courtoise à Nathalie en guise de réponse. Elle lève les yeux au ciel et déguerpit. Bon, elle ne semble pas de très, très bonne humeur. Claire semblait plus joyeuse que ça tantôt. J'ai trouvé ma Claire si belle. En se levant comme ça, naturelle, ses cheveux bouclés dénoués tout en prenant son café en robe de chambre. Curieusement, elle semblait plus jeune, plus reposée. Pour ma part, je suis moins en forme qu'en Égypte avec mon *six-packs* et ma manche de *tatoos*. Hish. Je crois ne jamais avoir eu de ventre à ce point. Ce n'est pas si apparent à travers mon chandail, mais moi, je le sens en bougeant. Je n'ai pas l'impression d'être dans mon vrai corps. Je trouve mon dos courbé aussi, mes épaules rentrant un peu vers l'intérieur. Pourquoi ? Est-ce mon travail qui cause ces différences physiques ?

Nathalie, qui repasse devant moi, fin prête pour partir, s'approche pour m'embrasser. Même si c'est une belle femme, en forme et jolie, je redoute intérieurement ce baiser. À ma grande satisfaction, elle m'embrasse à la hâte et sans trop de chaleur. On dirait que la perspective de la toucher me dégoûte au point d'avoir un haut-le-cœur. C'est comme de m'imaginer faire l'amour avec ma propre sœur. Horrifiant. Une chance, le baiser fut bref, sec et rapide, tout à fait en corrélation avec sa mauvaise humeur matinale. Dans les autres vies, j'ai voulu faire l'amour avec certaines des femmes, mais cette fois-ci, je ne veux absolument pas. Encore moins qu'avec Mme Perron, je crois. Je me ferais sucer par la vieille en toute conscience plutôt que de coucher avec Nathalie. Comme nous sommes à la même époque, mais dans des vies renversées, j'aurais l'impression de le faire pour vrai et je ne pourrais sans doute plus jamais la voir du même œil. Je la reverrais à poil dans chaque souper et ce serait trop bizarre. Il y a plein de gens que c'est mieux de ne pas voir tout nus, dont sa mère et la meilleure amie de sa femme.

C'est non.

Elle quitte la maison, son air dépassé imprimé dans le visage.

Bon. Qu'est-ce que je fais maintenant? Je suis curieux de découvrir mon travail. Je ne sais pas trop par où commencer. Je vais vérifier mon cellulaire et mes courriels. Si je bosse pour le journal, j'aurai des échanges avec mes collègues à la tonne.

Le **Gazon**

Même si ça fait déjà un bon moment que j'épluche ma boîte de courriels, je n'y comprends absolument rien. Je semble travailler dans le monde de l'édition, mais ce n'est pas clair. J'ai trouvé des manuscrits de romans policiers enchaînant chapitre par-dessus chapitre, mais je ne saisis pas bien la nature de mon travail. Premièrement, il n'y a aucune trace de romans publiés à mon nom; j'ai fait le tour de la bibliothèque et de la chambre. Je ne corresponds électroniquement qu'avec un certain Scott Smith, et lorsque je l'ai *googlé*, j'ai découvert qu'il était auteur de polars. Un bel homme, mi-quarantaine, mystérieux, très bien *casté* pour être romancier à succès dans ce genre de littérature. *Mort sous le premier étage*, *La Couleur du cœur à la mort* et *Jouer un peu avant de mourir* sont ses romans les plus récents. Étrangement, j'ai retrouvé les mêmes titres dans mon ordinateur. Aucune trace de *Sang qui coule n'amasse pas frousse*, ce qui me rassure joyeusement, je dois l'avouer. Ses titres sont franchement plus séduisants que les miens dans l'autre vie.

Je me concentre depuis quelques minutes sur le contenu des derniers échanges de courriels.

Bonjour, quand seras-tu en mesure de me remettre *Le Son de la peur*? Le délai prévoyait la semaine prochaine, est-ce que ça va toujours pour toi?

Et je réponds ensuite:

J'aurais peut-être besoin d'une semaine de plus. Je te tiens au courant.

Mon portable en main, je réfléchis. Je dois être réviseur ou correcteur. C'est possible, quoique dommage pour mon rêve de devenir écrivain. Fixant l'écran de mon portable, je fouille sur la clé USB qui y est déjà connectée. Voyons voir. En y allant directement avec le titre, ce sera plus facile. Je trouve sans trop de peine un dossier intitulé *Le Son de la peur*. J'ouvre le document. Le titre est là, en toute première page. Le manuscrit fait trois cent quarante-huit pages, pour quatre-vingt-quatorze mille cinquante mots. Sachant pour avoir fait des recherches que les romans pour adultes comptent en moyenne autour de cent mille mots, je réalise que j'ai peut-être là un roman presque achevé. Je me rends à la fin pour en être certain. J'y distingue la fin d'un chapitre, le numéro du suivant ainsi que des notes en rouge dans la marge : « L'inspecteur se rend chez la fille. Il lui révèle sa découverte. Elle se sauve par-derrière en simulant d'aller faire du thé à la cuisine, alors il comprend qu'elle est complice. »

Ça semble être des notes brouillonnes à propos d'où l'histoire en est rendue. Si c'est bel et bien mon manuscrit, ce gars doit être auteur et éditeur à la fois, je présume. Je visite son site Web une seconde fois et je clique sur l'onglet des nouvelles pour en apprendre davantage à son sujet.

« Scott Smith bat encore des records de ventes », détaille un article du *Huffington Post* rattaché à cette page. « Exportation en Europe pour les œuvres de Smith », fait à son tour mention le journal *La Presse*. « Le maître du polar francophone : Scott Smith », annonce Radio-Canada dans un lien menant à leur site Web de nouvelles. Coudonc, c'est vraiment un écrivain chevronné. Quelque chose ne colle pas.

Je retourne en arrière sur ma clé USB. Je trouve un dossier au titre évocateur de *La Couleur du cœur à la mort*, que j'ai justement vu dans sa revue littéraire. C'est mon roman ou le sien? Je clique sur le dossier qui me propose ensuite deux autres documents distincts, l'un intitulé *Manuscrit* et l'autre, *Contrat*. Je clique sur le contrat.

Je parcours les cinq feuilles pendant un instant.

— Taboire, non!

Je suis un vulgaire *ghost writer*.

```
 _____
| 9 ʜ 1⁊ |▮
|_____|
```

En beau fusil, je me fais un double expresso. Non mais, je suis gravement insulté. Je suis retourné voir la page de Smith-chose, qui a vendu plus d'un million d'exemplaires de par le monde, alors que, sur mon contrat, je n'ai vu qu'un maigre montant non négociable de quinze mille dollars sans redevances supplémentaires en cas de ventes record. Je suis loin d'être un pro dans le domaine de l'édition, mais pas besoin de l'être pour comprendre que je me fais solidement baiser par-derrière, et ce, sans lubrifiant. Comment ça? Je suis ignorant à ce point ou quoi? Ce gars roule sur l'or et moi je conduis un vieux Chrysler en ruine. C'est quoi l'idée? Et pourquoi je n'écris tout simplement pas sous mon nom?

Mon café prêt, je retourne à la table. J'ouvre à nouveau le manuscrit *Le Son de la peur* et je commence à le lire du début.

11 H 47

Je me lève pour me faire un autre café. Mon troisième, c'est beaucoup trop, je le sais. Mon cœur commence même à palpiter. Je suis un peu sous le choc. Positivement sous le choc par contre.

— J'en reviens pas ! que je tonne à l'attention du mur, dans un état d'euphorie frôlant le sommet du septième ciel.

Si j'avais des bretelles, je me les péterais solide sur le poitrail, jusqu'à en saigner des mamelons. Ce manuscrit, dont j'ai parcouru un peu plus du tiers, s'avère trop génial. Ça, c'est du talent. *I AM A GENIUS !* Et comme je ne me souviens carrément pas de l'avoir écrit, c'est comme de découvrir mon travail à la façon d'un vrai lecteur. C'est grisant. Juste de songer que c'est moi qui ai écrit ces mots me rend si fier. Je me sens revivre – en faisant abstraction du fait que je me fais rouler sur le plan financier, bien sûr. Le pire dans tout ça, c'est que l'histoire ressemble un peu à celle du plan sur lequel je planche depuis plus d'une décennie. Visiblement, dans cette vie, je n'ai pas besoin d'autant de temps pour pondre quelque chose de potable, mais bon, ça vient tout de même de ma tête tout ça. Du moins, je le présume. Peu importe avec qui je suis marié, ma tête reste ma tête, non ? Je repense alors à cette triste vie potentielle d'alcoolique au bord du gouffre. Peut-être pas, finalement.

Les scènes de crime sont bien décrites, juste assez sombres, mais pas trop. Le *modus operandi* du meurtrier me semble incompréhensible pour le moment, ce qui augure bien pour les futurs lecteurs. L'assassin laisse sur les scènes de meurtre des partitions de piano ensanglantées que l'inspecteur Collard doit tenter d'analyser. La signature du sadique. Ça ressemble à l'idée de mon plan. J'avoue qu'à ce stade-ci, je me demande un peu où je m'en vais avec mes skis, mais je vais poursuivre ma lecture. Je suis complètement absorbé par mon propre roman. Je trouve mon écriture simple, mais efficace. Mes figures de style sont habiles et fortes. Le tout s'apparente beaucoup à mon style dans l'autre vie d'écrivain, justement.

Je retourne à la table pour poursuivre ma lecture. Mon téléphone sonne, mais je ne prends même pas la peine de regarder qui appelle.

Je suis dérangé une fois de plus par le téléphone qui rugit. Cette fois-ci, je réponds. C'est Nathalie.

— Allo?

— Ah, bon! Tu réponds. Enfin! Alléluia! Pas trop tôt, Seigneur. Ça fait deux fois que j'appelle!? Peux-tu dégeler les steaks pour ce soir, j'ai complètement oublié de le faire ce matin.

— Ah oui, d'accord.

— Et il y a aussi le linge à plier dans la sécheuse quand t'auras une minute, et pars une brassée avec la nappe extérieure et les linges à vaisselle, ils sont dans le panier juste à côté de la laveuse. Ça me donnerait vraiment un coup de main, si tu comprends ce que je veux dire.

Mais pourquoi prendre un ton si ironique?

— Oui, avec plaisir, Nat!

Pris dans ma bonne humeur du moment, je décide de lui partager ma joie:

— Nathalie! Mon manuscrit est génial! Je te le jure, c'est super bon!

— Eh ben. Heureuse pour toi. Ce serait juste le *fun* que tu le publies un jour. Ça m'éviterait de me tuer à faire des heures supplémentaires, comprends-tu le message?

— ...

— Je te laisse. À plus tard.

— Bye.

Puis, elle raccroche. Alors, elle ne sait pas trop ce que je fais? Ou bien elle devait vouloir dire d'en publier un «sous mon nom». Le pire, c'est qu'elle a raison, mais le problème était juste dans le ton. Ma femme a aussi le don, parfois, de prendre ce petit ton. Le ton qui ferait culpabiliser une plante verte. Un ton qui grafigne les tympans. Un ton qui m'énerve, en tout cas.

13 ᴴ 50

Je décide tout de même de prendre une pause pour me concocter un sandwich vite fait. Rendu à plus de la moitié du texte, je pense que je commence à comprendre où je mène le lecteur. Le meurtrier semble avoir vécu un traumatisme d'enfance à cause de la musique. *Le Son de la peur*, ça aurait du sens. Il est vraiment enragé et il tue des artistes œuvrant tous de près ou de loin dans le monde de la musique. Original. J'aime bien. Mon inspecteur reste un peu classique, par contre : un homme solitaire, torturé, divorcé de sa superbe femme qui en avait marre de son incapacité à communiquer. Il baise des putes de temps à autre tout en buvant du scotch. Bon, je ne réinvente pas la roue ici. Quoiqu'un inspecteur jovial, heureux, présent pour ses trois enfants et romantique avec sa femme ne collerait pas, on dirait. Comment veux-tu courir les cadavres toute la nuit, arriver à l'heure pour faire des crêpes chantilly à ta progéniture le samedi matin, puis faire couler un bain chaud rempli de pétales de rose à ta femme le soir venu juste avant de repartir vers la scène de crime suivante ? Impossible. Ce doit être pour cette raison que le canevas baigne toujours dans les mêmes eaux, et ce, depuis toujours. Un principe de cohérence utile plutôt qu'un vulgaire cliché, à mon avis.

Ceci dit, je me replonge dans le manuscrit tout en mangeant mon sandwich. De toutes les vies de débile que j'ai vécues jusqu'ici, celle-ci est la plus passionnante. La plus stimulante. Je me sens près de ce que je suis dans la vraie vie, à quelques petites différences de couple près, mais qu'importe ; j'accomplis mon plus grand rêve en temps réel et ça me paraît être le plus beau jour de ma vie. Je veux seulement achever ma lecture, pour ensuite terminer moi-même ce récit. J'ai déjà pris quelques notes à ce sujet, mais je me garde une réserve, car cela ne coïncidera peut-être pas avec la suite des choses.

Heureux, je reprends le travail.

14 H 51

Voilà. Il fallait bien que la prostituée préférée de mon inspecteur, celle qui a l'air tout à fait normal malgré les contraintes de son métier peu orthodoxe, celle à qui il se confie sans retenue, celle dont on croit tous qu'il est secrètement amoureux, soit impliquée. Ici, je suis un peu prévisible, je trouve. Il me semble qu'il y a toujours une femme de joie charmante que l'on voudrait sortir de cet enfer « car elle est trop bien pour ça, au fond » dans les romans policiers[18]. La muse au passé flou qui s'oublie pour jouer à la mère, à l'amie et à l'amante avec le flic troublé qui passe la soirée avec elle en songeant en secret aux indices relatifs au dernier meurtre à résoudre. J'ai déjà lu une histoire où ladite prostituée devenait d'une aide inestimable pour le policier en jouant la carte de « je te donne une perspective tout autre du cas, en toute naïveté en fumant une *slim* distinguée après notre baise », et elle était toujours en plein dessus, la coquine. Mon œil, oui. Pas certain que le type qui fréquente les bas-fonds de la Sainte-Catherine à la recherche d'une pipe après trois heures du matin ait beaucoup de chances de dénicher une femme *sexy* comme une mannequin suédoise dotée par surcroît de l'intelligence d'une avocate criminaliste renommée. N'importe quoi. Tout ça m'agace un peu, mais bon, pas le temps de changer la trame de fond de ce personnage au complet.

_____

18. Est-ce que les hommes aimeraient se prendre pour Richard Gere dans *Pretty Woman* ?

Le **Gazon**

La lieutenante du service de police m'énerve aussi. Une fendante qui le déteste. Dans les romans policiers, il y a deux choix : soit la supérieure immédiate de l'inspecteur est chiante parce qu'elle l'aime en secret depuis le tout premier jour et ils termineront ensemble dans l'amour et l'allégresse à la fin du roman, soit elle est juste chiante parce qu'elle essaie de gouverner comme un homme pour prouver qu'elle est digne du poste qui lui a été octroyé. J'aurais aimé pondre autre chose. Le médecin légiste est un malheureux être perdu, plein de tics et obsédé par son travail. Ça aussi, c'est du déjà-vu. Il ajoute de l'humour à l'histoire, par contre, et il est coloré ; les médecins légistes servent toujours à apporter de la légèreté dans le polar[19].

Je m'éloigne un peu de l'ordinateur. J'en suis vraiment à la toute fin. Les derniers indices ont été dévoilés. La fille complice, mais non suspectée vient de s'incriminer en se sauvant. La pute s'ennuie de l'inspecteur et elle tente de le joindre pour lui communiquer une impression étrange surgissant de son instinct face au meurtrier dont il lui a parlé. Et pour finir, la patronne menace l'inspecteur de le mettre à la porte s'il ne résout pas l'affaire, sous prétexte qu'il sent souvent l'alcool en arrivant au bureau. Parce que oui, il résout des meurtres sanguinaires en étant toujours semi-chaudaille.

Sans trop réfléchir, je pose mes doigts sur le clavier et je débute. Tout déboule comme si l'histoire et le déroulement des scènes passaient directement de ma tête à mes doigts

---

19. Je suis presque prête à en écrire un ou quoi !?

sans prendre le temps de se poser dans la case « compréhension » de mon cerveau. Sans que j'aie besoin de penser
à ce que j'écris. Un sentiment unique que je n'ai jamais
ressenti avant. L'impression de ne pas contrôler ce qui sort
de mon esprit, comme si tout ça venait d'ailleurs. Lorsque
je rédige des articles, je rapporte des faits, des informations, c'est concret, tangible. Là, j'écris une histoire qui
n'appartient à personne ; pas plus à moi qu'à la réalité.

C'est grisant[20].

FIN.

Après avoir écrit ces trois lettres, je reste pantois devant
l'écran. Une boule d'émotion grimpe le long de ma colonne
comme une bulle d'air remontant à la surface. Une parcelle
d'oxygène sentant elle-même le besoin de respirer. Ce
n'est rien de moins que le plus beau jour de ma vie, hormis
la naissance de mes enfants, bien sûr. Je fixe les deux barres
supérieures du « F », mes yeux longent ensuite le « I »
jusqu'en bas, puis je fais zigzaguer mon regard pour suivre
l'oblique délicate du « N ». Exprès, j'ai écrit le mot magique
en caractères de vingt-quatre points et je l'ai centré[21]. Une
énorme fin. La fin. Ma fin.

---

20. Bienvenue dans le monde de la création, Alexandre.
21. Tiens donc, je fais pareil. ☺

Le **Gazon**

La bulle explose. Des larmes me montent aux yeux. Comme je n'ai pas écrit si longtemps, autour de trois mille mots à peine, je ne peux même pas imaginer le sentiment d'un écrivain qui a rédigé les presque cent mille mots au complet – pendant des jours, des semaines, des mois, sans se laver, à n'errer que de corps dans le monde des vivants.

Flottant sur un nuage, je redescends vite fait bien fait en songeant à Scott Smith. Non mais, quel profiteur, lui. Pas besoin d'écrire une ligne et hop! le voilà écrivain célèbre.

Impliqué comme jamais dans mon travail, je décide de remettre les pendules du monde à l'heure. J'écris de ce pas un courriel à ce clown de faux romancier.

Cher Smith,

Je viens tout juste de terminer mon roman, qui est, soit dit en passant et à mon humble avis, très bon. Par contre, je ne te l'enverrai pas. Mes conditions sont trop médiocres et tu m'exploites, donc va poliment te faire voir, connard!

A.

J'efface finalement le « connard » de la fin. Trop juvénile, de l'insulter. Je suis au-dessus de ça. J'ai juste signé avec la première lettre de mon prénom, suivie d'un point, parce que je trouve que ça fait plus sérieux pour témoigner de la conviction de ma démarche. J'ai l'air de ne même pas prendre le temps de signer, tellement ma décision est sans équivoque. Il va halluciner des bananes, le pauvre. Non mais, quinze mille dollars, alors qu'il vend des dizaines de milliers d'exemplaires partout dans le monde. Pourquoi ai-je toujours accepté ce genre de marchandage injuste ? Je ne peux pas être si naïf. Quelque chose cloche dans cette histoire.

À peine quelques minutes plus tard, mon cellulaire sonne. C'est lui. Déjà.

— Allo ! dis-je, confiant.

— Rejoins-moi au Caffuccino, sur la rue King Est, dans vingt minutes.

Puis, il raccroche sans même me dire au revoir.

Eh ben, le voilà qui se la joue ton-de-film-policier, justement. Excuse-moi, je détiens le gros bout du bâton, mon cher, alias le manuscrit. Rira bien qui rira le dernier. Je te tiens par la barbichette, et au Caffu, je te foutrai une tapette.

Comme j'ai peu de temps, j'enlève à la hâte mon chandail pour enfiler une chemise propre. Ceci, additionné au fait que je n'ai signé que la première lettre de mon prénom, me place encore plus au sommet de l'échelle de la crédibilité.

Nathalie arrive au moment où je m'apprête à sortir. Elle ne m'embrasse pas – à mon grand bonheur.

Déposant son sac à lunch et sa bourse sur l'îlot, elle balaie la cuisine des yeux pour ensuite me balancer :

— Alexandre ? Les steaks ?

Ah, merde. Les steaks. Le souper. J'ai complètement oublié ça.

Elle rugit :

— T'es pas sérieux, là !?

— Pas de problème ! Regarde, on va les faire dégeler dans l'eau, ici comme ça, et voilà !

J'ouvre à la hâte le robinet pour remplir l'évier de la cuisine d'eau tiède.

— T'es incroyable, vraiment. Je peux jamais compter sur toi !

Ne voulant pas du tout avoir cette discussion-là avec une femme qui n'est même pas la mienne, de toute façon, je m'abstiens de répondre. Je sors les sachets de viande sous vide du congélateur et je les balance dans l'eau.

— Je dois faire une course, je reviens, que j'annonce avant de filer vers la porte.

— Quelle course ? Ils s'en viennent !?

— Ce sera pas long.

— Eille ?

Je quitte la maison de Pierre.

En franchissant la porte du café, j'ai dix minutes de retard, ce que je trouve parfait. Le chemisier propre et ma signature du courriel additionnés à mon retard rendent maintenant ma démarche irrévocable. Tout le monde sait que le retard dans le monde professionnel relève d'une certaine hiérarchisation. Les premiers arrivés sont ceux en bas de la chaîne alimentaire. Le patron, le décideur, le roi de la jungle arrive toujours le dernier, pour ensuite repartir le premier en laissant le troupeau sous son règne convenir des derniers détails en son absence. Je tente tant bien que mal de me souvenir du visage de l'homme que je n'ai vu que sur la Toile. Comme l'endroit est presque désert, à l'exception d'une serveuse à l'air blasé qui essuie des verres et d'un couple qui s'offre une boisson chaude au bar, je repère facilement Smith, un foulard de soie noué de façon lâche autour de son cou, mirant son propre reflet dans une baie vitrée. Le voilà qui se la joue écrivain jusque dans le port du foulard. Un peu plus, il apportait son Mac pour faire semblant d'écrire un roman, l'air en proie à un état de force-interne-créatrice-déchirante. Imposteur. Appelez *La Presse*. Le romancier qui n'écrit pas écrit enfin.

Je me dirige vers lui avec l'aplomb d'un vainqueur. Je tire ma chaise sans le saluer et je le fixe, si sûr de moi que je le sens même légèrement affaibli. Le roi de la jungle, c'est moi, pauvre minable d'exploiteur de plume.

Son mutisme, qui dure un bon moment, me déstabilise en retour. Je camoufle le tout par un mouvement de tête vers la fenêtre, de haute connivence avec elle. Il ne dit rien. Moi non plus. Selon la hiérarchie, lequel de nous deux doit parler en premier? Je ne sais pas trop. Mon courriel était clair : je ne lui donnerai pas le roman. C'est donc à lui de me supplier ou de m'offrir cent mille dollars en échange, à son choix.

Comme il ne fait ni l'un ni l'autre, je demande :

— T'as rien à me dire?

Il me fixe toujours, visiblement agacé par mon comportement arrogant.

Il prononce finalement :

— Pourquoi est-ce que tu me fais perdre mon temps ?

Quoi ? Quel baveux ! Qui fait perdre son temps à qui, j'aimerais bien le savoir.

— Je te donnerai pas le manuscrit.

— Ben oui, tu vas me le donner, et aujourd'hui même, mon cher ami.

— Non.

— Oui, et tu le sais.

— C'est faux ! Je le sais pas du tout.

— Alexandre, tu me fais perdre de l'énergie et du temps précieux pour rien, là.

— Et moi ? Combien de temps tu penses que ça m'a pris pour écrire tout ça ? C'est pas une perte d'énergie précieuse, ça ?

— Tu fais quinze mille dollars.

— Pis toi ? Combien tu fais, hein ?

Il rigole, puis repose son regard sur la baie vitrée. Sans se quitter des yeux, il me dit :

— T'es-tu vu l'air ? Tu vendrais même pas quatre romans avec la tête de pauvre banlieusard que t'as.

Ah, le con. Il semble si sûr de lui que ça me fragilise un peu. Je m'inspecte dans la fenêtre. Tête de banlieusard, mon œil. Un peu, mais pas tant que ça.

— Donc, ce soir ?

Comment peut-il être certain que je lui remettrai le roman ?

— Non.

— Tu veux qu'on déclare tout ça à la police, à ta famille, à ta femme, alors ? T'es prêt à vivre ça ?

— Déclarer quoi ? Que tu m'exploites ? Ha ! ha ! ha ! Oui, justement. Imagine la tête de tes lecteurs !

— La petite est encore de notre bord pis tu le sais.

— La petite ? De quoi tu parles ? Rien pourra me faire changer d'idée. Il est temps que le monde entier sache que t'es un putain d'écrivain qui écrit pas !

— Alexandre, ton ancienne vie de journaliste, les bornes que t'as dépassées… T'as pas oublié tout ça, j'espère ?

Donc, j'ai été journaliste avant ? Je ne suis plus trop sûr de bien comprendre, mais peu importe, je tiens mon bout.

— Tu bluffes !

— Et elle ? Elle bluffe ?

Il sort son téléphone cellulaire pour me présenter quelque chose. Je m'approche un peu, tout de même curieux. C'est une vidéo. Une jeune femme est assise à un bureau, puis elle sanglote en disant : «C'était au *party* de

Noël du journal. À la fin de mon stage, et comme j'avais pris de l'alcool, j'étais vulnérable. Il m'a agressée dans la salle des photocopieurs. Je ne voulais pas. (Elle pleure encore plus.) C'était mon superviseur, j'avais peur d'échouer mon stage ; je lui ai dit non plusieurs fois, mais il a continué… »

Je reconnais bien évidemment Chloé. Mais qu'est-ce que c'est que cette mise en scène débile ?

— N'importe quoi ? ! J'ai jamais touché à Chloé de ma vie !

Des images de son corps chaud dans le lit en Égypte me reviennent en tête. Je les chasse illico. Il s'approche pour me dire à voix basse :

— Tu sais à quel point elle est timbrée la petite ; elle ferait tout pour qu'on continue à financer ses recherches ridicules sur les pyramides d'Égypte. Avec le courant actuel à propos de la culture du viol et des abus de pouvoir en position d'autorité, crois-moi que cette nouvelle ferait un tabac dans les médias du Québec.

— Vous m'avez piégé ?

— À peine, on t'incite seulement à collaborer, gentiment.

Je suis sous le choc. Après avoir provoqué mon écartèlement dans une pyramide, cette petite garce me fait maintenant écrire sous la menace. En somme, c'est une vraie plaie de lit. Paquet de troubles, la Chloé.

Moi, un violeur ? Non mais, il y a toujours bien des limites.

— Tu t'en tireras pas comme ça.

Il éteint la vidéo.

— Je veux le manuscrit dans ma boîte de courriels ce soir. Bonne soirée, Alexandre.

Puis, il se lève, replace son foulard et sort du café en prenant soin de pointer le pied avant de le poser au sol à chaque pas dans le but évident de dégager une aura distinguée.

Dans les faits, il a quitté les lieux avant moi.

Je ne suis pas le roi de la jungle.

Ahuri, je me fais un devoir, en tout premier lieu, de retrouver Chloé pour solidement lui crêper le chignon. Je dois comprendre pourquoi elle me fait subir pareille torture. Une fausse accusation d'agression sexuelle… Il me semble que j'ai été bien sympa avec elle durant son stage en plus. Quel calvaire. Juste de penser que des trucs du genre arrivent à du vrai monde, j'ai envie de gerber. C'est inhumain.

Comment trouver cette Chloé de malheur dans les plus brefs délais? Je songe à *Big Brother*, plus communément appelé Facebook. Je tape son nom au complet dans le moteur de recherche et je tombe sur son profil en tête de liste. Nous ne sommes bien évidemment pas amis. Par contre, son profil n'est pas bloqué, donc j'ai accès à la plupart des statuts qu'elle a publiés, dont un il y a à peine six minutes. Elle se trouvait à la brasserie Siboire accompagnée d'une amie avec qui elle a pris un joyeux *selfie*, pintes de bière à la main. La situation troublante devant laquelle je me trouve semble si réelle que mon cerveau peine à gérer l'information. Je me répète : « Dans cette vie, tu te fais exploiter, car elle t'accuse faussement de viol. Fais de quoi ! » De ce pas, je passe la porte pour aller déranger sans remords son cinq à sept entre copines.

En entrant dans le pub, la boucane me sort par les oreilles et une bonne dose de rage me déborde du cœur. Je fonce sans trop faire attention vers sa table dès que mes yeux la repèrent. Elle semble abasourdie de me voir ainsi surgir, tandis que l'amie à sa droite lève son verre vide et réclame :

— Une autre pinte pour moi, mais je vais changer de sorte, avez-vous de la blanche ?

Je ne réponds pas. Chloé reste figée sur place comme si elle venait de prendre en Jell-O. Elle ne cligne pas d'un cil, fixant la chaise devant. Me craignant sourd, son amie redemande :

— En avez-vous une belge ou un truc du genre ?

— C'est pas un serveur, Steph, finit par gémir Chloé, l'air de vouloir se liquéfier de honte au sol.

Un genre de processus de gélification inversé. Elle semble désirer de tout cœur couler en douce sous la table. Je ne suis pas déçu de la voir se sentir si mal. Ça redonne un peu d'humanité à ses bouclettes. Elle doit avoir des émotions, après tout. Je ne sais pas si elle sait exactement ce qui se passe entre moi et cet auteur bidon. Est-elle au courant qu'on me paie des *peanuts* à cause d'elle pour produire à la chaîne des romans en secret? Possiblement que non.

— C'est qui d'abord?

Chloé ne répond pas à son amie. Elle me dit plutôt sans me regarder:

— Allo, Alexandre. Ça fait longtemps.

— Eille? que je fais simplement, convaincu qu'elle comprendra.

— Je suis désolée. Ça fait si longtemps, tout ça, de toute façon.

La voilà qui me balance un pardon banal comme si elle avait égratigné ma voiture en se stationnant.

— T'es désolée?

— J'avais pas le choix, Alexandre.

— Pas le choix? De quoi tu parles?

— Pour mon projet, pour la recherche et...

— Faque ton secret de pyramide d'Égypte vaut plus que ma vie?

— Ayoye! Je comprends *fucking* rien de ce que vous dites! fait l'amie de Chloé, qui nous dévisage comme si nous parlions mandarin.

— Je suis presque sur le bord de découvrir ce que je cherche depuis dix ans, faut pas que ça arrête maintenant. Quand ils m'ont proposé de faire la vidéo à l'époque, t'étais malheureux au journal, tu voulais écrire, tu venais de leur envoyer le plan d'un manuscrit. Ils m'ont dit que, de toute façon, être publié lorsqu'on n'est pas connu relevait presque du pur miracle, donc je me suis dit que tu serais content, au fond, de pouvoir écrire, peu importe le contexte. Je savais même pas trop si la vidéo existait encore pour être honnête. Ils te paient pour ton travail, *anyway* ?

— Ils me paient ? T'as aucune idée.

— Cette recherche-là, c'est toute ma vie pis toute mon âme, je mourrais pour ça.

— Oui, ça, je le sais ! Crois-moi ! Tu te ferais écarteler dans le sous-sol d'une pyramide pour ça, oui !

Elle me dévisage pendant un instant, perplexe quant à mon exagération tout à fait improbable à ses yeux. Illuminé, je poursuis :

— Si je te donne la clé, la réponse à ce que tu cherches, tu retireras ce que t'as dit ?

— Ha ! ha ! ha ! Je travaille là-dessus depuis plus de dix ans, Alexandre, donc je sais pas ce que tu pourrais m'annoncer de plus que je connais pas.

— Vas-tu retirer ta fausse plainte, oui ou non ? Vas-tu leur demander de détruire la vidéo ?

— Oui, mais je te le dis, t'as aucune chance de mettre le doigt sur ce que je cherche à prouver.

— L'alliage plombifère. Ta réponse se trouve dans l'alliage plombifère.

— Quoi ? L'alliage de métaux des Égyptiens ? Pourquoi tu dis ça ?

— Tu trouveras dans l'analyse des hiéroglyphes que les Égyptiens ont transmis leurs connaissances à propos de l'alliage de métaux à une civilisation inconnue. C'étaient les Mayas, d'où la forme de la pyramide rhomboïdale ressemblant à celle de Tulum.

Elle me fixe avec intérêt, ses neurones faisant des liens directs entre ma théorie et ses hypothèses de recherche. Une petite lumière s'illumine tout au fond de son iris.

Son amie, qui saigne presque du nez, nous annonce :

— Ayoye ! Je comprends zéro rien à votre affaire. Je veux juste une bière blanche, moi.

— Comment tu connais tout ça ? Tu fais des recherches là-dessus toi aussi ? Je comprends pas, affirme Chloé, les yeux plissés à leur capacité maximale.

— Je le sais, c'est tout. Cherche pas à comprendre pourquoi. Et inquiète-toi pas, je vais pas révéler ce que je sais au monde entier, je tiens à rester en vie.

— Voyons donc, comment tu veux que je me questionne pas ? Depuis quand tu t'intéresses à l'Égypte ?

— Crois-moi, je te dis que ta réponse est là et c'est tout. Tu mentiras plus jamais en disant que je t'ai violée ? Je vis comme un pauvre raté à cause de toi.

Elle fait non de la tête, puis elle me dévisage avec des yeux désolés et débordants de sincérité. Cette fille était prête à me voir mourir écartelé pour préserver les secrets de son projet. Dois-je lui faire confiance ?

Ne pouvant pas savoir, je décide de laisser les choses telles quelles.

Mon cellulaire annonce la réception d'un message texte. C'est Nathalie.

Qu'est-ce que tu fais ?

Ah oui, ce souper. Je fais vraiment du déni à propos de cette histoire de couples inversés. Va savoir pourquoi.

— Et en passant, sache que les autorités égyptiennes s'opposeront à tes découvertes et que si tu continues quand même de pousser la note, ils seront prêts à te tuer. Fais attention à toi.

— Mon chum m'épaule beaucoup là-dedans.

— Pauvre gars.

Je quitte les lieux sans plus de formalités. L'autre fille à sa table, toujours confuse face à notre discussion, lève les deux mains en direction du vrai serveur qui passe, plus assoiffée que jamais.

En arrivant à la maison, je n'ai même pas le temps de mettre le nez à l'intérieur que j'aperçois Nathalie plantée comme un piquet sur le tapis, comme si elle m'attendait ainsi depuis que j'ai mis les steaks dans l'eau. J'entends les enfants parler à l'extérieur.

— Ils sont arrivés depuis quarante-cinq minutes, Alexandre, t'es toujours en retard, comme la fois où mes parents avaient presque eu le temps de manger au complet avant que tu te pointes, me chuchote Nathalie.

Nos invités sont assis sur la terrasse extérieure, dont j'ai un vague aperçu à travers la porte-fenêtre ouverte.

— Je suis là! Tout va bien, Nathalie.

Ma femme a cette même manie de me remettre sous le nez tout ce que je fais de pas correct, même s'il est trop tard. J'arrive en retard un peu, et puis? Il est trop tard pour que j'arrive à l'heure, de toute façon. On ne peut pas revenir en arrière, donc pourquoi en faire toute une histoire? Je pourrais peut-être lui balancer une métaphore de Bertrand le clochard à propos du temps qui n'existe pas[22]?

Parfois, Claire me reproche mes oublis ou mes retards des semaines, voire des années plus tard. Chaque fois qu'on s'embrouille, elle fait référence à ces événements en les utilisant comme gabarit pour qualifier ma ponctua-lité ou mon amnésie partielle: «C'est comme la fois où t'avais oublié ton portefeuille avant nos vacances dans les Laurentides quand les enfants étaient petits.» Ou encore: «Alexandre, t'étais arrivé en retard de deux heures à la fête de six ans de Laurie.» Je ne fais pas ça, moi, avec elle. Je

---

22. Bof... pas une super bonne idée, Alexandre. Je dis ça, je dis rien.

ne lui reparle pas de la fois où elle a été marabout toute la journée au zoo avec les enfants ou bien de celle où elle avait oublié les clés dans la voiture dans le stationnement de la SAQ Dépôt le 4 janvier 1998, en plein verglas, alors qu'on était incapable de rester debout à côté de nos voitures sans faire trois pirouettes de patinage artistique. Pourquoi prendre un malin plaisir à faire culpabiliser quelqu'un pour des actes issus d'un passé lointain ? Je ne vois pas l'objectif, autre que de mettre de l'huile sur le feu. Les femmes sont pas hystériques, elles sont historiques.

Ceci dit, même si je n'ai pas tellement envie de toucher Nathalie, je la prends par les épaules pour lui dire :

— On va passer une très belle soirée, Nat.

Je ne suis pas du tout convaincu moi-même du fait que j'avance à travers cet élan de positivisme.

Lorsque je rassure Claire de la sorte, j'arrive à la faire focaliser sur autre chose. Pas toujours, mais souvent. Avec Nathalie, mon geste n'a pas d'impact, car elle se libère dans une déviation radicale avant de déguerpir vers le frigo.

— Je vais sortir les fromages, peux-tu au moins aller t'occuper de la visite, s'il te plaît ? Juste ça.

Toujours ce ton méprisant. Cette femme me déteste. Claire n'est pas comme ça. À fleur de peau parfois, oui, mais jamais arrogante à ce point. Ça frôle le non-respect. Nathalie dégage une froideur à mon égard puisant sa source dans une sorte de hargne, comme si je lui avais fait quelque chose de terrible, mais je ne sais pas quoi.

J'attrape une bière dans le frigo et je me dirige vers le patio, où ma légitime femme et Pierre placotent. À mon arrivée, ils se lèvent tous les deux. Leurs regards compatissants semblent à la recherche de quelconques indices afin de s'assurer que je vais mieux que ce matin. Compte tenu de la réalité que je connais à présent, ils ont dû me trouver franchement inadéquat, débarquant là, repentant comme pas un, en m'excusant presque à genoux devant eux sans qu'ils comprennent pourquoi, tout en dévisageant leurs enfants comme deux extraterrestres. Je tente donc de regagner un peu de dignité et surtout, des points dans leur évaluation de ma santé mentale.

— Vous allez bien ? Belle journée ? que je demande en me penchant pour embrasser Claire.

— Oui, oui, la vie à l'hôpital, c'est souvent du pareil au même, tu sais.

Oui, je sais, mon bel amour.

Elle sent si bon. Je hume sa joue un peu plus longtemps que ne le requiert ce genre de bise amicale. Son odeur de fleur tropicale emplit mes narines. Son parfum d'île paradisiaque du Sud m'enveloppe dans toute sa douceur. Claire est si belle, si resplendissante. Suivant mon impression de ce matin, elle me semble différente, plus calme, moins préoccupée. Qu'est-ce qui fait en sorte qu'elle paraît si bien dans cette vie ? Elle a les mêmes enfants ou presque, le même travail, la même maison. OK, pas le même mari, j'en conviens, mais m'avouer que c'est ce qui la rend différente serait l'équivalent d'admettre haut et fort que c'est moi qui la rends grise. Ce serait terrible. Est-ce moi ? Qu'est-ce que je fais de mal ? Quand Pierre avait eu des périodes plus sombres avec Nat, il me semble que c'était essentiellement pour les mêmes raisons que Claire et moi : on n'était pas assez présents, on ne communiquait pas assez nos émotions, les filles trouvaient leur vie plate, ennuyante, redondante, elles se posaient mille et une questions sur elles, leur travail, notre couple, la vie de famille, la routine. Pierre et moi trouvions que nos vies se ressemblaient un peu, sans toutefois que les différentes périodes surviennent sur les mêmes cases dans le calendrier. Quand ça allait bien pour eux, ça tournait moins rond pour nous, et l'inverse. Nat avait eu une période plus difficile quand les enfants ont tous été à l'école. À ce moment-là, tout allait comme sur des roulettes de notre côté. La gestion de l'école primaire versus la garderie était plus facile à intégrer dans notre horaire, et les enfants, plus vieux, pouvaient être plus autonomes et demandaient ainsi moins de temps le soir et le matin.

— Toi ? En forme, vieux ?

Honnêtement, je sais pas trop quoi répondre à Pierre. Je me fais exploiter comme un con, mais est-ce que tout le monde le sait ? Personne ne se demande pourquoi diable j'écris des livres à longueur de journée sans jamais en sortir un sur le marché ? Savent-ils que j'ai été menacé d'être accusé à tort de viol ? Il me semble que je dois avoir confié ça à Pierre. Il me semble que c'est le genre de truc que mon vieux frère de toujours doit bien savoir. Je ne dois pas être complètement seul dans cette galère.

— Oui, oui, en forme. J'ai terminé d'écrire mon roman tantôt. Je suis pas mal fier.

Claire dévisage Pierre, comme prise d'un incommensurable malaise. Bon. Pas très évident de savoir ce qu'ils savent ou pas. Je décide de décortiquer la crevette au centre de la table.

— Vous savez que j'écris des livres pour un type très populaire? En secret?

— Ben..., fait Pierre en hochant une tête ambiguë.

— Il m'exploite, vous avez pas idée, mais tout ça se terminera bientôt, c'est la bonne nouvelle du jour! Je sais pas si je vais publier ce dernier livre sous mon nom ou sous celui de Scott Smith, mais une chose est certaine, je me ferai pas avoir une autre fois.

— SCOTT SMITH? crie Pierre en s'étouffant avec sa gorgée de bière.

— Ouais.

Quatre yeux en forme de pétoncle me dévisagent. Nat arrive sur ces entrefaites.

— Mon Dieu! Avez-vous vu un fantôme dans la cour?

— Non, non, fait Claire, sous le choc, en détournant le regard pour géolocaliser sa chaise afin de se rasseoir dessus et non à côté.

On dirait qu'elle va s'évanouir. Nathalie dépose une assiette de fromages sur la table, puis elle repart à la cuisine.

— T'es sérieux, vieux? ZE Smith? C'est drôle que tu nous avoues ça de même, parce que oui, on s'en doutait depuis longtemps que quelque chose de bizarre se passait, mais on n'osait pas te le demander. Scott Smith, j'en reviens pas, estie ! Nat le sait-tu ?

— Euh…

— De quoi vous parlez ? s'informe la principale intéressée, qui revient avec du pain croûté tranché et des craquelins.

Me disant que les tensions entre nous ne vont que s'aggraver pour le reste de la soirée si je lui balance une révélation-choc de ce genre durant l'apéro, je fais un signe de tête signifiant « non » à mes amis, qui comprennent d'emblée.

Claire vient à ma rescousse :

— Qu'est-ce que vous prévoyez de beau pour les vacances cette année ?

Sur ma route vers les steaks, qui reposaient sur le comptoir, je croise Nathalie. Elle me reproche entre ses dents :

— T'as oublié de laver la nappe.

— Ah oui, je t'ai dit tantôt que j'ai complètement oublié tout ça aujourd'hui. Grosse journée, excuse-moi.

— C'est la nappe pour l'extérieur, Alexandre.

— Oui, mais on doit ben avoir une autre nappe, non ?

— Oui, mais c'est celle qu'on utilise à l'ex-té-rieur.

Ici, je reconnais encore un peu ma Claire, je dois l'avouer. Comme Nat, elle semble avoir dans son cerveau un genre de boîtier rigide allergique aux imprévus. Quand ce n'est pas LA nappe pour l'extérieur, c'est LE plat pour la salade César, LES chandelles de Noël, LA façon de ranger ci ou ça, ou l'épicerie qui doit se faire absolument TEL jour. Est-ce que tout ça est si important au fond? Est-ce que tout doit virer au drame lorsque l'on sort un peu du cadre à cause d'un imprévu? Elle trouve la routine ennuyante, mais elle crée un horaire de vie castrant, ne donnant aucune marge de manœuvre à la spontanéité. Ensuite, elle me dit: «Surprends-moi!» Désolé, mais il ne reste plus que dix minutes à la plage horaire de cette semaine à cet effet, donc je peux te proposer une partie de paquet voleur dans le garde-robe, et c'est à peu près tout. Mais non, on ne joue pas aux cartes le mardi, il y a le ménage des salles de bain à faire.

— On va mettre des napperons pour faire changement, tiens!

— Non, non, non, ça fait *cheap*. Je vais prendre la grise foncée de l'intérieur.

Quelle folie! N'est-ce pas là un changement de l'ordre du renouveau familial? Une nouvelle vie commence pour nous. Tournons-nous dans l'allégresse vers cette grande aventure. L'avenir nous appartient.

— Pourquoi s'enfarger dans ce genre de détails insignifiants, Nat?

— Ah, wow! Tu me trouves insignifiante maintenant? Merci!

Bon. Claire aussi fait ça, des fois. Modifier tout ce que je dis pour que je passe pour le méchant. Est-ce un réflexe féminin généralisé ? Je n'ai pas dit « tu es ». En vérité, c'est la nappe que je traite d'insignifiante. Je me la ferme, sachant que ça vaut mieux. J'ai appris à ne jamais dire : « Tu cherches la chicane, on dirait. » C'est digne de proclamer le divorce.

Patrick Huard. « Ferme ta gueule. »

Je retourne auprès de Pierre, qui nettoie les grilles du barbecue pour me donner un coup de main[23]. Celui-ci me demande à voix basse, l'air déçu :

— Pourquoi tu m'en avais jamais parlé, vieux ? Scott Smith !

— Ben, je sais pas trop, pour tout te dire.

— Il paraît qu'il roule en Tesla. Je rêve de conduire ça un jour.

— Ah, mon gars, c'est le paradis, ça va tellement bien !

— T'as conduit ça quand ? Pas la sienne, toujours ?

— Euh, non. J'ai rêvé à ça.

— Ah, OK. Ça semble rouler un peu tout croche avec Nat ces temps-ci, je me trompe ?

— Je pense que t'as raison, oui.

---

23. N'est-ce pas là un affront de mâle que de s'approcher si près du barbecue d'un autre ?

— T'es pas sûr ?

— Ouais, ouais, je suis sûr, t'inquiète.

— Je trouve ça plate ; Claire et moi, c'est tellement le bonheur. On se suit jamais pour ça on dirait, hein ? Écoute, je te confie ça entre chums, mais hier, elle m'a même fait une gâterie dans le char en se rendant au...

— Non, non, non ! Trop d'informations !

— Ah, excuse-moi, vieux, je pensais que...

Voyant au loin Mathis qui balance sa sœur presque à bout de bras dans la haie de cèdres – visiblement sans son consentement, étant donné son rugissement –, je crie sans trop réfléchir :

— Mathis !? Laisse donc ta sœur tranquille un peu !

J'ai découvert à travers les conversations que mes enfants ont effectivement les mêmes prénoms dans cette vie-ci. J'avais raison.

Pierre me dévisage un instant. Je me tourne vers la table, où Claire et Nathalie ont arrêté de parler pour me fixer elles aussi. Réalisant que je viens de réprimander le fils de Pierre et Claire, et non le mien, je m'explique :

— L'éducation, c'est une responsabilité de société, comme ils disent !

— C'est vrai, lâche ta sœur, Mat ! crie à son tour Pierre pour rattraper les rênes de son rôle de père.

Il nettoie mon barbecue, j'ai bien le droit de chicaner ses enfants, non ?

Je lui prends la brosse des mains[24].

— Mon steak est juste parfait, me complimente Claire, assise près de moi, Pierre étant en face d'elle.

— Merci, que je réponds, mes pupilles restant accrochées aux siennes jusqu'au malaise.

Elle tourne la tête. Le bon vin rouge me rendant encore plus entiché d'elle, je ne peux m'empêcher de la regarder sans arrêt. De toute façon, devant moi se trouve Nathalie, la face de bœuf canadien méritant juste un A pour son persillage plus que léger. Inintéressant. Les enfants occupent les bouts de table de façon pêle-mêle, Laurie n'ayant pas voulu manger à côté de son frère, à la grande surprise de personne.

Nathalie, plus gentille avec Claire qu'avec moi, la complimente à son tour à propos du vin blanc qu'elle a apporté. Comme dans la vraie vie, les deux femmes préfèrent le blanc. Même avec la viande rouge.

— Très bon, vraiment.

Claire explique son choix:

— Je me suis tannée des chardonnays, trop beurrés en bouche. Maintenant je préfère les sauvignons…

---

24. Qu'est-ce que je vous disais…

Je la coupe sans réfléchir pour terminer sa phrase :

— … bien secs, mais pas trop acidulés, ni trop citronnés.

Elle se tourne vers moi, surprise.

— Exactement, Alexandre !

Je souris.

— Comment tu sais ça, toi ? réagit Nathalie, stupéfaite que je connaisse à ce point les goûts vinicoles de son amie.

— Euh… Lapeyrie parlait de ça l'autre matin.

En me tournant vers Claire pour cogner nos verres, je l'aperçois faire un clin d'œil amoureux à Pierre en approchant sa coupe de la sienne à la place de la mienne. Comme je m'étais tourné vers Claire, Nathalie, qui a levé son verre vers moi, reste en plan un moment. Je rectifie le tir en choquant mon verre contre le sien, en échange d'un sourire forcé de fille encore frustrée que j'aie oublié de laver la nappe extérieure. Lourd. Quand vient le tour de Claire de cogner mon verre, elle le frôle à peine sans me regarder. En ce moment, je suis terriblement jaloux. Jaloux de Pierre et de Claire. Jaloux de voir ma femme n'avoir d'yeux que pour mon meilleur ami. Son amour sincère pour lui se sent à des kilomètres à la ronde. C'est épouvantable comme sentiment. Elle le regarde sans arrêt et rigole de ses blagues en retroussant le nez, la tête un peu penchée vers l'arrière. C'est moi, son homme. C'est moi, son amoureux. C'est moi qui lui fais retrousser le nez et pencher la tête vers l'arrière. Je préférerais retourner me faire écarteler plutôt que de voir ma femme si éprise d'un autre homme. Cette vie est horrible.

« Méfiez-vous du fleuve tranquille », disait le jardinier.

Apercevant du coin de l'œil Mathis mettre un petit bout de viande sur sa fourchette, je me doute bien qu'il va tenter de le catapulter, ni vu ni connu, en direction de sa sœur. Un de ses classiques.

— Mathis, je t'ai vu.

Il lève des yeux ahuris vers moi. Nathalie aussi. L'histoire de ce changement de famille ne me rentre pas du tout dans la tête.

— Mon petit tannant, toi ! que je rectifie pour apporter une touche de légèreté à mon intervention comportementale inopportune.

Il grogne un son bizarre à mi-chemin entre un rire forcé et une excuse à mon égard. Je sens dans le regard de Mathis qu'il me considère, qu'il me respecte. Plus que quand je suis son père, à vrai dire.

Pierre regarde alors les enfants pour leur demander :

— Et vous, les jeunes ? Quoi de neuf ? L'école se termine bientôt, vous avez hâte ?

— Ouais.

— Ouiiin.

— Ouais.

— Mathis ? demande Pierre.

— Ouais, ouais, là. On peut-tu parler d'autre chose, des fois, genre? fait celui-ci en regardant Pierre comme si c'était le pire des demeurés.

Je ris dans ma barbe. Ça me fait un peu plaisir de voir que ce n'est pas moi l'abruti à cette table.

Pierre poursuit:

— Les examens sont commencés. Ça se passe bien?

— Ouais.

— Ouin.

— Ouaiiis, étire Mathis, pour témoigner que le sujet ainsi que la personne qui l'a amené sont tout aussi innocents l'un que l'autre.

Les yeux de ma belle Laurie s'illuminent.

— J'ai oublié de vous dire! J'ai eu 94 % dans mon examen de production écrite! La meilleure note de la classe.

— Bravo, Laurie! Le même talent d'auteur que son père!

Réalisant ma bourde, sans même avoir sondé des yeux le malaise entourant la table, je réplique:

— Le même talent pour l'écriture que son père, je veux dire.

Je souhaite fort que Pierre soit toujours journaliste, car, en réalité, je ne le sais même pas. S'il vend des aspirateurs, je suis assez hors sujet merci, disons.

Une chance, j'ai visé dans le mille.

— Eh oui, elle écrit bien comme son père, confirme Pierre, qui s'étire le bras pour lui caresser la nuque.

Mon cœur se serre. C'est ma fille. Laurie, c'est ma fille. Et elle écrit aussi bien que moi, son père.

Pris en souricière dans ce *reality check* livré à grands coups de crochets en pleine mâchoire, je mâche mon steak, nostalgique et envieux de la situation de Pierre. J'aime bien Nathaniel et Mégane, mais je ne ressens en rien ce que je ressens pour mes vrais enfants assis à cette table. Même si leur apparence physique est un peu différente, je reconnais leurs mimiques, leur voix, leurs expressions. Ce sont mes enfants.

Un téléphone cellulaire sonne à l'intérieur. Comme Nathalie m'envoie le regard de celle qui craint que j'aille impoliment répondre, j'en déduis que c'est le mien. Étant donné la saga du jour concernant mon métier de *ghost writer*, je pénètre dans la maison pour répondre à l'appel, trop curieux de connaître le potentiel dénouement de l'affaire.

— Oui, allo?

— Trente mille dollars. On te donne trente mille dollars. Pas un sou de plus.

C'est Scott Smith. Je me demande si Chloé leur a parlé. Sûrement, s'il monte les enchères pour le manuscrit.

— Non, cinquante mille pour celui-là. Et je veux que mon prochain soit publié à mon nom.

— T'es malade ou quoi ?

— C'est à prendre ou à laisser.

Je raccroche. Tel un boxeur, je sautille un peu sur place, heureux et fier de la tournure que prend cette histoire.

Je retourne à la table en grande pompe, en annonçant à Nathalie :

— Je viens de faire assurément le double de plus sur mon prochain boulot, peut-être même plus, j'attends des nouvelles ce soir.

— C'est fantastique ! s'écrie Claire, sincèrement heureuse pour moi.

Les enfants se foutent comme de l'an quarante de ma révélation, mais les adultes portent un toast en mon honneur.

Nathalie, rabat-joie et négative, murmure entre ses dents :

— Ce sera même pas assez pour rattraper le retard sur l'hypothèque, mais au moins...

Un nouveau malaise s'installe. Je ne peux m'empêcher de laisser échapper :

— T'es pas capable d'être juste heureuse pour moi ?

Elle tourne une tête de pigeon vers la cour. À ce moment précis, je plains Pierre dans la vraie vie. Vit-il réellement avec une femme toujours aussi froide ? Comment ai-je pu durant toutes ces années percevoir Nathalie de façon si positive ?

Juste pour la faire suer – j'en suis rendu là dans mon trop-plein – et pour lui faire réaliser qu'elle gâche royalement le moment de réjouissance de tous, j'ajoute :

— Et un éditeur va possiblement me signer mon prochain roman, mais on s'en fout.

— Ah, wow, quelle belle nouvelle ! tente de rattraper ma belle Claire, toujours si empathique.

Elle fait même des yeux chargés de reproches à Nathalie, pour lui signifier de démontrer un peu plus de joie à l'égard des réussites de son mari.

— Bravo, finit par répondre Nat, le ton aussi sec que son cœur.

20 ʜ 45

Les enfants étant tous au salon, connectés à leurs divers appareils électroniques comme des mourants à leur soluté, nous prenons un amaretto citron entre adultes dans la balançoire extérieure à quatre places.

Comme un petit vent frais se fait sentir, Claire se blottit contre Pierre, qui l'accueille dans ses bras comme à leurs tout premiers jours. Horrible. J'aurais le goût d'augmenter de vingt degrés le thermostat terrestre pour les inciter à se décoller un peu. La jalousie me quémande de gueuler à Pierre d'enlever ses sales pattes de sur ma femme. Ma colère instinctive me dicte de lui foutre mon poing au visage sur-le-champ. Au diable l'amitié. Une certaine morale me ramène à la réalité de cet abominable rêve.

Pendant ce temps, Nathalie et moi sommes assis le plus loin possible l'un de l'autre, dans la mesure maximale que ce banc le permet. Si elle le pouvait, je crois qu'elle s'assoirait sur la balançoire du voisin. En réalité, tout ça me va, car je ne voudrais surtout pas qu'elle tente un semblant de rapprochement devant Claire. Ce serait trop bizarre.

Pierre tourne la tête vers Claire pour l'embrasser.

Taboire. Louez-vous une chambre, tant qu'à y être!

Il le fait exprès, on dirait.

— BON! que je crie pour faire cesser cet échange de fluide dégoûtant.

— Bon quoi? me demande Nathalie.

— Bon, comme dans bon.

— Je regarde ça, là, pis mon gazon a pas mal plus fière allure que le tien, mon vieux! s'amuse Pierre en me narguant en bon copain. T'as encore des problèmes de pissenlits.

— Oui, des gros problèmes[25].

Claire toise ensuite Pierre, ses paupières battant comme deux monarques. Il lui fait signe que oui de la tête.

— On a une grande nouvelle à vous annoncer, débute Pierre en se redressant un peu pour officialiser la chose.

---

25. Ouin, dans ce cas-là, le gazon est vraiment plus vert de l'autre côté de la clôture, on dirait...

Je mettrais ma main au feu que je détesterai cette annonce.

Claire le regarde avec fébrilité ; il fait une pause, penche la tête, puis lève à nouveau les yeux vers elle.

Aboutissez qu'on en finisse. Accouchez qu'on baptise. Décrochez qu'on passe à un autre appel.

— En octobre, nous allons renouveler nos vœux de mariage !

— Ah, wow ! Félicitations ! s'émoustille Nathalie, heureuse pour son amie.

— Merciii ! Dehors avec les couleurs de l'automne, imagine ! jubile Claire en haussant les épaules, les mains jointes en religieuse sous son menton.

— Voulez-vous être encore nos témoins ?

— Ouiii ! fait Nathalie.

Comme je ne dis pas un mot, Pierre se tourne vers moi.

Silence.

Malaise.

— Ben oui, ben oui, que je finis par dire en cachant mal mon agacement.

Nathalie témoigne alors de mon enthousiasme absent, et ce, à ma place :

— On est super contents pour vous !

— Ben oui, toi, on ca-po-te !

À deux doigts d'une grave perte de contrôle face à cette vie démente, je crée un ultime froid au sein du groupe.

Claire appuie sa tête sur l'épaule de Pierre pour nous dire :

— Il m'a demandé ça le week-end dernier en haut des chutes Montmorency !

— Ben, voyons donc, toi ! dis-je un peu trop raide pour que ça passe incognito.

Un silence lourd de sens nous enveloppe.

— Bon, ben, on va faire un boutte, nous autres, annonce Pierre en me jetant un regard empreint de questionnement et de désolation.

— Parfait !

Puis, je n'attends pas plus longtemps pour courir à l'intérieur, apeuré de devoir affronter un autre rapprochement entre eux.

Tout le monde m'emboîte le pas.

À l'intérieur, Pierre rapatrie mes enfants vers le porche avant de nous souhaiter :

— Bonne fin de soirée, et merci encore pour le bon souper. La prochaine fois, c'est notre tour !

— Oui, venez à la maison la prochaine fois !

Je fais la bise à la hâte à Claire, trop traumatisé pour m'attarder cette fois.

Le **Gazon**

En rangeant la cuisine, Nathalie attend que les enfants soient chacun dans leur chambre pour me reprocher :

— Plus bête que ça tu meurs.

Comme je n'en ai rien à foutre d'elle, je rouspète avec désintérêt :

— Ah, laisse donc faire.

— Non, mais c'est vrai. T'avais l'air en beau maudit qu'ils renouvellent leurs vœux.

— Laisse faire, je te dis.

Pourquoi certaines femmes ne peuvent-elles pas elles aussi appliquer la suggestion de Patrick Huard de temps à autre ?

— C'est quoi ton problème, Alex ?

— Laisse-moi donc tranquille.

J'agrippe une coupe et une des bouteilles de vin du souper, qui est encore remplie aux trois quarts. Malheureux comme une tombe vide à la morgue, je retourne à la balançoire. Je me sers du vin jusqu'à ce que ma coupe soit pleine à ras bord. Je prends une gorgée les lèvres béantes comme un achigan à grande bouche. Une trop grosse gorgée, difficile à avaler.

Nathalie me crie alors par la porte-fenêtre toujours ouverte :

— Ton téléphone sonne.

Je cours le chercher, puis je réponds en même temps que je retourne dehors.

— Oui?

— C'est bon. Mais on veut le manuscrit demain matin.

— Je veux lire le contrat de mon prochain roman avant.

— Oui, on te l'envoie aussi demain matin. Il y aura deux contrats: le premier, pour si tu veux vraiment le publier à ton nom, ce qui risque de pas vendre beaucoup, sache-le, et un autre pour qu'on te l'achète aussi, pour un cinquante mille dollars de plus. À toi de décider.

Il raccroche.

Bon, disons qu'au moins pour ça, je sens que j'ai réussi quelque chose. Je ne sais pas ce que je ferais dans la vraie vie face à une telle offre. Cinquante mille dollars, c'est beaucoup d'argent, mais être publié est tellement un grand rêve. Conflit éthique.

Je remplis à nouveau mon verre, ayant décidé que je terminerais cette soirée bien soûl.

Ayant entamé une autre bouteille de vin que je suis allé chercher dans le cellier pendant que Nathalie était à la salle de bain, je chantonne doucement:

— Ma vie, c'est de la marde, de la maaarde. Viens me chercher.

Nathalie sort alors sur le patio.

Le Gazon

— Qu'est-ce tu fais là ?

— Je me soûle, ciboire !

Elle reste penaude, sans rien dire. Je décide d'en profiter pour me vider le cœur, juste pour le plaisir :

— Je fais jamais rien de correct avec toi, t'es tout le temps bête, t'es fatchigante, laisse-moi tranquille. Ma vie, c'est de la maaarde… mon gazon est laite pis je m'en sacre.

— Chuttt, les voisins ! me fait Nathalie.

— JE M'EN CÂLICE, DES VOISINS !

En beau fusil, elle rentre à l'intérieur, puis elle glisse la porte-fenêtre derrière elle.

La cour arrière tournoie un peu autour de moi. Les paupières lourdes, je continue de chantonner :

— Ma vie, c'est de la maaarde pis je m'en sacre du gazzzon, des voisiiins… je… m'en… sacre… du taboire de gazon…

Trop bourré pour terminer ma phrase, je la bruite en zézayant, puis je m'endors dans un long soupir.

Entre ciel et terre

Désormais habitué au fonctionnement, j'ouvre un œil, conscient de me retrouver dans le ciel. Or, le gros visage du jardinier à deux centimètres du mien me surprend quelque peu, quant à lui.

— EILLE ? Qu'est-ce tu fais là ?

— Du calme, monsieur Alexandre. J'ai craint un coma éthylique létal, je tentais de prendre vos signes vitaux. Ha ! ha ! ha !

— J'ai un terrible mal de bloc, c'est pas croyable.

— Belle cuite de fin de soirée.

— Pourquoi j'ai des répercussions physiques après mes rêves ? Ce mal de tête…

— C'est bien vrai.

L'Indien met alors sa main en orbite devant mon front, puis il claque des doigts devant mes yeux.

Lorsqu'il s'éloigne, je n'ai plus mal du tout. Ce type me fait peur. Je lui confirme ma délivrance :

— C'est parti.

— Désolé. Petite erreur de réglage des paramètres de la mémoire corporelle réfractaire. Et puis ? Parlez-moi de ce qui s'est produit dans cette vie.

— C'était horrible.

— Pourquoi ?

— Claire. Avec lui.

— Hum, je comprends. Je vous avais averti de vous méfier.

— Et Nathalie ? Tellement lourde ! Au secours.

— Attention, monsieur Alexandre, ne confondez pas ce qu'elle est aujourd'hui avec ce qu'elle aurait pu devenir.

— Ah, donc c'est moi qui la rendais malheureuse ? C'est vraiment mieux, merci.

— Pourquoi se retrouvait-elle sur la liste des femmes que votre inconscient m'a proposé de vous montrer ?

— Ça fait si longtemps. Je me rappelle que, pour Nathalie, c'était pas un désir sexuel que j'avais ressenti à une certaine époque, mais bien une forme d'envie par rapport à sa joie de vivre, à son positivisme, à sa légèreté. Alors que tout semblait une montagne pour Claire, Nat paraissait mieux gérer le tout.

— Croyez-vous que c'était la réalité ?

— En ce moment, je me dis que les femmes des autres sont comme les enfants des autres : si adorables quand ce sont pas les tiens.

— En effet, monsieur Alexandre. Parfois les impressions nous trompent, parfois elles sont justes. Il n'existe aucun moyen d'en être certains, à moins de devenir un acteur direct dans la vie des autres.

— Donc, tu me dis qu'à cette époque, c'était juste une impression ?

— Non, je ne le sais pas non plus. Personne ne le sait, sauf elle. Je sais par contre que notre psyché, nos désirs et notre ego influencent nos perceptions ; on peut parfois se faire prendre au jeu des impressions, comme si on se créait soi-même des illusions pour se confronter à sa propre imperfection. L'envie vient souvent d'une quête du « parfait », du « mieux que ». Cependant, il faut comprendre que cette perfection n'existe pas sur terre. Est-ce que le gazon est vraiment plus vert de l'autre côté de la clôture, monsieur Alexandre ?

— Celui de mon voisin, oui, je t'en passe un papier. Le mien est toujours plein de pissenlits. Mais bon, dans ce temps-là, j'avais vraiment l'impression, comme tu dis, que Pierre et Nat étaient plus heureux que nous, que tout semblait plus facile pour eux. Claire avait aussi l'air plus heureuse dans cette vie que dans la nôtre. Plus heureuse avec Pierre qu'avec moi.

— Attention, le bonheur en couple ne peut être jugé par un tiers extérieur, comme on l'a vu, pas plus qu'il ne se juge individuellement. Le couple est un tout. Deux êtres formant une entité secondaire, si vous voulez. Le bonheur individuel est une chose, mais le bonheur en couple en est une autre. Si une personne est plus heureuse que l'autre dans le couple, le bonheur de ce dernier, de l'entité « nous », s'avère donc partiel. L'équilibre consiste à une parité dans la satisfaction des deux parties formant le couple. L'un devant parfois nager en amont vers l'autre pour rétablir l'équilibre, lorsque celui-ci s'en éloigne, et vice versa. Rendus là, nous parlons d'un réel partage, d'une communion et d'une compréhension de l'autre, sans jugement. De l'amour véritable. Dans un amour dysfonctionnel, on cherche à combler un vide, à posséder l'autre ou à le contrôler. Ce genre de couple reste voué à l'échec à coup sûr, car, tôt ou tard, les besoins de l'un seront comblés au détriment de ceux de l'autre. Naufrage assuré.

Dans un partage en pleine conscience, la satisfaction de l'autre devient un enjeu aussi important que la nôtre, vous comprenez?

— Oui, mais quand l'autre semble insatisfait sans que l'on comprenne pourquoi, on fait quoi?

— On doit trouver ce qui cloche et en prendre conscience. Et surtout, assumer sa part de responsabilité dans la situation. La partie commune du couple, l'entité «nous», n'appartient pas à l'un plus qu'à l'autre. Les hauts et les bas sont normaux, voire souhaitables pour l'évolution des deux parties, mais l'essentiel reste de ne pas atteindre le point de non-retour.

— Quel point de non-retour?

— Le tournant où les irritants et les insatisfactions de l'un le rendront aigri, frustré ou même en détresse, au lieu de le pousser à tendre la main, atrophiant ainsi l'amour de façon dévastatrice. Souvent la négligence ou le déni en sont les responsables. À ce moment, on se retrouve devant des couples semblant se détester au point de se demander comment ils ont pu s'aimer un jour.

— Comme Nathalie et moi dans cette vie?

— Peut-être, il aurait fallu voir à long terme, mais visiblement, vous étiez un peu à cran tous les deux.

— Est-ce que ça pourrait m'arriver avec Claire? Ah non, sûrement pas. J'avais envie d'étamper Nathalie dans le mur tellement elle m'énervait.

— Voilà un effet du point de non-retour. Elle était insatisfaite elle aussi, mais son état vous agaçait au lieu de vous rendre compatissant.

— Je me sens pas comme ça avec Claire. Oui, parfois elle m'énerve et je trouve qu'elle prend tout trop au sérieux ou encore qu'elle fait des drames avec rien, mais je l'aime.

— Son insatisfaction vous préoccupe, à la place de vous irriter. Vous comprenez?

— Les femmes et leurs manies peuvent être si énervantes.

— Et nous le sommes aussi, pour elles, croyez-moi. Nos préoccupations respectives ne sont juste pas les mêmes.

— Mais comment pouvons-nous arriver à vivre ensemble en harmonie, alors?

— En s'acceptant comme des êtres différents, ayant des modes de fonctionnement, des réactions et des intérêts distincts, en se respectant et en se parlant.

— Pourquoi tu me dis tout ça? Tu trouves que je respecte pas Claire?

— Je ne sais pas. Je ne fais que réfléchir avec vous à ce que votre inconscient vous a présenté pour vous aider à comprendre.

Je reste silencieux un petit moment. Je réfléchis aux divers litiges vécus avec Nathalie durant cette journée et je réalise que, pour la plupart, ils auraient très bien pu survenir avec Claire : oublier de laver la nappe pour l'extérieur, de dégeler les steaks, arriver en retard au souper. Dans ce cas-ci, je n'aimais pas Nathalie, donc elle ne faisait que me taper sur les nerfs, mais dans le cas de Claire, je l'aime. Je ne veux pas lui déplaire et je veux rendre sa vie, notre vie, la plus douce et belle possible, alors oui, ça me préoccupe.

— Exactement.

— Quoi ? Tu lis dans mes pensées en plus ?

— À peine, monsieur, à peine.

— Mais le bon coup reste que j'ai réussi à bien négocier mon cachet de faux auteur.

— Bravo pour ça, en effet. Vous vous faisiez avoir et pas à peu près. Qu'avez-vous appris d'autre face à cette situation ?

— Outre que Chloé est une vraie plaie, je comprends pourquoi je réussis pas à écrire mon roman.

— Intéressant. Pourquoi donc ?

— C'est comme si j'attendais que tout soit clair dans ma tête avant d'écrire. Dans cette vie, je posais mes mains sur le clavier et le premier jet sortait tout seul.

— En effet, la créativité est un phénomène que trop de gens intellectualisent. C'est de l'ordre du divin, donc si peu tangible pour notre cerveau de simple terrien. En plus du pouvoir de l'amour, chaque âme sur terre se fait remettre un second grand pouvoir avant sa descente. La créativité. Tous la possèdent, mais peu l'exploitent. Ce pouvoir ne réfère pas seulement à l'écriture ou aux arts en tant que tels, il réfère plutôt au pouvoir de créer sa vie.

J'écoute l'Indien en buvant ses paroles, comme si tout ça avait plus de sens à présent. Il poursuit :

— Le reste est une question de choix et de conscience. Décider d'utiliser ces deux pouvoirs sans limites ou non. Mais tout d'abord, il faut être conscient de les posséder. Malheureusement, une minorité de gens développent cette conscience.

— Pis toi ? Qu'est-ce que tu gagnes à faire ça ?

— Rien. C'est mon rôle, ma mission, je l'ai compris et choisi, c'est tout.

— Et la suite, c'est quoi ?

— Quelle suite aimeriez-vous ?

— Retourner chez moi.

Un silence s'ensuit. Je ne sais pas si toute cette histoire est bel et bien terminée. Je me demande aussi dans quelle mesure je me souviendrai de cette nuit. Est-ce que ce sera précis ou plutôt flou ? Ou comme dans les rêves de tous les jours, je ne me rappellerai que la fin ?

Lisant encore dans mes pensées, il poursuit :

— Vous vous souviendrez de ce dont vous avez besoin. Faites confiance à votre conscience. Cela dit, je suis content de vous sentir enfin plus ouvert. Chez certaines personnes, l'esprit rationnel a tendance à prendre le contrôle des opérations. Le désir de contrôle, c'est la peur. Et la peur, c'est l'ego.

— Comme si toute cette histoire était normale, aussi.

— Non, mais vous peinez à vous abandonner et à croire, monsieur Alexandre ; il y a sûrement là une autre clé pour vous aider à améliorer votre vie au grand complet.

— Si tu le dis.

— Donc, voilà, c'est ainsi que nous partons ensemble pour une dernière balade, monsieur.

— Où ?

— Qu'une courte balade.

Je ne sais où, ni quand

Je fais un sursaut en entendant une alarme de cadran. C'est celle de Claire. Cette série de sons est imprimée sur les parois de mon cortex cérébral. Depuis le temps. Réalisant que je suis enfin de retour chez moi, je bondis le torse vers l'avant. Je me sens tout à coup étrange, comme nauséeux. Je me suis redressé trop vite, je pense. Comme Claire est déjà assise sur le rebord du lit, je lui dis :

— Bon matin, mon amour !

Elle ne me répond pas, puis elle se lève pour sortir. Ouin. Elle n'est visiblement pas au courant de la nuit que je viens de passer. Quel rêve étrange. Elle sort de la chambre. Je me lève donc à mon tour.

— Ben voyons donc !?

Mon corps gît toujours dans le lit même si je suis debout. Je suis mort. Cet Indien n'en avait pas assez de me faire mourir tragiquement presque dans chaque vie, il m'a tué pour vrai à la fin, le con. Je sentais que je ne devais pas lui faire confiance. J'avance un doigt dédaigneux vers ma chair décédée. Je suis probablement glacé et raide, le processus de putréfaction ayant déjà débuté. Il paraît que le corps commence son autodécomposition aussitôt le dernier souffle rendu. Et pauvre Claire, qui n'a rien vu à son réveil. Elle aura tout un choc en s'habillant tantôt. M'approchant, je scrute de très près mon visage. Au moment où je dirige un doigt vers mes narines, mon cadavre bouge en grognant.

— EILLE ! que je fais en rapatriant ma main près de moi.

— Alexandre ? Qu'est-ce que vous faites, par la trompe de Ganesh ?

— Ah, t'es là, toi ! Je suis mort ou pas ?

— Mais non, vous avez trop d'imagination, cette fois. Votre corps dort, tout simplement. On parlait de capacité à s'abandonner, il y a deux minutes, et voilà que vous doutez encore de moi.

— Pourquoi je suis conscient, alors ?

— Je vous veux comme simple spectateur à présent.

Ah, bon. Donc, je suis un genre de fantôme.

— Est-ce que je passe à travers les murs ?

Le Gazon

Sans plus attendre, je me dirige vers le garde-robe sans m'arrêter au mur. Comme de fait, je passe à travers pour ainsi me retrouver le corps à moitié dans les vêtements de la penderie. Je passe une main vaporeuse à travers une tablette de chaussures. C'est hallucinant. J'adore ça.

Une tête indienne m'apparaît alors à travers le bois de la porte.

— Monsieur Alexandre ? Non pas que l'amusement ne soit pas intéressant, voire primordial dans la vie, mais l'histoire est que vous n'êtes pas tout seul sous mon aile cette nuit, je dois repartir bientôt. Pouvons-nous poursuivre, si vous le permettez ?

— D'accord.

— Je vous le dis, c'est frappant : les femmes sont troublées en se voyant ainsi et elles observent leur corps, mais les hommes, eux, ils ne veulent que passer à travers les murs. Toujours la même histoire.

— J'adore ça !

En sortant de la chambre, il me fait un signe de tête me signifiant de me rendre à la cuisine. Je collabore, en passant tout de même mon bras à travers le mur tout le long du corridor.

Je retrouve Claire à la cuisine. C'est fou ce que je m'ennuie d'elle.

Elle prépare les lunchs de tout le monde à moitié endormie. Pauvre elle. Elle dort debout. Elle est cernée. Quelle date sommes-nous, au juste ? Je me sens si redevable à son égard tout à coup. Pourquoi je la laisse faire ça toute seule? Pourquoi je ne mets pas mon pied de mari à terre pour dire: «C'est assez, Claire! T'es fatiguée, tu te donnes de la misère pour nous, oui, mais là, tu dois penser davantage à toi!» Non. Dans mon petit confort, je la laisse faire. Je me trouve lâche. J'essaie une seule fois, je demande ce que je peux faire, et comme elle dit souvent non à toutes mes propositions, je me déresponsabilise. «Ben voilà! Elle veut pas. Tant pis! J'aurai essayé.» Je devrais plutôt tenir mon bout et exiger qu'elle ralentisse, si elle n'a pas ce réflexe elle-même.

Je la vois ensuite empiler les aliments du déjeuner sur l'îlot. Elle pousse de façon automatique le bouton de la machine à café. Elle tombe ensuite dans la lune en mirant un nuage de mousse de lait sur le dessus de sa tasse. Au-delà du fait qu'elle semble fatiguée, elle a l'air mélancolique. C'est ce qui m'inquiète en ce moment, et c'est aussi ce qui m'inquiétait avant que je vive toute cette aventure de fou. Je sens ma femme plus du tout heureuse avec moi et dans sa vie, mais je ne sais pas comment m'y prendre pour résoudre la situation. Je me sens impuissant. Comme présentement, en n'étant qu'un fantôme qui l'observe ruminer devant sa tasse de café.

Je perçois alors un bruit plus loin. J'étire le cou et je vois mon cadavre réveillé surgir dans le corridor pour se diriger vers la salle de bain. J'ai l'air bien vivant; je sifflote même. J'aime bien siffloter. Les meilleurs sifflotements restent ceux effectués en bricolant. Plus le projet exige d'être méticuleux et précis, plus le sifflement est important. Je me souviens que mon père sifflotait aussi en jardinant. Est-ce un truc qui se transmet de père en fils? J'ai peine à imaginer mon ronchon de fiston sifflotant. À part quelques variantes de grognements, sa palette de sons reste encore assez limitée.

Curieux, je me dirige vers la toilette. Je réalise que l'Indien a disparu. J'en profite pour passer ma tête à travers le mur. Je me vois en train de pisser. Je m'observe. C'est curieux de se voir. Comme dans une vidéo, il y a toujours un effet étrange faisant en sorte qu'on dirait que ce n'est pas tout à fait nous. Je m'asperge ensuite le visage d'eau fraîche avant de sortir. Mon fils apparaît dans le corridor en même temps que mon corps ouvre la porte. Aucune salutation. Normal. Mon vrai moi n'en fait pas de cas et il se dirige vers la cuisine.

Je me souviens très bien de ça. Nous sommes encore le 10 juin, donc hier matin.

Je suis mon corps sur les talons. Je ne peux pas être trop dans la bulle de ma propre bulle après tout. Je songe : « Va serrer ta femme dans tes bras, pauvre con... » À la place, mon corps lui plaque un rapide baiser sur une joue avant de dire un simple : « Bon matin, ma chérie ! » Non, serre-la dans tes bras. Elle en a besoin. Serre ta précieuse femme dans tes bras, très fort. Ce qu'il ne fait pas, pour plutôt se diriger vers le salon afin de prendre sa tablette. Claire lui balance :

— Il faut que tu paies le gars du gazon aujourd'hui...

Je semble agacé.

— Oh, je n'aurai pas le temps de passer à la banque avant d'aller au journal... Toi ?

— On appelle ça le partage des tâches, Alexandre. Ce n'est pas comme si nous n'en avions jamais parlé. Tu t'occupes du type du gazon, je gère la femme de ménage. Je fais le lavage, tu sors les poubelles. D'autres exemples, ou ça va comme ça?

— Chérie… On va trouver une solution!

Mon fils arrive ensuite sans saluer sa mère.

« Salue ta mère, au moins, avec tout ce qu'elle fait pour toi. »

— J'ai faim! Qu'est-ce qu'on mange?

— Des toasts et des céréales, ce matin. Je suis pressée.

— Baaah… J'aurais préféré des crêpes.

Au mot « crêpes », je vois l'oreille de mon corps physique se tendre vers le ciel comme celle d'un chat.

— Des crêpes? Oui, j'ai juste ça à faire, me lever trois heures avant tout le monde pour faire des crêpes alors que j'ai travaillé jusqu'à minuit à l'hôpital, hier. Ce sera des toasts, c'est tout!

Ma charmante fille fait son entrée en scène. Ma petite Laurie d'amour.

— Je suis la seule de ma classe à pas avoir de iPad. Vous me marginalisez auprès de mes pairs et j'en souffrirai grandement dans ma future vie d'adulte, élabore Laurie, les yeux bien accrochés à son téléphone portable.

Je vois Claire respirer d'impatience de façon audible. Elle réplique à notre fille:

Le Gazon

— Bon, qu'est-ce qu'il faut pas entendre ce matin.

— Je veux un iPad, bon !

— Laurie ! Ça suffit ! s'impatiente finalement Claire en faisant face au frigo.

— C'est injuste ! Je veux aller vivre en famille d'accueil !

— Alex, dis quelque chose, s'il te plaît ?

Plus loin dans le salon, j'ai les yeux rivés sur mon écran. Pas une participation très convaincante à la vie familiale, je dois l'avouer. Je ne suis pas fier de moi. J'interviens à retardement, l'air désintéressé face au litige :

— Ma grande fille, on va reparler de tout ça une autre fois...

Au moins, je lui ai fait des yeux chargés de reproches, lui témoignant que ce n'était pas le bon moment. Est-ce vraiment pour le bien-être de Claire ou pour poursuivre ma lecture en paix ?

— Ça aurait été bon, des crêpes...

Voilà mon tannant de fils qui réitère ses fantaisies culinaires.

— Ta mère a pas le temps ! que je lui lance pour lui remettre les idées en place.

Il ne m'entend pas, étant donné mon statut de fantôme.

Mon sentiment de honte actuel se justifie par mon attitude, oui, mais aussi par celle de mes enfants. Il serait temps de leur apprendre quelques notions de respect et de considération à l'égard de leur mère qui en fait beaucoup. Pourquoi je ne vois pas ça dans la réalité? Pourquoi je reste au salon devant mon écran? Comme si tout ça nous était dû. Les rois de la maison. Allez, Claire! Démène-toi sans recevoir une parcelle de reconnaissance.

Je m'approche de ma femme, qui regarde par la fenêtre au-dessus de l'évier en prenant une autre gorgée de café. Je tente de la serrer dans mes bras pour me faire pardonner, mais ceux-ci passent au travers de son corps. Je place tout de même mon visage très près du sien. Elle est triste.

— Excuse-moi, Claire, je t'aime.

Bien sûr, elle ne m'entend pas. Je crie à mon corps à l'autre bout de la cuisine:

— Reste pas là, toi, le cave!

— Bon, je crois que ça va pour l'instant, fait l'Indien, qui surgit près de moi.

Il me prend le bras.

— Venez, nous partons.

Claire soupire. Je me dirige vers mon fils et son air boudeur, puis je lui assène une tape derrière la tête qui passe à travers son crâne.

— Allez, venez, monsieur Alexandre, me prie le jardinier.

Le Gazon

Entre ciel et terre

Fixant le nuage devant moi, je repasse en boucle cette intrusion en voleur dans ma propre vie. Je me sens minable. Je nous trouvais tous si ingrats, si individualistes, campés dans nos petits besoins en solo. Il m'a semblé qu'il n'y avait pas de cohésion ou de liens nous unissant.

— À quoi pensez-vous?

— À mon égoïsme.

— Mais non, attendez. Remettez tout ça en perspective un peu. Vous n'êtes pas le seul responsable de ce qui se passe dans votre vie familiale, monsieur Alexandre.

— Claire fait tout, et nous, on chiale ou on l'ignore.

— Non, vous voyez le tout pire que ça ne l'est en réalité, et ce n'est pas le but de l'exercice. Claire a aussi une part de responsabilité dans tout ça. Ne l'oubliez pas. Son pouvoir créatif à elle. Vous ne pouvez pas créer la vie des autres. Mais bon, je ne veux pas parler d'elle; elle fera son propre cheminement[26].

Tandis que je le fixe, il poursuit :

— Celui qui m'intéresse ici, c'est vous.

---

26. Voir *Le gazon... toujours plus vert chez le voisin?* pour plus de détails. ☺

— Sans vouloir changer sa vie, je sais que je dois aider davantage Claire, rendre sa vie plus simple, plus facile du moins, mais je sais pas comment. Je sais plus comment, plutôt.

— De quoi vous ennuyez-vous le plus dans votre couple ?

— De rire avec elle, d'avoir du plaisir, que ce soit léger. De voir ses yeux qui m'admirent aussi, qu'elle soit fière de moi et qu'elle me trouve drôle.

— Comment pouvez-vous arriver à retrouver tout ça ?

— C'est ça, le problème, je le sais pas. Il y a pas beaucoup de place pour l'improvisation dans notre vie, si tu vois ce que je veux dire.

— Cet espace, vous le limitez aussi vous-même. À défaut de me répéter, créez-le.

— Facile à dire.

— Bon, je vous laisse pour un moment.

— Vous allez où ? Quand est-ce que je vais retourner chez moi pour vrai ?

— Je reviendrai. Réfléchissez à ce que vous avez appris cette nuit.

L'Indien disparaît encore. La vue devant moi se modifie alors étrangement. Le ciel s'assombrit. L'atmosphère diurne dans laquelle je baignais depuis le début devient nuit. Des images un peu floues apparaissent devant moi, comme au cinéma.

Le **Gazon**

Je me vois avec M. Bellefeuille, qui avait gagné au loto, au moment où je lui faisais l'offre.

Il avait vraiment l'air abattu, le pauvre. Il jouait bien son rôle de complice de la police.

— Attendez, je vais vous expliquer les papiers d'abord.

Le type m'invite à sa table.

— Je te le dis, j'étais quasiment même pas content d'avoir gagné. Je me disais : « Faut pas qu'elle le sache, elle va toute me prendre, la criss de folle. » Est partie avec mon ancien beau-frère. L'ex de sa sœur. Chaque souper de famille, ils partaient toujours au dépanneur ensemble s'acheter des cigarettes... Eille, on la comprend-tu en tabarnak, la *joke*, là, tu penses !

— Ouin, pas évident, hein.

— Je vais te raconter comment je l'ai su. Aaah, le rat.

Je pose mon crayon.

Observant la scène, je me trouve gentil. Même si j'étais un solide fraudeur, je tenais à lui expliquer les papiers, à l'écouter. Pas certain que ce soit dans la liste des aptitudes et des tâches liées à l'emploi. Bien que son récit ait été interminable, je l'avais écouté.

— Qu'est-ce que vous voyez ? me demande la voix de l'Indien, que je ne vois pas.

— Ben, euh, que j'ai une belle candeur. Je me suis fait avoir de tous les bords dans cette vie-là.

— J'avoue que vous feriez un piètre fraudeur, ce qui est loin d'être un défaut, soit dit en passant. Mais au-delà de cette constatation ?

Ne trouvant pas facile de m'envoyer des fleurs à propos de cette vie, je prononce avec retenue :

— Au moins, je suis un homme honnête, avec une grande écoute.

— Bon ! Ce n'est pas si difficile, vous voyez !

Malgré certains détails de cette vie – entre autres M\ :sup:`me` Perron qui me suce –, je suis tout de même fier de ce qui en ressort.

Le film se poursuit.

Je me vois entrer dans le local de rangement du gymnase, où je retrouve mon fils autiste, assis au sol. Il me hurle un « AAAH ! ». Je ne semble pas impressionné.

— Non, non, non, tu cries pas après moi. Tu vas... tu vas venir avec moi à la place. Journée père-fils, tiens !

Je vois son petit visage déstabilisé. Cet enfant était si spécial, au fond. Sachant maintenant qu'il était différent, je trouve que son comportement a beaucoup plus de sens à présent. Il me suit vers l'extérieur. Je vois même dans son air qu'il semble momentanément heureux.

— Et ici ? fait l'Indien, qui me rejoint.

— Euh... que je me souciais de lui.

— Vos réflexes de père sont bons, monsieur Alexandre. Faites-vous confiance, accordez-vous le droit d'être le père que vous voulez être, peu importe les réactions de vos enfants, et ce, même si vous craignez qu'ils vous trouvent abruti.

— Mon fils me trouve particulièrement abruti, oui.

— Les ados semblent prendre leurs parents pour des demeurés, et ils le démontrent de manière très convaincante. Ne vous laissez pas prendre au jeu, la réalité est souvent tout autre, croyez-moi sur parole. Vous l'avez vu ici, n'est-ce pas ?

— Ouin. C'est vrai.

Le visionnement nous transporte alors dans le salon des parents de Julie Desmarais, où je pète un joli plomb.

— M'énerver avec ça ? C'EST MA FILLE ! Là, là, votre taboire de famille de *fuckés*, j'en ai plein mes bottes.

L'Indien rigole de plaisir à mes côtés. Il commente :

— Nous arrivons bientôt à mon passage préféré.

Dans ladite scène, je me tourne vers Bertrand :

— Toi là, t'as pas d'affaire à gérer ma vie de même ! T'es qui, toi ? Ma femme veut pas me toucher le matin DANS NOTRE LIT parce que tu pourrais nous entendre, tu vis dans MA maison, tu gères MA vie comme si j'avais dix ans, tu me donnes des ordres comme si j'étais ton serviteur. Tu m'appelles « ti-gars ». C'est quoi ça ?

— C'est ma maison en passant.

— Criez pas devant la petite, nous supplie Julie.

— Excuse-moi, mon amour, papa est très fâché, mais c'est pas contre toi, c'est contre grand-papa que je suis fâché.

Je vois très bien la petite qui m'envoie un regard me signifiant qu'elle me pardonne, voire qu'elle approuve.

— Faque là, je vais m'en aller relaxer, et nous autres, on va déménager au plus sacrant! Bye!

— Ha! ha! ha! rit encore l'Indien. BOOM! Pas ta maison, mais la mienne!

— J'ai eu l'air très con. Mais fallait bien que je reprenne un peu de dignité.

— Même la petite semblait heureuse que vous envoyiez promener son grand-père. Vous êtes un homme fier et soucieux de votre famille, monsieur Alexandre. Personne ne pourra jamais vous enlever ça.

Je souris encore, plutôt satisfait de ce passage houleux, finalement. Ravi que le résumé de cette expérimentation me présente en rafale tous mes bons coups, je fixe les images devant moi, avide de voir la suite.

On me retrouve au milieu du salon en face de la journaliste, Cathy, et entouré des enfants qui se mettent tous à pleurer en même temps. Je rigole:

— Eille, tous ces enfants! Ha! ha! ha!

— Bien que vous étiez excellent dans votre rôle, ce n'est pas uniquement l'aspect qui nous intéresse ici.

La scène reprend.

— Ce sera l'heure du dîner bientôt, donc je crois que nous devrions remettre l'entrevue.

— Ah non. J'ai absolument rien pour écrire un article. Il faut me parler. S'il te plaît.

Je distingue bien le sentiment dans mon regard, que je décris au jardinier :

— Je voulais me sauver. J'avais tellement honte.

— Mais ce n'est pas ce que vous avez fait, me précise l'Indien.

Le reste de la conversation le confirme.

— Ah, mon Dieu, fait Cathy.

— C'est gros.

— Je suis prête.

— Ta carrière va changer, Cathy. T'as quelque chose pour enregistrer ?

L'Indien me demande :

— Qu'est-ce que vous retenez de cette scène ?

— Mes valeurs sont plus importantes que l'argent. Je pourrais jamais être une pute pour de l'argent.

— C'est tout à votre honneur, monsieur. Et vous aviez aussi à cœur de faire avancer cette jeune journaliste.

L'exercice fait du bien à mon ego malgré toutes les déconfitures vécues en rafales depuis le début de cette histoire.

— Voyons une scène supplémentaire, si vous le permettez, me précise mon acolyte.

On me voit alors sur ce banc avec Bertrand en itinérant. Je souris. J'aime beaucoup cet homme dans cette deuxième version de lui-même. Dans la scène, je lui demande :

— Si y a pas de temps, comment t'expliques le passé et le futur ?

— Ha ! ha ! ha ! Le point zéro d'où part une flèche allant vers l'arrière pour le passé et une autre vers l'avant pour le futur ? Des conneries. Et toi ? T'es où ? Derrière ou devant ?

— Je suis…

Je remarque alors ma tronche de gars ne sachant pas quoi répondre.

Un homme passe en trombe devant nous, les yeux rivés sur son portable. Une femme fait de même, mais en sens inverse. Bertrand leur crie :

— Courez, courez après le temps, bande d'abrutis !

L'Indien me répète :

— Et vous, monsieur Alexandre ? Où êtes-vous ? Derrière ou devant ? Courez-vous ?

— Je suis ici. Juste ici.

Il me sourit en retour, heureux de voir ses enseignements prendre racine.

Le **Gazon**

Pour la vie suivante, je sais ce que nous verrons. Comme de fait, j'ai raison. Nous voilà donc dans le sous-sol de cette pyramide. Je ne peux m'empêcher de rire. L'Indien aussi. Le type à capine du centre nous demande :

— Donc ? Avez-vous décidé de parler ?

Chloé se tourne vers moi. Elle me regarde. Je la regarde. Elle se lève finalement pour dire :

— Normand a rien à voir là-dedans. Laissez-le partir. Il ne sait pas grand-chose, c'est moi qui ai tout découvert.

Je me lève à mon tour d'un bond.

— C'est faux, elle ment. Je sais tout à propos des Mayas, de l'alliage de plombi-chose et des hiéroglyphes !

— Normand…

— Si vous voulez vous en prendre à elle, vous vous en prendrez à moi d'abord !

Chloé me sourit un peu.

Je me plains au jardinier, toujours aussi découragé de l'absurdité de cette vie :

— N'importe quoi !

— Votre loyauté est vraiment sans limites ! Ha ! ha ! ha ! Voyons un passage supplémentaire, juste pour se faire plaisir.

Le film se poursuit. Je perçois mes yeux apeurés et ma bouche qui souffle comme une femme qui accouche tandis que je me fais écarteler.

— QUI ? rugit le type du centre en s'adressant à Chloé.

— PERSONNE ! crie celle-ci.

— DIS-LEUR !

— NON !

Les types empoignent à nouveau la barre de métal. Puis, ils tournent encore.

Je gémis un peu, puis je m'évanouis.

— Franchement ! protesté-je en grimaçant par autocompassion. Sous la douleur, je devenais un peu moins loyal par contre.

— Ha ! ha ! ha ! J'adore cette scène. Vous repartez aussi avec la certitude que vous n'avez vraiment aucune tolérance face à la douleur.

— Pfft ! Ça faisait vraiment mal. Je sais aussi que cette Chloé était un paquet de troubles, finalement. On dirait que j'ai perdu du temps à l'imaginer si formidable.

Le film se poursuit de plus belle. Un frisson me parcourt le dos. Je déteste cette vie-là. Nous voyons plusieurs scènes les unes à la suite des autres, mais sans en entendre le son. Parfait, juste le visuel me suffit amplement.

Je me vois étirer un peu mon baiser de bonsoir à Claire. Ensuite, je remarque qu'elle semble me trouver un peu insistant. Elle touche la cuisse de Pierre alors qu'elle est assise près de lui. J'assiste, impuissant, et pour une deuxième fois, au souper durant lequel elle n'avait d'yeux que pour lui. Je ne suis rien de plus qu'un ami dans son regard, voire le simple conjoint de sa meilleure amie. On aperçoit ensuite Mathis, qui fixe Pierre comme s'il était un demeuré.

— Sa face…, que je fais en revoyant le calque de mon fils dans le quotidien face à moi.

Le jardinier m'interroge du regard.

— Je sais, je sais. Mon fils trouverait n'importe quel père abruti.

— Voilà. Mais comme je vous disais, le pense-t-il vraiment?

On nous retrouve tous les quatre sur la balançoire extérieure. Claire se colle sur Pierre pour ensuite l'embrasser.

— Eh, taboire…, dis-je en me tournant le visage vers un nuage flottant à ma droite.

— Pas facile?

— C'est de la torture, pire que l'écarteleur du Moyen Âge.

Comme je refuse de regarder la suite de la scène – j'en ai eu assez de la vivre –, la clarté revient et le cinéma maison s'évapore.

— Claire, c'est ma femme. Je l'aime. Je veux qu'elle soit heureuse, je veux qu'on soit heureux, tous ensemble.

— Si c'est ce que vous voulez vraiment…

— Absolument. T'en doutes?

— Non, non, pas du tout.

— Je me sens confiant. Je veux et je peux être une meilleure version de moi-même.

— J'adore votre façon de le décrire. C'est exactement ça, en réalité. Donner le meilleur de soi-même, dans chaque situation, avec chaque personne.

— Je me sens comme si j'avais étouffé une passion que je portais avant, une énergie qui me propulsait. Comme si je vivais ma vie les deux mains dans les poches. Je veux retrouver la Claire enjouée et rieuse, mais elle aussi, elle doit avoir le goût de retrouver le Alexandre que j'étais, du moins, de temps en temps.

— Vous avez tout ça en vous. Soyez tout simplement créateur. Et n'oubliez jamais que la vie n'impose aucune limite à quiconque. Les barrières ne sont que des illusions de votre conscient qui protègent votre ego de l'échec.

— Je vais faire des efforts, en tout cas.

— Face à Claire, faites-vous confiance, laissez-vous davantage guider par votre cœur, il aura toujours raison. Et n'oubliez pas que vous êtes deux dans ce couple pour maintenir l'équilibre. Vous et elle, aussi. Tout le monde évolue, vous savez.

— OK.

— N'anticipez pas trop non plus. Les choses couleront peut-être plus facilement que vous ne le croyez. Bon retour chez vous, Alexandre.

— C'est maintenant?

— Oui.

— Eille…

— Oui ?

— Merci, l'ami.

— Merci pourquoi ?

— Ben, pour tout ça, là.

Il sourit.

— L'important n'est pas tellement de le comprendre avec sa tête, mais bien d'y croire avec son cœur. Au revoir, monsieur Alexandre. Ce fut un réel plaisir.

Il disparaît. Je reste immobile dans le divan en attente que tout se mette à tournoyer comme d'habitude.

Rien ne se passe.

Après un petit moment, je lance :

— Oyé ! T'es encore là ? C'est que je reste pris ici, là. Il se passe rien.

J'entends au loin ce rire moqueur.

Le divan se met à tourbillonner.

Sacré jardinier. Il se sera payé ma gueule jusqu'à la toute fin.

Encore le 10 juin ?

Je me fais réveiller en douceur. Quelqu'un m'enveloppe par-derrière. Engourdi, je bouge un peu, puis j'émets un grognement étiré en signe d'appréciation de cette tendresse.

— Bon matin, mon chéri.

C'est la douce voix de Claire. Comme si je revenais d'un long coma, je peine à réaliser ce qui se passe. Quel jour sommes-nous ?

— Bon matin, que je réponds, un peu perdu.

Est-ce que toute cette histoire de rêve est bel et bien terminée ? Suis-je réellement à la maison ? J'ouvre un œil pour examiner ma table de chevet. Pas de doute, c'est la mienne. Claire reste près de moi un instant, comme ça, en silence, avant de se lever, puis de quitter la chambre. Je suis comme mitigé. Cloué au lit. Ce rêve était dément ou quoi ? Je me souviens de tout, dans les moindres détails. Comment est-ce possible ? Je me rue sur mon cellulaire pour y voir la date. Le 11 juin. Dieu soit loué. Je respire un bon coup.

Une fois habillé, j'ouvre ma table de chevet pour y prendre quelque chose que je glisse dans ma poche. Je me dirige vers la cuisine.

J'y retrouve Claire, la bouille animée d'une énergie déstabilisante. Comme chaque matin, elle s'affaire à la cuisine, mais elle semble différente.

Je la questionne :

— Qu'est-ce qui se passe ?

— Rien. Une belle journée commence, non ?

Je crains pendant un instant d'être encore dans un de ces foutus rêves. Comment le savoir ? Je me dirige vers la fenêtre du salon pour réfléchir. Ma femme est anormale. Disons que ce n'est pas ce à quoi je m'étais préparé mentalement.

Mon bougon de fils aux cheveux longs se lève à son tour. Comme chaque matin, il passe dans le corridor pour se rendre à la salle de bain. Très motivée, Claire lui balance :

— Bon matin, mon grand !

Il grogne en retour un bruit tout ce qu'il y a de plus primitif en refermant la porte. Bon, pour ce volet, c'est très normal.

Claire se met à siffloter dans la cuisine. Je la dévisage. Elle me sourit en retour. Je dois arranger les choses avec elle, embellir notre vie familiale, mais là, tout semble rouler comme sur des roulettes. Comment ça ? Claire est trop heureuse, on dirait. Qu'est-ce qui s'est passé depuis hier soir ? Si je suis encore dans un rêve, je vais craquer.

Laurie entre dans la cuisine sans dire bonjour à personne.

— Prête-moi ton iPad, pa.

Je l'entends comme en sourdine.

— Pa ? Ton iPad ?

Je réalise que je tiens mon iPad dans mes mains sans m'en servir. Je dois l'avoir pris par réflexe sans même m'en rendre compte. La technologie est une prison.

— Laurie chérie, crie pas après ton père comme ça…, fait Claire lorsque je reviens à moi.

— Ben achetez-m'en un, d'abord ! rugit-elle, en levant les bras vers le ciel.

— Prends-le, il est là, que je propose sans trop de conviction.

— Écoute, Laurie, on pourrait peut-être contribuer à t'en payer un cet été, si on juge que tu as économisé suffisamment d'argent de ton gardiennage, lui offre Claire.

— Combien ?

— Disons, la moitié ? Mais juste si tu réussis tous tes cours avec des notes au-dessus de la moyenne du groupe.

— *Yes !* se réjouit Laurie.

Je dévisage de nouveau ma femme, qui vient tout à coup de céder pour le iPad de Laurie. Pour tout dire, je suis d'accord avec sa décision. Depuis des mois, je voulais bien contribuer pour lui en acheter un, mais Claire ne voulait pas, donc je nageais dans le même courant qu'elle par solidarité parentale.

Mon fils fait une entrée discrète dans la cuisine. Je cours à la salle de bain, les genoux dans le front. En catimini, je rebaisse la lunette des toilettes à sa place. Voilà déjà un drame d'évité. Je m'observe un instant dans la glace. J'ai l'air reposé. Surprenant après tout ce que j'ai vécu cette nuit.

De retour à la cuisine, je constate que ma fille nargue son frère.

— Les parents vont payer la moitié de mon iPad… Nananananana !

— Pas juste, làààààà ! beugle ce dernier, les deux pieds au bord du gouffre de l'injustice.

— Bon, bon, bon, toi, je te fais des crêpes ! annonce Claire avec un grand sourire.

Des crêpes ? En pleine semaine ? Je suis dérouté.

— Ben là, j'aime *full* mieux un iPad que des crêpes, s'oppose mon fils, peu reconnaissant.

— On reparlera de tout ça, mais pour l'instant, on passe un beau moment en famille ! envoie Claire.

Mon fils, ma fille et moi la dévisageons à l'unisson. Mathis se tourne vers moi, puis il me demande, presque apeuré :

— C'est quoi qui se passe, là ?

— Rien, rien, on se lève en famille et c'est le 11 juin ! C'est super, non ? fait Claire, toujours aussi euphorique.

Je ne comprends rien à rien.

— *Mom*, t'es genre *weird*…, fait remarquer Mathis.

— Ouin, t'es vraiment *weird*, confirme sa sœur.

Nous voilà tous en accord sur quelque chose : Claire est très bizarre. J'ai déjà lu que, parfois, les gens qui ne vont pas bien ont comme un regain de bonheur juste avant de sombrer dans la pire phase de la dépression. Est-ce que c'est ce qui se passe avec ma Claire ?

— Bon, comme je fais un déjeuner plus laborieux ce matin, tout le monde participera et préparera soi-même son lunch.

— Oui, dorénavant vous allez aider votre mère un peu plus… et moi aussi, d'ailleurs.

Je voulais justement proposer une solution de rechange pour les lunchs, mais Claire m'a devancé. Tout est si facile et harmonieux que je crains le pire.

Mon fils, qui profite d'un moment d'inattention de sa sœur adorée, trempe le manche de la fourchette de celle-ci dans le pot de sirop. Au moment où sa mère lui sert une crêpe, Laurie prend l'ustensile et ses doigts s'y collent. Mathis rit. Elle crie comme une perdue :

— AAAH ! T'es vraiment con, gros cave !

Cette matinée n'est pas si différente, finalement.

```
7 H 26
```

Claire reçoit un texto sur son portable, qu'elle lit. Elle m'annonce :

— Nat veut qu'on se voie bientôt. Je vais organiser un souper avec elle cette semaine, mais il faudrait aussi se voir tous ensemble avec les enfants. Ce vendredi, ce serait bien, non ?

Je pense que revoir Nathalie et Pierre me paraîtra très étrange.

Sans attendre ma réponse, elle se dirige vers notre chambre. Je la suis.

En entrant dans la pièce et ne pouvant plus me retenir, j'avance vers ma femme pour la serrer dans mes bras. Je l'aime tant. Elle est resplendissante ce matin. Je dois arrêter de la trouver louche et juste apprécier son état. Elle ne dit rien, puis elle m'étreint très fort. De l'autre côté de la porte, Mathis hurle :

— Sors de la salle de bain, Laurie ! Ça fait mille deux cents ans que t'es là !

— Je suis content de te voir de si bonne humeur ce matin…, dis-je à mon épouse retrouvée.

Elle me sourit avec une grande sincérité.

Je sens qu'elle a quelque chose à me dire. Je vais lui ouvrir la porte.

Elle me devance et commence illico en parlant très vite :

— Alexandre, je te promets que nous n'aurons jamais de ferme de brebis à la campagne, je me ferai jamais refaire les seins non plus, ni de la liposuccion, ah ça non ! Je vais jamais prendre de drogues ni en faire le trafic, c'est trop stressant. Je préfère aussi que l'on ne s'achète jamais de vibrateurs géants, notre vie sexuelle me convient parfaitement. Et, tu sais quoi? Je suis pas lesbienne du tout, j'en suis convaincue! Le nudisme, c'est pas notre truc non plus, hein? Par contre, j'aurais facilement pu être médecin, oui, mais je suis très heureuse dans ma vie d'infirmière dévouée et...

— De quoi parles-tu, Claire? que je demande, totalement dérouté.

Je reviens sur ma constatation précédente: elle est anormale ce matin.

— Mais tu sais ce qui m'importe le plus? Je veux jamais avoir à signer de papiers de divorce avec toi...

— Claire? Tentes-tu de me dire quelque chose de façon subtile?

Pourquoi me parle-t-elle de divorce?

— Oui, j'essaie simplement de te dire que je t'aime et que j'aime notre vie. Elle est peut-être imparfaite parfois, mais pour rien au monde je voudrais la changer.

Elle s'éloigne de mon étreinte pour se diriger vers la fenêtre. Elle me confie:

— J'ai fait un rêve, chéri. Un rêve très curieux...

Sûrement rien pour égaler le mien. Comme sa voix est un peu chancelante, je m'approche et je l'enlace une seconde fois, mais par-derrière.

— Moi aussi, j'ai mal dormi, je pense.

Le **Gazon**

Nous fixons un instant le gazon impeccable du voisin, et ensuite le nôtre, parsemé de fleurs jaunes indésirables. Il y a si longtemps que je tente de nous en débarrasser que je lui demande, découragé :

— Comment autant de pissenlits peuvent-ils pousser en une seule nuit ? Regarde le voisin, il en a pas un seul, lui.

— As-tu déjà entendu parler d'un produit qui s'appelle le Pistilkill ?

— Non ! T'as vu ça où ?

— Bien, en fait, je sais même pas trop si ça existe pour vrai.

Je fronce les sourcils dans sa direction. Depuis quand s'intéresse-t-elle à l'entretien du gazon ? L'extérieur, c'est mon département, selon ses dires. Je vois alors quelqu'un marcher sur notre terrain.

— Ah, tiens, le jardinier vient d'arriver. Je vais aller lui demander s'il connaît ça. Je dois lui parler au plus vite, à lui, de toute façon.

Claire me sourit. Je la trouve si belle lorsqu'elle sourit. Comme je bâille un peu, elle me demande :

— T'as fait de l'insomnie cette nuit, tu me disais ?

— Non, j'ai rêvé et rêvé... C'était trop bizarre.

Je marque une pause. Je ne peux pas lui raconter tout ça. C'est trop incompréhensible.

— Moi aussi j'ai rêvé et crois-moi, tu aurais tout ce qu'il faut pour écrire un roman ! m'annonce-t-elle.

Avant que je passe la porte, Claire m'interpelle :

— Alexandre ?

— Oui ?

Elle change d'idée.

— Ah rien.

Je me tourne de nouveau vers la porte pour sortir.

— Alexandre ?

— Oui ?

— Ce serait bien que ça existe, ce produit. De cette façon, tu pourrais plus jamais dire que le gazon des voisins est plus beau que le nôtre...

Je souris. Elle poursuit :

— En fait, peu importe que ça existe ou pas, je veux plus JAMAIS que tu dises que le gazon des autres est plus vert que le nôtre. C'est notre gazon et il est comme il est.

— Ah ça, je le sais ! Crois-moi, je le sais !

Je tourne les talons et je sors, motivé plus que jamais à mettre la situation au clair avec ce satané jardinier. En passant la porte, je me rue sur lui tel un fou furieux. Je me ravise un peu les ardeurs en voyant que Claire nous observe de la fenêtre, qui est ouverte. Elle fixe le jardinier comme si elle avait vu un fantôme.

— Veux-tu bien me dire ce qui s'est passé cette nuit ?

— Cette nuit ? J'ai dormi et vous ?

Le **Gazon**

— Vous étiez là, dans le ciel, avec moi. Cette histoire de fou, de vies, d'expérimentations.

— Mais de quoi parlez-vous, saint curry d'Espelette ?

— Les rêves, les vies potentielles ?

Il me fixe, le regard vide. Il inspecte ensuite le gazon rempli de pissenlits.

Je commente :

— On viendra jamais à bout de ces pissenlits-là, han ?

— Si vous voulez en venir à bout, vous y arriverez. Ne vous imposez pas de limites et soyez le créateur de votre vie, entretenez-la autant que votre gazon.

Puis, il se dirige vers le cabanon.

Ces dernières paroles résonnent en moi. Je souris.

Il me crie de plus loin :

— Et en passant, le Pistilkill dont Claire vous parlait n'existe pas. C'était dans une de ses vies de cette nuit.

Je le regarde et je souris une fois de plus. Donc ma femme aussi... Je lève les yeux vers Claire, qui nous observe toujours de la fenêtre entrouverte. J'agrippe ce que j'ai pris dans ma table de chevet et je pivote un peu pour ne pas qu'elle me voie.

En me retournant de nouveau vers elle, fin prêt, je lui crie :

— Ça te dirait qu'on parte en amoureux aux chutes Montmorency ce week-end ?

— Ha! ha! ha! Voyons donc!?

Elle rit de bon cœur en me voyant. Moi aussi.

— Donc?

— Oui! J'en rêve! répond-elle.

L'Indien, qui revient vers moi avec une spatule de jardinage et une mini pelle dans les mains, me dit :

— Cette moustache chinoise vous va à ravir, monsieur Alexandre.

— Merci. Ça fait longtemps déjà que j'aurais dû la porter.

— Il n'est jamais trop tard pour bien faire. Allons, laissez-moi gérer le gazon maintenant, c'est mon travail. Quant à vous, n'avez-vous pas quelque chose de mieux à faire?

Je souris dans ma moustache de Fu Manchu. Je lui emprunte l'un de ses outils.

— Oui, j'ai un roman à écrire et il s'intitulera *Le Son de la peur*, mais avant, je vais passer voir papa pour jardiner un peu avec lui...

Fin

Épilogue

Alexandre est un homme bon. Je le savais et je l'ai toujours su. Malgré certaines réticences qu'il a pu avoir face à l'expérimentation, je savais que celle-ci serait profitable pour lui. Il peinait à croire sans voir et cela l'empêchait d'avancer. Il ne saisissait pas bien la mission de sa vie: écrire des histoires. Étant journaliste, il n'avait que partiellement compris le véritable sens que les mots devaient prendre dans sa vie. Je ne suis pas un devin ou un sage, mais j'ai toujours su écouter. Mon grand-père, celui qui m'a transmis le pouvoir de procéder à ces expérimentations, disait toujours: «l'homme qui ne croit pas fera les choix d'un homme qui ne voit pas. Il tournera dans une roue sans jamais saisir la bride infinie des possibilités. Il faut d'abord croire en leur existence pour ensuite les entrevoir.» Se référer seulement au tangible revient à vivre dans une pièce dont les murs internes ne seraient faits que de miroirs, et où les mêmes images nous seraient renvoyées à répétition.

les images de ce à quoi nous croyons, donc celles de notre réalité actuelle, forcément limitée. Croire au monde des possibles fait éclater ces miroirs et, du coup, ouvre la pièce tout entière, élargissant ainsi notre perspective de la vie vers des horizons illimités, donc sans frontières. La vie devient ainsi une toile vierge et renouvelable, sur laquelle nous avons le loisir de créer. Les obstacles deviennent des points d'ancrage à partir desquels nous apprenons à mieux nous orienter. Les remises en question, qu'elles soient sous forme de crise ou de difficulté, sont des moments de gloire inspirés du divin pour arriver à nous faire monter plus haut.

La vie est le résultat d'une somme de choix, oui, mais la fatalité du destin n'existe pas, parce que chacun d'entre nous porte au sein de son âme une mission. Une mission de service. Il n'y a pas de grande ou de petite mission. Aucune gradation n'existe quant à ce que votre âme doit accomplir. Vous devez seulement le comprendre avec l'intelligence du cœur et le faire avec ce même cœur sans rien demander en retour.

Ceci dit, mes amis, même si le gazon peut sembler plus vert de l'autre côté de la clôture, une seule question importe : êtes-vous le propre créateur de votre jardin, mais, surtout, y croyez-vous ?

Pas assez à votre goût ?

Pas de souci. Commencez dès aujourd'hui.

Puisque le temps n'est qu'une illusion,
il n'est jamais trop tard.

Vivez l'expérimentation
de Claire dans :

LA POPULAIRE

Série

VENDUE À PLUS DE

180 000

EXEMPLAIRES

Suivez Mali sur le mythique
chemin de Compostelle...

AMÉLIE DUBOIS

La fois où...

j'ai suivi
les flèches
jaunes

LES ÉDITEURS RÉUNIS

MARQUIS

Québec, Canada